文系研究者になる

石黒圭

「研究する人生」を
歩むためのガイドブック

研究社

はじめに

本書は、大学の学部を卒業して大学院に入学し、博士学位を取得したのち、研究者として本格的に歩んでいくことを目指す文系、とくに人文系の研究者を応援する本です。

大学の学部を卒業するまでの道は、入試という競争に何度かさらされるものの、周囲の友人の多くも大学に進学しますし、かりに進学者が周囲に少なくても、学部卒業までのイメージは社会的に共有されていますので、迷うことはあまりありません。

ところが、学生生活を終え、社会に出て働く場合でも、大学院に進学する場合でも、人によって歩む道が異なります。歩むべきレールが消えてしまうので、多くの人は途方に暮れて不安になるわけです。もちろん、就職する場合は、就活という社会的な枠組みがあり、先輩のリクルーターや就職支援室の相談員から具体的な話が聞けるでしょうし、理系で大学院に進学する場合は、研究室の先輩の多くも進学しますので、ロールモデルが身近に存在します。しかし、文系で大学院に進学する人は、身近なロールモデルが存在することはまれです。このため、自分で進むべき道を切り開かなければならない状況に置かれてしまうのです。

私自身は、一橋大学に勤務していた 2005 年当時、同大学大学院言語社会研究科、留学生センター、および国立国語研究所の 3 者連携で、第 2 部門（日本語・日本文化部門）と呼ばれるコースの立ち上げに関わり、大学院生の指導を始めました。その後、連携先である国立国語研究所に異動しましたが、大学院生の指導は継続し、指導教員として 2021 年までにちょうど 20 名の博士号取得者を送りだしました。そこに、修士課程のみを修了して社会に出た学生、博士号の副指導の学生、他ゼミで私の授業を履修している学生、さらには非常勤先の早稲田大学大学院文学研究科・日本語教育研究科の学生、集中講義に出講した東北大学、南山大学、北京外国語大学北京日本語学研究センターなどを加えると、かなりの人数の大学院生と接してきたことになります。

そのなかで直面したことは、多くの大学院生は、大学院で研究するとはどういうことか、将来研究者になるのにどのような道を歩めばいいかといった本質的なことを深く考えず、ともかく大学院に進学すれば何とかなるという思いで進学してくるという事実でした。いくら文系大学院に進学する人はマイノリティだからとは言え、インターネット上に必要な情報は存在していますし、もっと詳しく知りたければ、各大学の大学院説明会に出席したり、学会に参加したりして情報を収集することも可能です。しかし、そうした情報に接することなく、やみくもに大学院に進学してきて厳しい現実に直面し、「こんなはずではなかった」と、行き詰まってしまうのです。

しかし、そうした大学院生のことを批判することはできません。私自身も大学院生時代、まさに、深く考えずに進学を決断した一人だったからです。ただ、当時は情報自体が少なく、大学院の状況を調べることは困難でした。これにたいし、現在はWeb検索をすれば簡単に情報が出てくる時代です。それでも、大学院の現実を知らずに進学してくる人が多いのはなぜなのだろうか。そこではたと気づいたのは、インターネットで検索したくても、そもそもどういう言葉で検索してよいのかわからないのではないか。さらに言うと、そもそも検索に必要な概念の存在自体を知らないのではないかということでした。

本書は、「研究する人生」を始めるにあたり、研究者の世界がどのような仕組みで成り立っているのか、その世界を生き抜くために必要な知識は何かといった情報を網羅したマニュアルです。大学院での生活や、就職後の人生で出会うさまざまな場面とキーワードを本書にぎっしり詰めました。

研究者として歩んでいくうえで重要な、本書で取りあげた言葉を20語紹介しましょう。きちんと説明できたら1問5点で、合計で100点になります。

研究者に必要なワード20

① 研究計画書
② リサーチ・クエスチョン
③ 批判的思考
④ CiNii
⑤ 剽窃
⑥ DOI
⑦ ジャパンサーチ
⑧ 半構造化インタビュー
⑨ カイ二乗検定
⑩ 研究倫理
⑪ パイロット調査
⑫ ポスター発表
⑬ 論文修正報告書
⑭ researchmap
⑮ 学振PD
⑯ CCライセンス
⑰ テニュア・トラック制度
⑱ オープンアクセス
⑲ 科研費
⑳ ライデン声明

何点ぐらい取れましたか。自信を持って答えられる言葉もあったかと思いますが、なんとなく耳にしたことのある言葉から、初めて見た言葉まであるのではないでしょうか。大学院をこれから受験する人はその多くを知らなくて当然ですが、大学院の博士後期課程で学んでいる人や現役の大学教員でも、90点を取れる人は少ないのではないでしょうか。

ここ10年で研究をめぐる環境は大きく変わりました。その要因となったのは、研究のデジタル化、グローバル化、若手支援の充実です。そうした情報に疎いのは、じつは大学院生を指導する教授です。教授は研究者としてほぼ「あがり」なので、そうした環境の影響をあまり受けません。そのため、最新の事情をよく知らないケースもあるのです。環境の変化の影響をもろにかぶるのは、いつの時代も若い人たちです。

私自身は若い人に、「研究する人生」を歩むことを積極的に勧めようとは思いません。身近な人に大学院への進学を相談されたら、勧めるかどうか微妙です。経済的にも精神的にも厳しい状況が長く続くわりに、将来、それに見合うだけの待遇が得られる確率がけっして高くはないからです。

しかし、厳しい状況に置かれようとも、新しい発見と出会えるワクワクする気持ちを何よりも大事にし、大好きな研究を続けて一生を送りたいという希望、そして固い決意と覚悟を持って進む人を支援したい気持ちが、私のなかに強くあります。そうした人にはまず本書を熟読し、暗黙知だらけの研究という世界の仕組みを十分に理解するところから始めてほしいのです。

本書が研究者を志す人の助けになることを心から願っています。

はじめに iii
研究者すごろく x

序章　研究への道 1

0.1　研究は恋 1
0.2　研究者の一生 3
0.3　本書の対象者 5

第1章　決める（決断） 6

1.1　受験生の決断 6
1.1.1　分野によって異なる大学院の進学意識 6
1.1.2　文系大学院への進学の動機 9

1.2　大学院進学の準備 12
1.2.1　大学院選択の方法 12
1.2.2　修士課程入試の準備 14
1.2.3　修士課程入試の面接 15
1.2.4　博士課程入試の準備 17

1.3　大学院進学後の考え方 19
1.3.1　修士課程合格後の準備 19
1.3.2　博士課程合格後の準備 20
1.3.3　大学院生活の心構え 21
1.3.4　大学院生活に必要な作業 23

第2章　考える（思考） 24

2.1　研究の基本 24
2.1.1　研究とは何か 24
2.1.2　研究に向いている人 25
2.1.3　研究に向いていない人 26
2.1.4　研究者になるリスク 28

2.2　研究テーマの探索 32
2.2.1　研究テーマとの出会い 32
2.2.2　経験と研究テーマ探し 33
2.2.3　知識と研究テーマ探し 34
2.2.4　データと研究テーマ探し 35
2.2.5　よい研究テーマ 37
2.2.6　研究テーマと指導教員 39
コラム1　研究テーマと流行 40

2.3　研究課題の設定 43
2.3.1　問いと答え 43
2.3.2　問いを立てる 44
2.3.3　問いを思いつく 46
2.3.4　問いを変える 47
2.3.5　問いを分割する 48

2.4　考えるコツ 50
2.4.1　論拠とデータを示す 50
2.4.2　疑いを持つ 51
2.4.3　新たな考えを生みだす 53
コラム2　思考の材料を整える 54

第3章　読む（文献） 59

3.1　文献を読む 59
3.1.1　勉強のために文献を読む 59
3.1.2　研究のために文献を読む 62

3.2　文献データベースを調べる 64
3.2.1　学術検索サイトで検索する 64
3.2.2　検索で漏れた文献を補う 65
コラム3　検索ワードを増やす 66

3.3　引用の作法 68
3.3.1　引用の意義 68
3.3.2　研究史に位置づける 70
3.3.3　引用のマナー 71

3.3.4 引用のルール 73
3.3.5 剽窃を防ぐ 77

第4章 調べる（調査） 81

4.1 調査とは何か 81
4.1.1 調査と分析 81
4.1.2 調査の方法 83
4.1.3 量的調査と質的調査 84

4.2 質的調査 86
4.2.1 質的調査とは何か 86
4.2.2 質問の良し悪し 87
4.2.3 インタビューの種類 89
4.2.4 研究倫理の問題 90
コラム4 質的調査法の種類 95

4.3 量的調査 98
4.3.1 量的調査とは何か 98
4.3.2 統計は必要か 99
4.3.3 サンプリング手法 100
4.3.4 統計の種類 104
4.3.5 統計的手法選択のコツ 106

4.4 調査の実際 109
4.4.1 パイロット調査とリハーサル 109
4.4.2 パイロット調査をする 110
4.4.3 リハーサルをする 113
4.4.4 フェイスシートを作成する 115
4.4.5 失敗したときの保険をかける 115

4.5 既存のデータの収集 117
4.5.1 デジタル・アーカイブのサイト 117
コラム5 知っておきたい人文系デジタル・アーカイブ 118
4.5.2 目指すデータにアクセスする方法 121

第5章 話す（発表） 124

5.1 ゼミ発表 124
5.1.1 ゼミの目的 124
5.1.2 発表者のゼミ発表の効用：準備編 125
5.1.3 発表者のゼミ発表の効用：当日編 126
5.1.4 参加者のゼミ参加の効用 128
5.1.5 新入生のゼミでの心得 129
5.1.6 上級生や指導教員の心得 130
コラム6 研究の思考法の育て方 131
5.1.7 ゼミ運営の方法 132
5.1.8 ゼミの議論の質 134
5.1.9 コメントを増やす 136
5.1.10 コメントの質を高める 137
5.1.11 集中力を高める 140
5.1.12 ゼミ運営法の最適解 143
5.1.13 もらったコメントの取捨選択 145
5.1.14 もらったコメントの優先順位 147
5.1.15 発表資料の作り方（研究生・新入生） 149
5.1.16 発表資料の作り方（修士課程） 150
5.1.17 発表資料の作り方（博士課程） 152

5.2 学会発表 153
5.2.1 口頭発表 153
5.2.2 ポスター発表 156
5.2.3 講演 158

5.3 面接 159
5.3.1 修士課程の修了面接 160
5.3.2 博士課程の修了面接 162
5.3.3 就職の面接 165

第6章　書く（執筆）　168

6.1　修士論文の執筆　168
6.1.1　修士論文の執筆スケジュール　168
6.1.2　イメージ期　169
6.1.3　試行錯誤期　171
6.1.4　方針検討期　172
6.1.5　方針確定期　172
6.1.6　調査実施期　173
6.1.7　調査整理期　174
6.1.8　執筆着手期　175
6.1.9　本格執筆期　176
6.1.10　論文提出期　176
6.1.11　後片づけ期　177

6.2　学術論文の構成別執筆法　178
6.2.1　学術論文の基本的構成　178
6.2.2　「はじめに」　179
6.2.3　「先行研究」　180
6.2.4　「資料と方法」　184
6.2.5　「分析の結果」　185
6.2.6　「結果の考察」　188
6.2.7　「まとめ」　189

6.3　学術雑誌への投稿　189
6.3.1　投稿の必要性　189
6.3.2　博士院生の投稿戦略　190
6.3.3　投稿先の選び方　193
コラム7　投稿のカテゴリー　196

6.4　投稿論文のチェック項目　197
6.4.1　チェック項目一覧　197
6.4.2　タイトル　198
6.4.3　要旨　200
6.4.4　キーワード　200
6.4.5　匿名性　201
6.4.6　先行研究　202
6.4.7　注の扱い　203
6.4.8　資料と方法　204
6.4.9　結果･考察　204
6.4.10　まとめ　206
6.4.11　日本語表現　206
6.4.12　形式の統一　208

6.5　査読者とのやりとり　209
6.5.1　査読のしくみ　209
6.5.2　不採用の理由　210
6.5.3　修正再査読コメントへの対応　212
コラム8　不採用コメントへの対応　214
6.5.4　査読者の心構え　216

6.6　博士論文の執筆　219
6.6.1　修士論文と博士論文の違い　219
6.6.2　博士論文提出までの流れ　222
6.6.3　博士論文の構想と構成　223
6.6.4　博士論文の審査　224
6.6.5　博士論文の公開　225
コラム9　共著と謝辞　226

第7章　つながる（関係）　228

7.1　学内でつながる　228
7.1.1　指導教員のタイプ　228
7.1.2　囲い込み型の指導教員との付き合い方　230
7.1.3　放牧型の指導教員との付き合い方　232
コラム10　指導教員の選び方　235
7.1.4　修士1年目の人間関係　237
7.1.5　修士2年目の人間関係　238
7.1.6　博士課程の人間関係　239
7.1.7　先輩との付き合い方　240
7.1.8　後輩との付き合い方　241

7.2　学会でつながる　242
7.2.1　学会とは何か　242
7.2.2　学会への参加　244
7.2.3　学会の役職　245
7.2.4　研究会でつながる　247

7.3　社会とつながる　248
7.3.1　社会との連携　248
7.3.2　産業界とつながる　250
7.3.3　官公庁とつながる　252
7.3.4　マスメディアとつながる　255
7.3.5　市民とつながる　257
7.3.6　世界とつながる　259

7.4　デジタルでつながる　262
7.4.1　オープンサイエンスの時代　262
7.4.2　研究者の自己発信　263
7.4.3　機関による研究成果の発信　265
7.4.4　研究活動の効果的発信　266
7.4.5　研究コンテンツの発信　267
7.4.6　研究コンテンツの利活用　269

第8章　生きる（生活）　272

8.1　研究の中断　272
8.1.1　研究を中断するとき　272
8.1.2　結婚と研究の中断　273
8.1.3　出産·子育てと研究の中断　275
8.1.4　親の介護と研究の中断　276
8.1.5　身体の不調と研究の中断　277
8.1.6　精神の不調と研究の中断　278
8.1.7　ハラスメントを受けたとき　280
8.1.8　逆ハラスメントを受けたとき　281
8.1.9　経済問題と研究の中断　283

8.2　経済的な問題とキャリア　284
8.2.1　修士課程の経済生活　284
8.2.2　博士課程の経済生活　286
8.2.3　博士修了後の経済生活　288
8.2.4　専任教員になる準備　290
コラム11　研究者以外のキャリア　292

8.3　専任研究者として生きる　293
8.3.1　専任研究者の学内業務　293
8.3.2　専任研究者の学外業務　294
8.3.3　専任研究者の研究力　295
8.3.4　科研費を取得する　297
8.3.5　研究チームを組織する　304
8.3.6　研究会を主催する　306
8.3.7　イベントを開催する　308
8.3.8　書籍を出版する　311
8.3.9　次世代の研究者を育てる　316
8.3.10　研究者の使命　319
8.3.11　人文学研究の評価　322
8.3.12　人文学の未来のために　327

おわりに　331
自己万能感と無謬主義　331
失敗は大事　332
対話が支える可謬主義　332
対話による成長　334
課題の多い人文学　334
人文学研究と結婚する　335
感謝を込めて　336

参考文献　339
索引　342

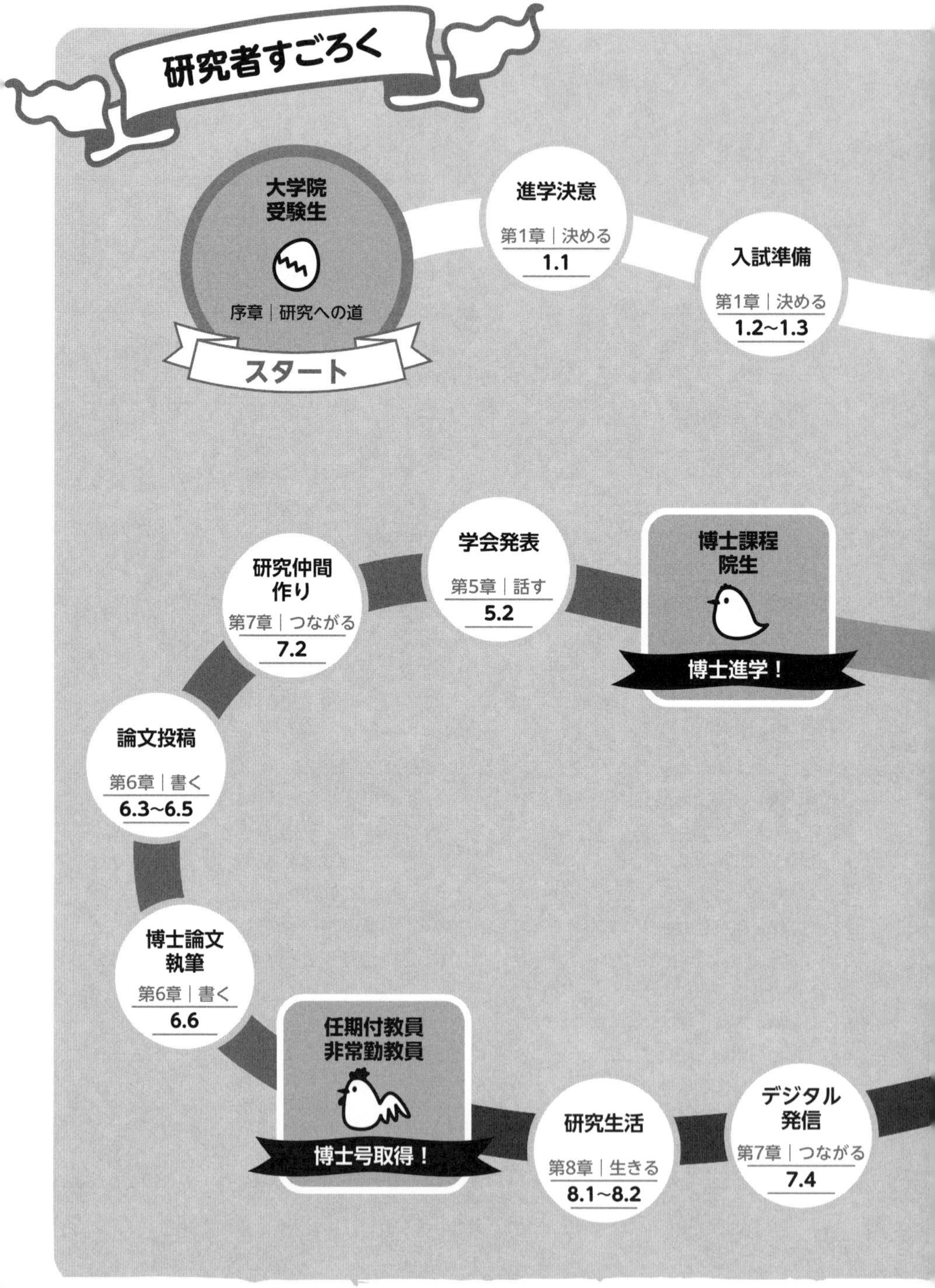
研究者すごろく
大学院
受験生
序章｜研究への道
スタート
進学決意
第1章｜決める
1.1
入試準備
第1章｜決める
1.2~1.3
学会発表
第5章｜話す
5.2
博士課程
院生
博士進学！
研究仲間
作り
第7章｜つながる
7.2
論文投稿
第6章｜書く
6.3~6.5
博士論文
執筆
第6章｜書く
6.6
任期付教員
非常勤教員
博士号取得！
研究生活
第8章｜生きる
8.1~8.2
デジタル
発信
第7章｜つながる
7.4

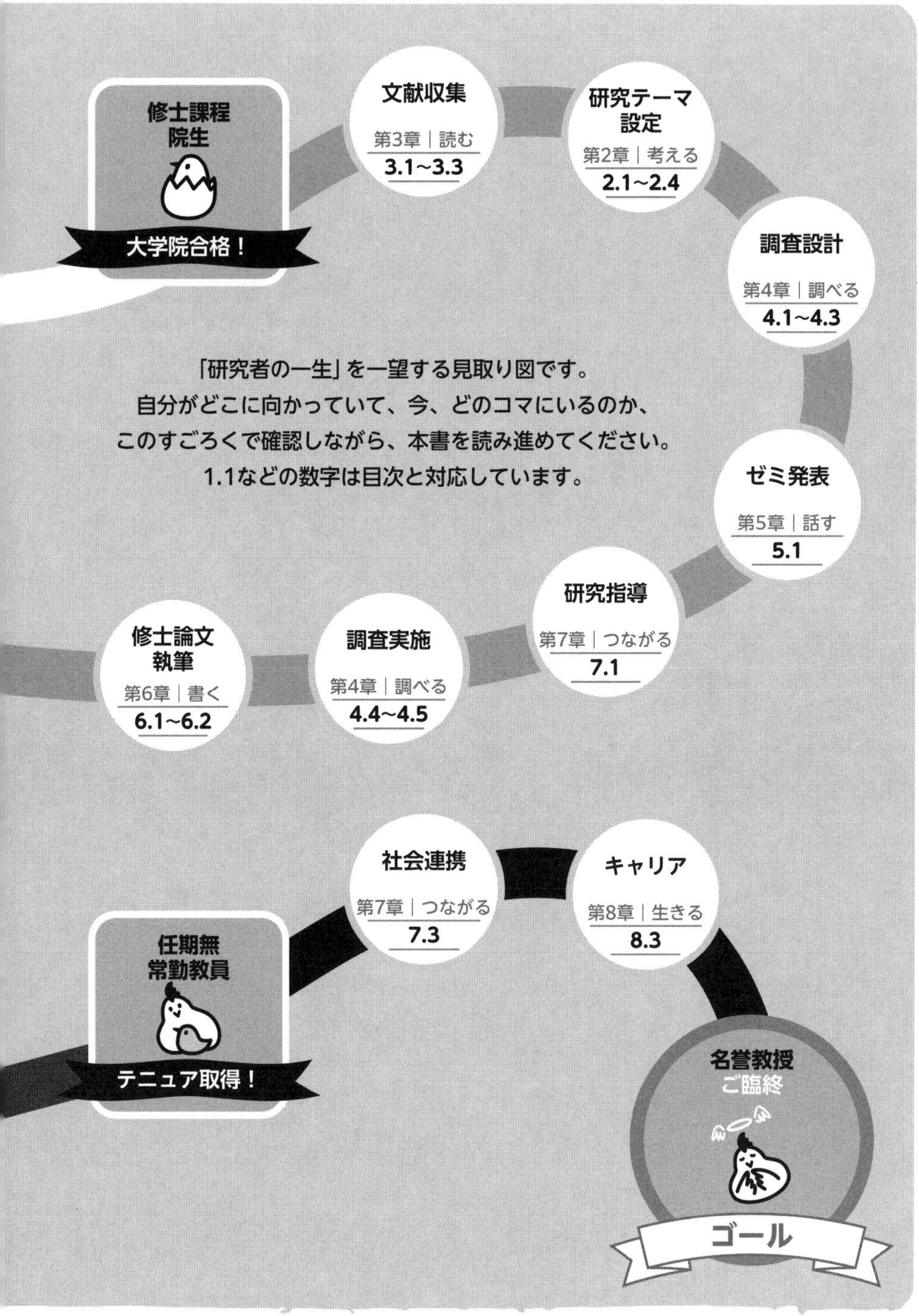
修士課程
院生
大学院合格！
文献収集
第3章｜読む
3.1〜3.3
研究テーマ
設定
第2章｜考える
2.1〜2.4
調査設計
第4章｜調べる
4.1〜4.3
「研究者の一生」を一望する見取り図です。
自分がどこに向かっていて、今、どのコマにいるのか、
このすごろくで確認しながら、本書を読み進めてください。
1.1などの数字は目次と対応しています。
ゼミ発表
第5章｜話す
5.1
研究指導
第7章｜つながる
7.1
調査実施
第4章｜調べる
4.4〜4.5
修士論文
執筆
第6章｜書く
6.1〜6.2
社会連携
第7章｜つながる
7.3
キャリア
第8章｜生きる
8.3
任期無
常勤教員
テニュア取得！
名誉教授
ご臨終
ゴール

序章　研究への道

門を叩け、さらば開かれん。
(『聖書 文語訳』「マタイ伝福音書」7章7節)

0.1　研究は恋

Q 研究は、難しい特別なことのように思えます。私にできるのでしょうか。

A 研究は、難しいことでも特別なことでもありません。研究は恋と同じです。研究する対象への熱い思いと鋭い洞察力があれば、きっとうまくいきます。

「研究」という言葉には特殊な響きがあります。勉強とは違い、どこか高尚で、能力の高い一部の人だけが携わる別世界の営みに聞こえます。これから大学院への進学を考えている人は、「研究などというものが、はたして自分にできるだろうか」と悩んでいるかもしれませんし、すでに「研究する人生」を歩みはじめた人は、選ばれし者としての誇りを胸に、日々の研究活動に従事しているかもしれません。しかし、研究はほんとうに特別なことなのでしょうか。

私が思うに、**研究は恋と一緒であり、何も特別なことではありません。**ある人が好きになり、その人のことをもっとよく知りたいと思う気持ちと、ある対象が好きになり、その対象のことをもっと深く知りたいと思う気持ちは、まったく同じです。

誰かを好きになったとき、何かを好きになったとき、誰でも研究を始めます。小さい子どもが鉄道や恐竜に興味を持ったとき、驚くほどの深さで研究を始めますし、株式投資や馬券購入を始めた大人も、損失を出さないように企業の過去の業績や競走馬の過去の戦績の研究を始めます。何かにはまった人はかならず研究をするのです。大学で行われる研究を特別視する必要はありません。

恋をしたとき、まず、好きになった相手がどんな人か、相手のことを知りたいという気持ちから研究が始まります。相手のしぐさ、表情、服装、持ち物など、相手の外面を慎重に観察し、そこから、相手がどんなタイプかを分析します。ぽりぽりと頭を掻く恥ずかしがり屋、まばたきが多いあがり症、露出度の高い服を着る目立ちたがり屋、高価な財布を持っている締まり屋、小さなカバンを持っている自由人など、外面を注意深く観察・分析すると、いろいろな情報が見えてきます。研究もそれと同じです。**研究とは「見えるデータから見えないしくみを解明する」ことです。**そこで、研究者は、対象を慎重に観察・分析することから研究を始めます。

つぎに、相手の言動の意味を考えます。研究では考察と言って、なぜそうなるのかという理由を考えます。好きになった相手が自分のことを好きかどうか知るために、相手の言動にどんな意味があるか、その理由を考察しなければなりません。相手が自分の前でよくあくびをするとか、一緒にいてもスマホの画面に夢中であるとか、話しかけても言葉少なに返してくるとかだと、脈はないかもしれません。そうした言動の背後には、「あなたには興味がない」という理由があるからです。これにたいして、相手が自分のそばによく来るとか、相手と視線がよく合うとか、相手が自分によく話しかけてくるとか、相手の態度が自分に優しいとか、そうしたことが重なれば、脈があるというサインになるかもしれません。相手が自分に興味があると考えれば、つじつまが合うからです。

研究が恋と同じで、研究対象の隠れた内面を明らかにするものだとすれば、**外面から見える事象の観察、観察から得られたデータの分析、観察された事象が起こる理由の考察という「観察」「分析」「考察」の３点セットが不可欠**です。この三つが、研究対象の隠れた内面を見通す力である洞察力を支えます。

研究の面白いところは、行き詰まっていた研究が、ある出来事がきっかけで、急に段階が進むことがある点です。新しいアプローチが偶然見つかったとか、思いこみによる誤解が突然晴れたとか、そうしたことが起きるのも恋と一緒です。このようなきっかけで研究のステージが進むと、研究にたいする思いがどんどん深まります。修士課程を修了したら社会に出ようと思っていた人が、博士課程への進学を決断することがあるのは、研究対象への愛情が深まったからでしょう。博士課程進学は研究対象への恋の告白になります。

一方、博士課程に進学して、研究対象への情熱が次第に冷めてくることがあります。いわゆる倦怠期が訪れるのも恋と一緒です。同じ相手と向きあっていると飽きてくるのは自然なことです。新たな好奇心が芽生えるよう、それまでの付き合い方とは異なる付き合い方をしてみるなど、飽きない工夫が必要になるでしょう。

研究対象と真剣に付き合いつづけていれば、博士課程を終えるころ、研究対象への恋はいつしか愛に変わっていることに気づくでしょう。そして、博士号を手にし、研究者としてアカデミックなポストに就けたなら、それは恋愛が成就し、結婚に至ったことになります。本書は、そうした**「研究に恋する人生」**を応援する本です。

0.2　研究者の一生

Q　「研究する人生」とはどんな人生でしょうか。

A　「受験生 ⇒ 修士課程 ⇒ 博士課程 ⇒ 任期付教員 ⇒ 任期無教員 ⇒ 名誉教授 ⇒ ご臨終」というプロセスを経る出世魚のような人生です。

私が東京駅そば、丸の内の丸ビルホールでビジネス日本語関係の講演をしたとき、やはり講演者として呼ばれていた落語家さんの噺を最前列で聞く機会があり、その迫力に圧倒されました。いなせな女性落語家、柳亭こみち師匠が噺のまくらで話されたことは、次のような内容でした。

落語家は入門後、師匠の身の回りの世話をする「見習い」から始めます。つぎに、楽屋に入ることが認められる「前座」になると、めくりをめくったり、太鼓を叩いたり、寄席の進行に必要な仕事を任されるようになり、師匠の許可が出ると高座に上がれるようになります。そして、入門数年で「二ツ目」に昇進します。「二ツ目」になると、師匠の身の回りの世話から解放され、楽屋の仕事もなくなります。「二ツ目」から 10 年ほどが経ち、噺家としての力量が認められると、「真打ち」昇進となります。「真打ち」になると、師匠と呼ばれ、弟子を取る資格が生まれます。ところが、柳亭こみち師匠によれば、「真打ち」のあとがあるのだそうです。それは「ご臨終」。ここでお客がどっと笑います。

落語家の一生

見習い ⇒ 前座 ⇒ 二ツ目 ⇒ 真打ち ⇒ ご臨終

「ワカシ」⇒「イナダ」⇒「ワラサ」⇒「ブリ」の出世魚のように出世する、落語家の一生の話を聞きながら、研究者も同じような一生を送るのではないかと思いました。

落語家を目指す若者が師匠の門を叩くように、研究者を目指す若者は大学院の門を叩きます。つまり、大学院の受験生は「弟子入り志願」です。大学院の研究生や聴講生も、大学院の入試を受験するという点では同じだと考えられるでしょう。大学院に無事合格すれば、「見習い」の生活が始まります。これが修士課程の大学院生（以下、修士院生）です。修士院生は自立した研究者とは見なされず、高座に上がれない「見習い」と同じランクにあると考えられます。その後、博士課程博士の大学院生（以下、博士院生）になれば、自立した研究活動を行えることになり（大学院設置基準第四条）、ときには高座に上がれる「前座」相当のランクになるでしょう。そして、無事博士号を取得し、大学の任期付教員になると「二ツ目」、その任期が取れ、晴れて任期のないパーマネントの大学教員になると「真打ち」になります。「真打ち」になればゼミを開講して弟子を取り、学位論文の指導ができるようになります。定年で大学教員を辞めて名誉教授となる「隠退」、そして、「ご臨終」を合わせれば、研究者の一生は次のようになるでしょう。

研究者の一生

受験生（弟子入り志願）…研究生や聴講生もここ
⇒ 修士院生（見習い：2 年間）
⇒ 博士院生（前座：最低 3 年間）
⇒ 任期付教員（二ツ目：3〜5 年の任期が多い）…非常勤講師で食いつなぐことも
⇒ 任期無教員（真打ち：原則定年まで）
⇒ 名誉教授（隠退）
⇒ ご臨終

こうした出世魚のような見取り図があれば、研究者の一生がよくわかるでしょう。本書はこの見取り図、いわば「研究者すごろく」（入來 2004）に従って、それぞれの立場においてどんなことを考えたらよいか、真打ちとなり、後進を育成するようになった研究者の一人として、読者のみなさんと一緒に考えていきたいと思います。

0.3　本書の対象者

Q　本書が対象としているのはどんな読者ですか。

A　大学院受験生から任期無教員まで、すべてが対象です。

本書のようなテーマの書籍は、その多くがこれから大学院に進学を希望している若い人を対象にしていると思うのですが、本書の読者は、**受験生、修士院生、博士院生、任期付教員、任期無教員すべてが対象**です。

本書は、それぞれの項の冒頭にＱ＆Ａを入れる形で一貫して書かれていますが、読みすすめていくと、Ｑの対象が項によって異なることにすぐに気づかれるはずです。本書では、それぞれの項の対象となる主な読者を、次のようなイラストを添えて示していますので、読むさいの参考にしてください。

「研究者の一生」のイラスト

受験生（弟子入り志願）…ひび入り卵 

修士院生（見習い）…ひよこ 

博士院生（前座）…若鶏（中びな） 

任期付教員（二ツ目）…成鶏（大びな） 

任期無教員（真打ち）…親鶏（子連れ） 

第１章　決める（決断）

狭き門より入れ。
（『聖書 文語訳』「マタイ伝福音書」7章13～14節）

1.1　受験生の決断

1.1.1　分野によって異なる大学院の進学意識

Q 私のまわりには大学院に進学する人がほとんどおらず、大学院に行きたいと言ったら周囲に変人扱いされました。大学院進学はそんなにおかしなことなのでしょうか。

A 理系の人にとって大学院進学は当たり前ですが、文系の人にとっては珍しいことです。しかし、そうした意識も変わりつつあります。

本書を手に取った方は、将来大学院に進学したいと考えている方、すでに大学院に進学した方のいずれかでしょう。もちろん、はるか昔に大学院を修了した方もいらっしゃるでしょうが、いずれにしても、人生において一度は大学院への進学を意識した方のはずです。

同じ大学院に進学するのでも、自然科学系、社会科学系、人文学系の大学院で進学意識は異なります。

自然科学系では学部によって異なりますが、修士課程への進学は珍しくはありません。当たり前のこととして、深く考えずに学部の延長線で大学院に進学する人も少なくないでしょう。つまり、学部４年と修士２年がセットになって６年制のように意識されているのです。事実、文部科学省の学校基本調査によれば、近年は理学系４割台、工学系３割台、農学系２割台の大学院進学率で推移しています。また、医学部（医学科）、歯学部（歯学科）、獣医学部（獣医学科）、薬学部（薬学科）といった生命にかかわる分野では最初から修士課程までがセットになっており、6年一貫教育が基本です。つまり、自然科学系では、スペシャリストとしての深い専門的知識、隣接分野や学際領域にたいするジェネラリストとしての幅広い視野が同時に求められるのが現状で、4年間の専門教育では時間が圧倒的に足りなくなっているわけです。

一方、**社会科学系では修士課程の進学率は 5% 弱、人文学系では修士課程の進学率は 5% 強**に留まります。自然科学系、いわゆる理系の人たちは大学院が身近な進路として存在しますが、社会科学系や人文学系、いわゆる文系の人たちにとって、就職せずに大学院に進学する人は、少し変わった人として見られるのが現実です。

社会科学系の特徴としては、**専門職大学院への進学**が挙げられます。修士課程、博士課程に次ぐ第三の大学院である専門職大学院の進学者のうち、約 3/4 を占めるのが社会科学系です。ビジネス実務者養成の MBA（経営管理：既存の枠組みのなかで経営資源の適切な配分を考えることが中心）と MOT（技術経営：不確実な時代のなかでイノベーションに基づく新たな経営資源の開発を考えることが中心）、法律実務者養成のロースクール（法科大学院：弁護士、検察官、裁判官に必要な学識と能力を養成する大学院）が 2 本柱です。社会科学系には、研究室のなかでこつこつ研究するよりも、実社会に出て多様な経験をすることを優先する実務重視の風土がありますが、それでも、事例（ケース）や資料（データ）といったエビデンスに基づく意思決定が必要と考える実学が徐々に定着しつつあります。

また、専門職大学院だけでなく、一般的な修士課程でも、社会科学系の大学院の持つ意味は増してきているように思います。テレビ、新聞、雑誌などのマスメディアで社会学者を目にすることが多くなりました。かつてなら、評論家やコメンテーターを名乗っていた人が社会学者を名乗るのも、社会学の社会的認知の高まりを反映したものでしょう。私自身は一橋大学の社会学部出身ですが、いまだに社会学とは何か、正直その全貌を理解できていませんし、社会学者を自認している方々の認識も多様であり、ときには怪しい自称・社会学者の存在が社会学の評価を下げたりもしています。しかし、私が学んだ当時と比較して、社会学の厚みと実証性がはるかに増していることは実感できます。「常識」に囚われた私たちの社会にたいする思いこみに別の新たな視座を提供し、量的データや質的調査によって時代の閉塞感を打ち破る社会学のインパクトが、社会学をはじめとする社会科学系の大学院への進学を後押しする力になっているように感じます。

一方、人文学系の大学院はどうでしょうか。私自身が肌で感じていることは、**リカレント教育**と呼ばれる、**キャリアアップを目指した社会人の学び直し**が増えているということです。専門職大学院のうち、MBA や MOT などのビジネス系大学院、ロースクールと呼ばれる法科大学院と並んで進学者が多いのは、教職大学院です。教職大学院は、高度な専門性を持つ教員養成を目的としており、急速に変わりゆく時代に応じた教育者の資質が求められる時代に即応した大学院といえるでしょう。私自身は、外国人（正確には日本語学習者）に日本語を教える日本語教育が専門ですが、国内外の教育機関での採用を目指す場合、修士の学位が求められることが少なくなく、大学等の専任教員の場合は博士号が必須とされるのが一般的になりつつあります。つまり、有利な就職のために、大学院で学ぶ高度な知識や学位が必要というケースが増えてきているわけです。こうした傾向は、美術館・博物館で働く学芸員やスクール・カウンセラーのような臨床心理士についても見られます。

また、人文学系には、**自分の好きなことを極めたいという人が一定数います。**実学重視の社会科学系の場合は、どこかで社会的・経済的成功を夢見ている面があるのですが、興味重視の人文学系の場合は、社会的・経済的に恵まれなくても自分の好きなことを学びたいという意欲を持った、振りきれた人が多いという特徴があります。本書が応援したいのもこうした人たちなのですが、そうは言っても、その研究が社会的に認められなければ、単なる自己満足に終わってしまいます。自分の好きなことを極めようとしている今はよくても、将来、後悔する人が後を絶たない現状を考えると、**自分の研究の社会的価値を考えることが、人文学系の研究を志す人にとって大事なこと**だと考えます。

1.1.2 文系大学院への進学の動機

Q 大学院を受験しようかどうか悩んでいます。私は大学院を受験したほうがよいでしょうか。

A 最終的には自分で決めることですが、メリットとデメリットを十分に頭に入れて決断する必要があります。

大学院を受験するかどうかは、言うまでもなく、最終的には自分自身の判断です。しかし、文系の大学院の場合、理系の大学院ほど一般的な進路選択ではありませんので、その功罪を見極めて決断する必要があります。

文系大学院の進学は一般にリスクが高いとされています。**日本社会では、一般に、大学院に進学することが社会的に評価される仕組みになっていない**からです。もちろん、大学の教員、研究機関の研究員、特殊な専門職においては大学院の学位がプラスに評価されますが、民間企業を中心としたそれ以外の組織では、大学院卒のほうが入社しやすかったり給与が高額だったりするというメリットは少ないのがふつうです。そうすると、最低でも 2 年間という貴重な時間を費やし、学費を払いこみ、しかも、勤めていれば得ていたはずの 2 年分の給与も手にできない大学院になぜ進学するのか、その意味を疑われても仕方がないでしょう。しかも、大学院で学んだ内容が評価もされず、頭でっかちでコミュニケーション能力に欠けるように見なされがちな大学院修了という肩書は、単なるお荷物でしかありません。もしあなた自身が大学院進学に否定的な印象を抱いているならば、大事な時間とお金をかけてまで行くところではありません。無理をして行ったとしても、十分な満足を得られないでしょう。したがって、**大学院に進学するには、とくに文系の場合、明確な目的意識が必要**です。

文系大学院の進学動機は、大きく分けて次の四つが考えられます。

文系大学院の進学動機

①専門職に進む…高度な専門性を身につける
②就活を有利に…社会的知名度の高い大学院に進学する
③モラトリアム期間を確保…社会に出るまえの猶予期間を過ごす
④研究する人生を歩む…博士進学を目指すために修士に入る

①**「専門職に進む」**場合、決断は比較的容易です。大学院進学が専門職の就職に有利なことが自明だからです。ビジネス系大学院(MBAやMOT)、法科大学院(ロースクール)、教職大学院といった専門職大学院は、進学が就職に直結したり、有利に働いたりすることが多いので、進学に踏みきる人は多そうです。学芸員やカウンセラーなども同様です。会計大学院や公共政策大学院、また、専門職大学院でなくても、私が指導を担当する日本語教育の大学院(一橋大学大学院言語社会研究科第2部門)の場合でも、修士号の取得が日本語教師になるのに有利に働くことが多いので、そうした専門職を目指す進学希望者はためらうことなく決断できます。

しかし、日本社会では、すでに述べたような大学院という高学歴軽視の現状がありますから(水月 2007)、キャリアアップを目的とする場合、ほんとうにその学位がキャリアアップに有利に働くのか、インターネットで調べたり、そうしたキャリアを持つ人に積極的に尋ねたりすることが大事です。分野によっては、その学位の取得が待遇改善につながらず、現在就いている仕事を中断してまで進学する価値がなかったことに気づくケースもあります。大学院はもはや大学経営の一部であり、質の低い大学院のなかには、パンフレット類にはよいことを並べたて、受験生をたくみに誘導するものもありますので、自分の時間とお金を投資する以上、**大学院進学がキャリアアップにつながるかどうか、十分な下調べをする**ように心がけてください。

②**「就活を有利に」**というのは、いわゆる**学歴ロンダリング**です。大学の学部の受験で失敗して、志望校に行けなかった場合、今いる自分の大学に納得ができず、大学院で不合格のリベンジを図る人も少なくありません。東京大学や京都大学といった東西の横綱をはじめとして、旧帝大や有名私大など、知名度の高い大学の院に進学すれば、最終学歴はその大学の名前が記されますので、多少遠回りでも、そのほうが就職に有利に働くという計算は成り立ちます。留学生のなかでも、自国の出身大学の低い知名度を嫌って、日本の有名大学院に進学を希望する人が増えてきています。私個人としては、どんな大学にも優秀な学生が一定数いることは知っていますし、たとえ知名度の低い大学でも自分の出身大学に誇りを持って自校の知名度を高めるために努めてほしいと思うのですが、日本をはじめとする東アジア社会には知名度の高い大学の出身者を優遇する文化が根強く残っていますし、掛けちがったボタンは外してはめなおさ

ないと気が済まないという気持ちも理解できます。知名度の高い大学院に進学したことで、自分にとって納得のいく就職につながるとしたら、それは悪いことではないでしょう。ただし、そのぶん、2年間余計な時間を必要としますし、文系大学院の就職活動がよい結果を生むという保証はありません。やはり、この選択肢もリスクと隣り合わせであるという認識のもとで選択する必要があるでしょう。

③「モラトリアム期間を確保」というのは、現時点で社会に出ても自分が何をしたいのか、何ができるのかがわからない。しかし、大学を卒業して無職でいると、履歴書に空白期間が生じてしまうし、就職活動の面接でもその点がマイナスに評価されるだろう。そこで、社会に出るまえの猶予期間を大学院生として過ごすという人生の暫定的な選択肢です。人によっては、甘えているという批判もしたくなるでしょうが、これもまた、本人の選択であり、周囲が口を出すことではありません。事実、モラトリアム期間を有効活用することで、将来の進路が見えてきた人もいるわけで、一概に批判されることではありません。しかし、無為の数年間とならないように、自分が何者かを見定める充実した期間にできるよう、自分の成長につながる大学院に進学することが大事です。

④「研究する人生を歩む」のは、本書が想定している進路です。大学をはじめとする高等教育機関の教員や、国公立あるいは民間の研究機関の研究員になるための大学院進学は、昔も今も大学院受験の有力な動機の一つです。こうした進路を修士課程と呼ぶかわりに博士前期課程と呼んだり、修士課程・博士課程がつながった5年一貫制の研究者養成コースを用意したりしている大学院もあります。④「研究する人生を歩む」ことを志す人は、そうした大学院への進学を検討するのもよいでしょう。しかし、文系軽視の風潮のなか、**研究者としての将来が約束されにくくなっているのが文系大学院の厳しい現状**であり、安定を求める人にとってお勧めできる進路ではありません。博士課程進学希望者は覚悟を持って受験する必要があります。

以上、①〜④の文系大学院の進学動機を示しました。佐藤・三浦・青木編(2014)のような大学院生のためのキャリア支援の書籍などで学びつつ、自分はどのような動機で大学院に進学したいのかを見極め、それに合った大学院への進学を検討することをお勧めします。

1.2　大学院進学の準備

1.2.1　大学院選択の方法

Q　自分に合った大学院を選ぶコツを教えてください。

A　大事なことは、候補となる大学院の情報収集を行い、比較・検討することです。大学院選びの時点からすでに研究は始まっています。

①「専門職に進む」、②「就活を有利に」、③「モラトリアム期間を確保」、④「研究する人生を歩む」という四つの文系大学院の進学動機について述べました。自分に合った大学院を選ぶとき、この四つの進学動機で異なる点もあるのですが、ここでは共通点を考えておきたいと思います。

共通している点は、**情報収集が大事**だということです。①「専門職に進む」場合は、目指す専門職への就職、すなわち**夢をかなえた人がどのぐらいいるのかを調べる**ことが重要です。たとえば、法科大学院の場合は司法試験の合格者数や合格率の実績を確認することになります。スクール・カウンセラーや学芸員、図書館司書などといった難関の就職先も、就職実績の高いところを選んでおくことが、夢に近づく最短距離です。

②「就活を有利に」の場合も、**目指す業種や企業にどのぐらいの就職実績があるのかを調べる**必要があります。就職は大学名だけで決まるわけではありませんので、自分が志望する業種に直結する研究室を選べれば理想的です。

③「モラトリアム期間を確保」する場合であっても、自分の関心のあることに引きつけて進学先を選ぶ必要がありますし、有意義な議論ができる仲間に恵まれた環境が整っていることも必要です。あまり忙しい大学院だとせっかくのモラトリアム期間を有意義に過ごせなくなりますので、そのあたりの調査が不可欠です。

④「研究する人生を歩む」場合、何よりも重視すべきは、**自分の志す研究テーマを指導できる教員がいるかどうか**です。将来の就職を考えると、大学の知名度も大事ですが、それ以上に自分の関心に合った教員がいるかどうかで進学先を決めるべきです。そのためにはまず、研究者のデータベースである researchmap（7.4.2 参照）等を調べて研究者の絞り込みを行い、そのうえで**候補**

となる教員の業績を徹底的に調べる必要があります。そして、この先生ならば間違いないという確信が得られたら、その先生と連絡を取り、受け入れてもらえる可能性があるかどうかを確認します。そうした確認が必要なのは、入学後研究指導を受けられない可能性があるからです。理由としては、教員が定年を迎えて退職してしまった、教員が他の大学に移ってしまった、教員がサバティカル（長期研究休暇）に入ってしまった、その教員のポストが大学院生を指導できないポストだった、すでに別の院生を受け入れる予定で研究室が一杯だったなどが考えられます。せっかく苦労して入っても、目指す教員の指導を受けられなければ元も子もありませんので、事前の確認が重要になるわけです。

希望指導教員が受け入れ不可となる理由

①希望指導教員が定年を迎えて退職してしまった
②希望指導教員が他の大学に移ってしまった
③希望指導教員がサバティカルに入ってしまった
④希望指導教員のポストが大学院生を指導できないポストだった
⑤希望指導教員の枠がすでに別の院生を受け入れる予定で埋まっていた

なお、情報収集の場として有効なのが**大学院の入試説明会**です。学部のオープンキャンパスと同じように大学院の雰囲気がわかりますし、目指す教員と直接話せる可能性もあるからです。私自身は、受験生のメール等による事前のコンタクトには必要最小限の返答しかしません。また、大学院によっては入試の公平性に鑑み、事前のコンタクトを禁止しているところもあります。しかし、そうしたところでも、入試説明会では受験生と教員の交流の場を設けていることが多いので、それらの機会は逃すことなく活用することをお勧めします。

もちろん、大学院のホームページも情報の宝庫です。受験生のためになる情報を少しでも広く提供しようと、担当者が工夫を重ねて情報を網羅するように心がけているので、くまなく目を通し、入試説明会等も含め、更新されている情報をこまめにチェックするようにしましょう。

1.2.2 修士課程入試の準備

Q 修士課程の大学院を受験する場合、どんな準備をしたらよいですか。

A 過去問を十分に研究することと、研究の一連の過程を自分なりにイメージできるようにすることです。

大学院の試験で重要なのは、**過去問研究**と**研究計画書**です。

過去問研究がなぜ重要かというと、それが、このような問題を解ける人に入学してほしいという大学院からのメッセージだからです。人文学系の場合、過去問は、**語学と専門**という二つの分野から出題されるのが一般的です。語学は、その言語が話せるかどうかではなく、**その言語を使って研究できるかどうか**が問われます。つまり、その言語で書かれた資料や文献を解釈し、論文執筆に役立てられるかどうかが問われるわけです。現状では、多くの分野で英語の文献が読めることが求められますし、ドイツ文学の研究をしようとする人は英語にくわえてドイツ語の能力が、新約聖書の研究をしようとする人はギリシア語（コイネー）やラテン語（ウルガタ）の能力が必須になるでしょう。日本語であっても、古い歴史的な文献が研究上必要である場合、古典籍資料が解釈できる読解力が求められます。

専門も語学と並んで重要です。ある分野の専門家になろうとしているわけですから、**その分野で必要な最低限の知識を持ち、その知識を生かして自分なりに論理を組み立てていける思考力**が求められます。専門の試験は記述式が基本であり、答案を見れば、その受験生が修士課程で研究を遂行していくための基礎的な知識、論理的な思考力、説得的な記述力を備えているかについてある程度の見当をつけることができます。

過去問を研究したからといって、同じ問題が出題されることはまれです。しかし、大学院の入試問題には明確な傾向があり、その対策を立てることで合格にぐっと近づきますので、過去問はかならず取り寄せて研究するようにしてください。

一方、研究計画書は、**2年間で修士論文を書くビジョンを持っているかどうか**を測るものです。本格的に研究をしたことのない受験生にとって、研究計画書は不安のタネです。別の大学院で修士課程を修了した人もいるかもしれませんが、ほとんどの受験生は卒業論文程度の研究経験でしょうから、不安に感じるのも当然です。

教員のがわもそうした受験生の事情はよく知っています。したがって、その研究計画書に沿って書けば修士論文が書けるというレベルの研究計画書は期待していません。確かめたいのは**研究にたいする考え方がしっかりしているかどうか**です。研究課題は明確か、先行研究を十分調べているか、研究方法は適切か、具体的な研究成果を予想しているかなど、研究という活動の一連の過程を頭の中でシミュレーションできる能力を備えているかどうかを確かめるのが研究計画書になります。

1.2.3　修士課程入試の面接

Q　面接で気をつけるべきことはありますか。

A　用意してきたことを話すのでなく、面接官の質問の意図を踏まえて、その場で考えて話すことです。

研究計画書は、語学や専門の試験とは違い、高い専門知識を有する人に手伝ってもらって作成することも可能です。そうした周囲の力を借りられる状況にある人は、他者の力を借りるのも一つの方法でしょう。しかし、研究は究極的には自分の力でするものです。多くの大学院で、二次試験に面接があるのも、受験生の真のポテンシャルを知るためです。研究計画書を本人が書いたものかどうか、さらには、研究計画書に書かれていないことも含めて、どのぐらい背後のことを深く広く考えているかを確かめるのが目的です。

そのため、試験官は研究計画書の不備を厳しく突いてきたり、研究計画書にないことをあえて質問してきたりします。面接試験で自分の用意してきた内容を延々と話す人がいますが、それは避けたほうが賢明です。用意してきた内容は研究計画書に記載されていますので、屋上屋を架す必要はありません。**試験官が聞きたいのは受験生の肉声であり、その場で話を論理的に組み立てられるセンス**だからです。

受験生の研究計画書は不備だらけなのがふつうですし、それでよいのです。

研究を始めたばかりなのですから、破綻を来していて当然です。大事なことは破綻を来していることに気づき、それをその場で修正できる柔軟な対応力です。そうした柔軟な対応力がある受験生は伸びしろがあることを面接官は経験的に知っています。そこで、面接官はその場で考えないと答えられない質問をあえて行い、その質問にたいするとっさの対応力で受験生の地頭のよさを測ろうとしているのです。

その意味で、もし面接の準備をしたい受験生がいるならば、用意すべきは面接の場でとうとうと語るシナリオではなく、とっさの質問に対応するためのたくさんの引き出しです。

たとえば、言語研究の研究計画書であれば、自分が気になる言語現象について具体的な例文を書きこむようにし、それ以外にも、類似する言語現象や面白い例文をしこんでおき、面接の場で披露できるようにしておくことです。じつは、これは言語研究の思考法そのものであり、そうしたことができる受験生に面接官は研究のセンスを感じるのです。

これは言語研究に限らないでしょう。どんな研究分野でも、自分が研究したいテーマをめぐり、多様な観点から豊富な具体例を準備し、それが自分の明らかにしたいこととどう関わるか、日ごろから自分の頭で考え抜く習慣をつけておけば、面接の場で困ることはないと思います。

研究計画以外の、面接でよく聞かれる定番の質問について、以降でいくつか挙げますが、こうした質問はいずれも、受験生が受験した大学院側の事情に合うかどうかを確認するものです。大学院入試は、もちろん受験生個人の研究能力を得点化したもので最終的な合否判定が行われますが、試験の総得点だけで決まる学部入試とは異なり、大学院入試では周辺的な条件が加味されることがあります。

まず考えられるのは、**「なぜこの大学院を選んだのですか」「なぜこの先生を希望指導教員に選んだのですか」**という質問です。これは、この受験生にふさわしい指導環境が提供できるかどうか、大学院の側に不安があるときの質問です。受験生が研究者としては非常に優秀になれる可能性があっても、それを指導できる体制が大学院の側にないと、受け入れることは困難です。受験生の専門から考えて別の大学の大学院のほうが適切な指導が受けられそうなケースや、受験時には適切な指導教員がいても、定年を控えていたり、別の大学に転出の予定があったり、研究科の指導体制が変わったりして、指導できなくなるケースで出やすい質問です。

こうした質問に答えるには、受験する大学院、希望指導教員をはじめとする**教員の下調べ**が欠かせません。とくに、希望指導教員を事前に書かせる大学院の場合、その教員が面接するのが一般的ですので、希望指導教員を書いた場合は、その教員の研究を十分に見て、自分の研究計画と接続しておく必要があるでしょう。そうすることで、教員がその受験生の指導が可能になるかどうかの判断がつけやすくなります。もちろん、それ以外の教員でも、じつは自分の研究計画に関わりがあることは少なくないので、その大学院の教員の業績、および顔写真をきちんとチェックしておいたほうが安心して面接に臨めます。面接では自分のことをアピールするだけでなく、相手のことも研究するというのは、入試にかぎらず、就活等の面接でも基本中の基本です。

また、**「修士課程修了後、どのような進路を考えていますか」「博士課程まで進んで研究を継続することを希望されますか」**と質問されることもあります。大学院入試の場合、定員のバランスも重要です。博士課程を併設しているものの、博士課程の定員が少ない大学院の場合、あまり多くの博士課程希望者が来ても博士課程の入試のときに困るということもありますし、反対に、博士課程への進学希望者が少なく、博士課程の定員割れが常態化している大学院の場合、進学希望者がいればぜひ大切に育てたいということもあります。いずれの場合でも、修士修了が目的なのか、博士進学が目的なのか、面接時に聞かれますので、その時点での自分の希望を明確に示すことが必要です。

なお、博士課程入試の面接の場合には、また異なる事情があります。それについては、5.3.1「修士課程の修了面接」に示しましたので、参考にしてください。

1.2.4 博士課程入試の準備

Q 博士課程の大学院を受験する場合、どんな準備をしたらよいですか。

A 内部進学者の場合は時間をかけて研究計画書を準備すること、外部編入者の場合は、自分の研究と希望指導教員の研究の接点を確認することです。

大学院の修士課程を終え、博士課程の入学試験を受験する場合、同じ大学院の受験とは言っても、その準備は大きく違ってきます。

博士課程の大学院の場合、「専門職に進む」「就活を有利に」「モラトリアム期間を確保」という進学動機はなく、「研究する人生を歩む」という１本で勝負することになります。したがって、研究する人生を歩むにふさわしい実力とビジョンを持っているかが、博士課程の入学試験で問われるすべてです。

修士課程を終え、そのまま同じ大学院の博士課程に進学を希望する場合、入学試験の準備は単純です。指導教員の十分な指導を受け、**質の高い修士論文を完成させること**と、**博士課程における研究計画書を実現可能性の高いものにすること**です。

気をつけたいのは博士課程の研究計画書です。一般に、修士課程の学生は修士論文を書きあげることに全力を注いでしまい、ほとんど時間のないなかで研究計画書を適当に書いて提出してしまいがちです。ここに落とし穴が潜んでいます。博士課程の試験は、博士課程に入学して博士論文が書けるかどうかを問う試験ですから、研究計画書も修士論文本体と同じぐらいか、それ以上に重要です。その準備のためには、相当の時間を確保する必要があることは、修士論文執筆中にも意識しておく必要があるでしょう。

一方、修士課程とは異なる大学の大学院に博士課程から進学を希望する場合は、これとは異なる心構えが必要です。

まず、**他大学からの受験は不利なことが多い**という現実を知ることです。内部進学に有利な条件を用意している大学院もありますし、とくに差を設けていない大学院でも、内部からの進学のほうが外部からの編入よりも合格率が高いのが現実です。つまり、編入の場合は内部進学者に負けてしまいがちなので、**いくつかの大学院を併願するか、あるいは数年かけて希望する大学院を受験しつづける**覚悟が必要になります。ただし、受験は水物で、受験しなければ合格はありません。受験できる機会があれば、ダメ元でも受験することをお勧めします。

また、内部進学者と異なる点は、**自分の研究について希望指導教員にきちんと伝える準備をすること**、そして、**希望指導教員の研究業績についても一通り目を通し、自分自身の研究とのつながりを十分に確認しておくこと**です。希望指導教員のものだけでなく、その研究室に所属する博士課程の修了生・在籍生の研究テーマについても調べておくとよいでしょう。「敵を知り己を知れば百戦危うからず」です。

さらに、修士課程を終えてから一定のブランクを置いて、博士課程から研究に復帰する場合、そのブランクのあいだの研究業績も求められます。これは内部進学者でも外部編入者でも同じです。作れない場合は仕方がないのですが、できれば修士論文とは別に、**紀要論文などの学術雑誌論文**を1本でも2本でも書いておいたほうが研究する姿勢が見えて、博士課程入試での高評価につながります。

1.3　大学院進学後の考え方

1.3.1　修士課程合格後の準備

Q　大学院の修士課程に無事合格しました。入学に備えてどんな準備をすればよいですか。

A　この時期しかできない準備に早めに着手し、スタートで差をつけておくことです。

憧れの大学院から合格通知が届いた。それは、どんな受験生にとっても、至上の喜びの瞬間でしょう。しかし、その合格通知に安心して、のんびりしてしまう人が多いのも事実です。のんびりすること自体は悪いことではないのですが、入試に向けて研究へのテンションを高めてきたこの数ヶ月間の余勢を駆って研究を一歩前に進めておくと、入学後が楽になります。

修士課程の場合、入学が4月、修士論文の提出が1月だとすると、4月入学の時点では、修士論文を書くのに費やせる時間は1年9ヶ月であり、すでに2年を切っています。大学院に入ったら、授業についていくこと、アルバイトをすることなど、異なる環境に適応するだけで最初の数ヶ月はあっという間に過ぎていきます。博士課程でも状況は変わりません。

そのため、**入学するまでの期間を準備に充てる**という心構えが重要になります。修士課程入学予定者の場合は、自分の研究テーマに関わる先行研究に広く目を通すことが重要でしょう。また、可能であれば、合格後、指導予定教員の先生と話しながら、研究テーマの絞り込みができるとよいでしょう。一方、博士課程入学予定者の場合は、もう自立した研究者ですから、新たな調査やデータ・資料収集などに着手し、入学後の研究の仕込みに入っておくことが重要でしょう。

入学前の準備をきちんとした人と、遊んでしまった人とでは、入学時点ですでに差がついてしまっています。早くスタートすると、ゴールは近くなります。入学後にスタートダッシュをかけられるよう、ひそかに準備をしていくことが「できる研究者」への近道です。

1.3.2　博士課程合格後の準備

Q　大学院の博士課程に無事合格しました。入学に備えてどんな準備をすればよいですか。

A　博士論文の提出から逆算し、博士課程３年間のどの時期に何をやるかを考え、そのためにできることに今から着手することです。

博士課程の過ごし方でもっともしんどいのは、終わりが見えないことです。修士論文は２年、長くても３年でだいたい書き終わり、提出すればだいたい通してもらえます。ところが、博士課程はとくに人文系の場合、３年で修了できる人は少数派で、４年、５年はごく普通。在籍３年、留年３年、休学３年の９年をフルに使ってようやく修了できる人もいますし、最終的に学位の取得を諦め、満期修了退学になる人も少なくない世界です。博士論文の提出がなぜこのように延びてしまうのでしょうか。

一つには、博士論文提出のために必要な条件が厳しいということがあります。大学や研究科にもよりますが、提出のために何本かの学会誌論文が必要という要件があったり、予備審査論文の提出が義務づけられていたりします。そうした条件をクリアするのが大変だということもあるでしょう。しかし、**博士論文の提出が延びてしまう最大の理由は、おそらく「締切がない」こと**にあります。人間は弱いものですから、膨大な作業量で、しかも見通しが立ちにくい作業を地道に続けることは困難です。しかも、そこに「締切がない」としたら、そうした結果の出にくい作業は当然後回しにし、楽な作業から手をつけてしまうでしょう。博士課程の院生がしばしばアルバイトなどの副業にはまってしまい、初志貫徹できなくなるのは、副業のほうが短期的な作業で成果が見こめるからです。

したがって、精神的に厳しい博士課程の生活を乗りきるためには、その**最初の段階で見通しを立ててしまう**ことです。たとえ終わりが見えにくくても、可能な限り終わりの姿と、終わりに至る道のりを可視化することが大事です。そのために必要な考え方はゴールからの逆算です。つまり、博士論文の提出から逆算し、**博士課程 3 年間のどの時期に何をやるかを決めてしまう**ことです。長期的なスパンでの成果を目指すことは、意志の弱い多くの人間に向いていませんので、それを段階ごとに短く区切り、短期的なスパンで成果を得られるように心がけることが大事です。

本 1 冊をまるまる執筆するのは大変なことですが、本 1 冊を 8 章に分け、1 章ずつ書いていけば 1 章書き終わるごとに小さな達成感が得られます。本書もそうして書いています。博士論文も同じであり、1 章ずつ書いていき、その 1 章を 1 本の論文にして学術雑誌に投稿することを積み重ねれば、知らぬ間に博士論文ができあがります。これを 3 年間、実際には半年間は審査に使われますので、2 年半の期間にうまく割り振っていく作業を最初にしておけば、博士論文の提出というゴールがずっと近づいて見えてくるはずです。

1.3.3　大学院生活の心構え

Q　大学院生活においてスケジュールを管理するうえで大事なことは何ですか。

A　次の次の段階を考える先取り思考と、設定された締切をかならず守るプロ意識です。

指導教員は、大学院生の研究に伴走し、大学院生を修士号、あるいは博士号の学位取得まで導くことが仕事です。研究の内容自体は、大学院生本人のほうが指導教員よりもはるかに詳しいですし、また、詳しくなければなりません。

ただ、指導教員のほうが優れている点があるとすれば、**ゴールへの最短ルートを指示できる経験値**です。指導教員は研究歴が長い分、大学院生よりも確かな羅針盤を持っており、近道と遠回りの道の区別や、はまってはいけない沼や登るのも困難な急勾配の存在、湧き水が湧いていそうな泉の場所などを熟知しています。そのため、大学院生の研究を鳥瞰し、研究のジャングルのなかに迷いこませず、豊かな実りが得られる大地へと導くことが可能です。指導教員とは、いわば水先案内人のような役割をするガイドです。

私自身は水先案内人として、**指導している大学院生には次の次を意識させる**ようにしています。たとえば、博士課程に進もうとしている修士課程の院生には、修士論文を書くときには博士論文の章立てを考えて、その１章を書くつもりで書くように指導しますし、博士論文を書こうとしている院生には、その博士論文が今後10年の研究生活のなかでどのような位置づけになるのかを考えさせるように意識づけを行います。また、修士課程で修了して社会に出ようとしている院生には、社会で活躍している姿をイメージさせ、そのイメージと研究とが何らかの結びつきを持てるように工夫します。院生は目の前の段階しか見ない傾向にありますので、指導教員は次の次の段階を考えておくようにし、必要に応じて意識させるようにします。それにより、目の前の作業について、何のために何をどこまですればよいのかが見えるようになり、それが適切なスケジュール管理につながっていくわけです。

もう一つ、指導教員として心がけていることを加えるならば、アマチュアの意識を捨て、プロの意識を持たせることです。アマチュアとプロの考え方は違います。アマチュアはコストを考えずに作業に突き進みますが、プロはコストを考えて作業を効率よくやろうとします。つまり、アマチュアは無駄を厭わないのにたいし、プロは無駄を嫌うわけです。アマチュアは何でも100点満点でやろうとし、その結果しばしば途中で挫折しますが、プロは80点でもよいので、最後までやり遂げようとします。

そうした考え方の違いは、締切の守り方に端的に現れます。アマチュアは完成度を優先して締切を延ばそうとしますが、プロは締切を守ることを前提に限られた時間内で最善の努力をしようとします。締切を先延ばしする習慣をつけてしまうと、スケジュール管理にひずみが生じ、後で苦労することになります。

アマチュアの考え方は楽しさが優先で、その場しのぎになりがちです。アマチュアは学会での発表が終わったあと、「お疲れさま！ 乾杯！」で終わりますが、プロの場合は反省会が始まります。口頭発表の場での自分のパフォーマンスを振り返り、至らなかった点を反省し、フロアから出た質問やコメントを整理して記憶に留め、次回に生かそうとします。これは、コンサート後のアマチュアのバンドとプロのバンドの違い、試合後のアマチュアのスポーツ選手とプロのスポーツ選手の違いと同じです。

博士論文を提出し、学位を取得した人は、プロという自覚を持って自律的に仕事ができる人であるということの証です。だからこそ、大学の専任教員になるためのパスポートとして博士号の学位が機能しているのです。

1.3.4　大学院生活に必要な作業

Q　研究において必要な作業は何ですか。

A　「考える」「読む」「調べる」「書く」の四つです。

大学院生活で何よりも重要なことは研究をすることです。研究とは、研究課題と呼ばれる「問い」に基づいて「答え」が出せるように調査を行い、その「答え」を研究成果として論文という形にまとめる営みです。そこでは、「考える」「読む」「調べる」「書く」の四つの作業が重要になります。四つの作業の内容は次のとおりです。

研究に必要な四つの作業

①考える…研究テーマを絞って研究課題を設定し、解決の見通しを立てる
②読む…研究課題の設定と解決に必要な知識や方法を先行研究から学ぶ
③調べる…研究課題の解決につながる調査・分析を行い、課題を解決する
④書く…研究課題の設定から解決に至る一連のプロセスを論文にまとめる

本書は、この四段階の作業を研究活動の柱と考え、「考える（思考）」は2章で、「読む（文献）」は第3章で、「調べる（調査）」は第4章で、「書く（執筆）」は第6章でそれぞれ詳述します。また、第5章では四つの作業の質を向上させる働きを持つ「話す（発表）」、第7章では研究者の人間関係を対象にした「つながる（関係）」、第8章では研究者の生き方を対象にした「生きる（生活）」をそれぞれ扱います。

第2章　考える（思考）

あなたがたは真理を知り、真理はあなたがたを自由にする。
（『聖書 聖書協会共同訳』「ヨハネによる福音書」8章32節）

2.1　研究の基本

2.1.1　研究とは何か

Q 研究とは何ですか。

A 自ら課題を設定し、自ら解決する個人的・社会的営みです。

大学院というのは不思議なところです。入るときは学部と同じ入学ですが、出るときは「卒業」ではなく「修了」です。また、大学院では、するのは「勉強」ではなく「研究」です。大学院で「修了」や「研究」という語が好まれるのは、大学院は人から何かを教わる場ではなく、自ら進んで学ぶ場だと考えられているからでしょう。

高校までの学習は、先生から与えられた課題をこなすことに終始していましたが、大学での学びは、自ら立てた課題を自らの手で解決することが求められます。**与えられた問題をひたすら解くのではなく、自分で問題を作り、時間をかけて自分でそれをじっくり解けばよい。**それが研究です。もちろん、大学でもレポート等の課題を与えられることが続き、研究の練習を続けているように感じた人も多かったかもしれませんが、大学院では、学部時代の研究の練習経験を生かし、自律的な学びを本格化させることが期待されます。

研究とは、自ら立てた課題を自らの手で解決する営みだと申しました。研究はその意味で、湧きあがる好奇心を満たし、自己実現につながる個人的な営みです。事実、研究活動は、自分の興味を突きつめると同時に、キャリアアップにつながる可能性を与えてくれます。その意味で研究は自分のためにするものです。

しかし、研究は、個人的な側面を有すると同時に、社会的な側面も有しています。自分の好きなことをやるのは、趣味であって研究ではありません。研究である以上、原理的な課題を解決し、学術の進歩に貢献したり、社会的課題を解決したりすることが求められます。

原理的な課題とは、「〜とは何か」「〜はどうなっているのか」「〜はどのように…するのか」といった本質的な問いのことで、**研究課題（リサーチ・クエスチョン）**といいます。「はじめに」で、「研究とは見えるデータから見えないしくみを解明する」ことだと申しましたが、この「見えないしくみ」を解明する問いが研究課題です。

原理的課題は**個人的な興味に留まらず、アカデミア（学術世界）の住人の興味を惹くものでなければなりません。**つまり、まわりの人が「この研究、面白そう」「私も知りたい」と思うような問いでなければなりません。また、**原理的課題を解決する方法は、合理的な根拠に基づく実証的な解決方法でなければなりません。**つまり、私は絶対にこうだと思うという主観的な思いこみではなく、同じ手続きを踏めば誰でも立証可能な方法でなければならないわけです。この二つの条件を満たすことで、研究は個人の単なる自己満足ではなく、社会的に価値のある共有知となり、学術の進歩に貢献したり、社会的課題を解決したりしうるものになるのです。

2.1.2 研究に向いている人

Q 研究に向いている人はどんな人ですか。

A 研究テーマに惚れこんで、生涯考えつづけられる人です。

私が一橋大学で学部生であったころ、学長を務めていた阿部謹也先生は、一橋大学初代社会学部長であった上原専禄先生の指導を受けていた学生時代、「どんな問題をやるにせよ、それをやらなければ生きていけないというテーマを探すのですね」と言われ、考えつづけたといいます(阿部 1988)。

大げさに聞こえるかもしれませんが、人生の大事な時期に全精力を傾けるものである以上、そのぐらいの気概を持って研究テーマを選ぶ覚悟が必要なのだと感じます。冒頭で「研究は恋」だと申しました。上原専禄先生は、「対象に惚れ込まなければ、対象は理解できない。しかし惚れ込んでしまえば、それこそあばたもえくぼで、見るものも見られなくなる。そのときにどうすべきか。対象に惚れ込んだ瞬間に身をひるがえして現在の自分に戻って来なければいけない」と説いたといいます。研究対象に夢中にならなければ研究ではありません。しかし、研究対象を冷静な目で観察しつづけなければ研究者は務まりません。このバランス感覚が研究のキモです。

研究に向く資質は何ですかと聞かれることがあります。その資質は多様でしょうが、**何よりも大事な資質は考えるのが好きだということ**です。研究する人生を選ぶ人は、考えることが好きな人です。金銭よりも、名誉よりも、権力よりも、おいしい食事よりも、快適な住まいよりも、考えるのが好きな人が研究に向いています。

一方、考えるのが嫌いな人は、研究する人生を選ばないほうがよいでしょう。なぜこんなにつらい思いをしてまで研究を続けなければならないのか。そう思う人は研究する人生を選ぶと不幸になります。目のまえで展開されるリアルな研究活動のプロセスと、自分が人生において追い求める真理追究のプロセスが「自分の頭で考えぬく」という交点で交わる人でないかぎり、経済的にも報われにくく、社会的にもストレスが多い研究する人生を無理に選ばないほうがよいと思うのです。

2.1.3　研究に向いていない人

Q　研究に向いていない人が大学院に進学してはいけませんか。

A　そんなことはありません。ただし、研究を苦痛に感じる人は、早めに別の進路に移る準備が必要です。

指導教員のなかには、まれに大学院生に「あなたは研究に向いていない」と言う人がいます。しかし、研究に向いていることを決める資質は多様です。思いつくままに挙げてみましょう。

研究者に向く資質

①アイデアが豊富で、人の思いつかない自由な発想ができる人
②論理的思考が得意で、隙のない思考の積み重ねができる人
③学ぶことが好きで、文献を広く読むことが苦にならない人
④研究デザインの工夫が趣味で、調査の実施にミスが少ない人
⑤単調な作業が苦にならず、地道な努力が続けられる人
⑥人付き合いが得意で、共同研究を楽しく遂行できる人
⑦コンピュータに精通し、統計的な処理に力を発揮する人
⑧疑い深いタチで、表現のミスやデータの不自然さに気づける人

この①〜⑧をすべて満たしている指導教員もいませんし、この①〜⑧を一つも満たしていない大学院生もいません。指導教員で「きみは研究に向いていない」と言う人を信用してはいけません。あなたが研究に向いていないのではなく、その教員が指導に向いていないだけです。**研究に向いているかどうかは自分で決めること**で、周囲の人に決められることではありません。

もちろん、研究では最終的に成果が出るかどうかで評価されますので、いくら自分は研究に向いていると自分で思っていても、社会がそう認めてくれなければ研究職には就けません。その意味では、**研究に向いている人は、着実に研究成果を上げ、それを論文にできる人**であることは間違いありません。また、研究職は、就くまでも、就いてからも、苦労の多い職種ですので、研究や研究対象に本気で惚れこんでいなければ、あまり勧められない道です。

「専門職に進む」「就活を有利に」「モラトリアム期間を確保」という進学動機の人はもちろん、「研究する人生」を歩むことを目指して修士課程に入学した人も、修士論文を書いてみて研究がそこまで好きではないと気づいたら、早めに進路転換をしたほうがよいと思います。研究者になるだけが人生ではありません。たとえ研究者にならなくても、研究をするなかで磨いてきたスキルは、別の業界に進んだときに、きっと生かされる機会があるはずです。

2.1.4　研究者になるリスク

Q 博士課程に進学するかどうか迷っています。博士課程に進学し、博士号を取得し、フルタイムの職業に就職できる見込みはありますか。

A 正直申し上げて、人文学系の進学者にとって、博士号の取得、およびフルタイムの職業への就職は狭き門です。よほど研究が好きな人が覚悟を持って進むべき道のように思われます。

研究者になるには、博士課程に進み、博士号を取得するのが基本ですが、今述べたように、修士論文を書いたあと、**博士課程に進むかどうかが人生の大きな分かれ道**です。迷った人は『博士が 100 人いる村』を見てみましょう。インターネットで検索すれば、YouTube にアップロードされた 6 分弱の動画にたどり着くでしょう。動画でなくても、ウェブサイトを検索すれば、同種のページがたくさん見つかるはずです。

21 世紀に入って間もなく、『世界がもし 100 人の村だったら』というチェーンメールが流行りました。世界を一つの村にたとえて、世界の人口がもし 100 人だとしたら、どのような人が何人ぐらいいるかを百分率（%）で示したものです。性別、年代、人種、宗教、言語、富、エネルギー、食糧、教育などの比率を示し、世界の豊かさをいかに一部の人だけが占有しているのかを単純化して語り、その単純さが多くの人の心に届き、世界的に広がりました。『博士が 100 人いる村』はそのパロディであり、やはりその単純化が博士課程進学希望者の心に届き、多くの支持を得ました。内訳は以下のとおりです（https://www.youtube.com/watch?v=Liw1-Zjd-zo）。

・100 人の博士が生まれたら、16 人がお医者さんです。
・100 人の博士が生まれたら、14 人が大学の先生です。
・100 人の博士が生まれたら、20 人がポスドクです。
・100 人の博士が生まれたら、8 人が会社に勤めて 11 人が公務員です。
・100 人の博士が生まれたら、7 人が他の分野に行きます。
・100 人の博士が生まれたら、16 人が無職です。
・100 人の博士が生まれたら、8 人が行方不明か死亡しています。

ただ、このデータは鵜呑みにするのは危険です。なぜならば、次のような問題があるからです。

- どのようなデータに基づいているか、出典が不明
- 出典が明らかだとしても、データ自体が古い可能性がある
- 博士と言っても、多様な分野が含まれている
- 「行方不明か死亡している」というのは憶測にすぎない
- 文系の場合、そもそも博士号が取得できない問題がある

まず、どのようなデータに基づいているかですが、これは文部科学省の学校基本調査に基づくと考えられています。学校基本調査はインターネット上に公開されており、誰でも見ることができます。そうすると、上述のデータは2020年度現在の実態とはかけ離れており、分野によっても大きく異なることがわかります。また、「行方不明か死亡している」とされているのは「不詳・死亡の者」を指していると思われますが、その多くは不詳、すなわち報告をしていない卒業生が多いということだと思われ、『博士が100人いる村』のようにすべてが自殺者であるかのように解釈するのはデータの曲解に当たると考えられます。

ただ、私が心配しているのは、博士課程に進学しようとする人の大半がこうしたデータを確認せずに人生の大事な決断をしているように見えるということです。事実、私の周辺の博士課程の大学院生に聞いてみたところ、この学校基本調査のデータの内容どころか、その存在を知っている人さえほとんどいませんでした。研究者になろうという人は、合理的な根拠に基づいて判断ができるはずなのですが、自分自身の大切な進路についてこうした合理的なデータを考慮せずに博士課程進学を決めているところに不安を覚えるわけです。

そこで、この学校基本調査のデータ（https://www.mext.go.jp/b_menu/ toukei/chousa01/kihon/1267995.html）を詳しく見ておくことにしましょう。2020年3月の博士課程卒業者の調査（次ページの表2-1）を見ると、人文科学系962名、社会科学系902名で、そのうち、フルタイムの仕事に就職できた人は、人文科学系378名（39.3%）、社会科学系502名（55.7%）です。ちなみに、自然科学系も含めた全体では、卒業生15,522名のうちフルタイムの就職者は10,832名で就職率は69.8%です。つまり、自然科学系は就職率が高いのですが、人文・社会科学系、とく

表 2–1 博士課程の状況別 卒業者数

区 分	計	進学者	左記進学者のうち就職している者(再掲)(A)	フルタイム勤務相当の就職者(Aを含む)	有期雇用労働者(雇用契約期間が一か月以上の者)	臨時労働者	左記以外の者	不詳・死亡の者	卒業者のうち満期退学者(再掲)	卒業者のうち博士学位取得者(再掲)
2020年3月	15,522	134	30	10,832	848	111	2,750	877	3,688	11,834
人文科学	962	3	–	378	97	9	337	138	505	457
社会科学	902	15	1	502	48	5	217	116	374	528
理 学	1,241	5	2	816	79	8	266	69	252	989
工 学	3,132	15	7	2,199	157	15	608	145	609	2,523
農 学	890	20	3	523	73	1	239	37	135	755
保 健	5,789	63	13	4,780	258	55	497	149	1,040	4,749
家 政	54	–	–	39	3	–	11	1	8	46
教 育	395	4	–	271	20	6	59	35	178	217
芸 術	129	1	–	61	9	8	45	5	19	110
その他	2,028	8	4	1,263	104	4	471	182	568	1,460

(学校基本調査 令和2年度「博士課程の状況別 卒業者数(4–1)」より作成)

に人文科学系の就職が厳しいことがわかります。

一方、博士課程卒業者のうち、学位を取得できずに修了した満期退学者は、人文科学系 505 名、社会科学系 374 名であり、そこから引き算すると、人文科学系 457 名(47.5%)、社会科学系 528 名(58.5%)が博士学位取得者です。やはり人文科学系の苦戦が目立ち、学位取得率は 50% に届きません。しかも、このデータは卒業者だけであり、中退者が含まれていないことを考えると、さらに厳しい数字であることが予想されます。

また、博士課程に何年間在籍しているかという調査(次ページの表 2–2)では、人文科学系の場合、卒業者 946 名のうち、3 年での卒業者 207 名、4 年での卒業者 187 名、5 年での卒業者 133 名、6 年での卒業者 146 名、7 年以上の卒業者 252 名、編入学者 21 名となっています。一方、社会科学の場合、卒業者 897 名のうち、3 年での卒業者 210 名、4 年での卒業者 198 名、5 年での卒業者 119 名、6 年での卒業者 153 名、7 年以上の卒業者 197 名、編入学者 20 名です。

大雑把に言うと、2020 年 3 月における、いわゆる文系の博士課程卒業者はおよそ 2000 名弱、そのうちフルタイムの職業に就職できる人は半数弱、博士号を取得できるのは約半数であり、学位取得まで平均 5 年かかるということになりそうです。

もちろん、これは 2020 年時点のデータにすぎません。文部科学省もこうした

表 2–2 博士課程の専攻分野別、入学年度別 卒業者数

	計	最低修業年数卒業者（2017年度入学）	1 年超過（2016年度入学）	2 年超過（2015年度入学）	3 年超過（2014年度入学）	4 年以上超過（2013年度以前入学）	その他（編入学者）
人文科学	946	207	187	133	146	252	21
社会科学	897	210	198	119	153	197	20

（学校基本調査 令和 2 年度「博士課程の専攻分野別 入学年度別 卒業者数（2–1）」より作成）

現状にたいする問題意識を持っており、対策を施しつつあります。このため、将来的には状況が改善するかもしれません。また、大学によっても、研究科によっても、実態はかなり異なりますので、このような大きなデータが個別のケースに当てはまらないことも多いかと思います。たとえば、私自身は 2007 年に一橋大学大学院言語社会研究科の博士課程の指導を担当して以来、24 名の博士課程の大学院生の指導教員になりましたが（副指導を入れると倍ぐらいの人数になると思います）、2021 年 8 月現在、3 年に在籍中の 3 名と 1 年に在籍中の 1 名を除く 20 名のうち、20 名全員博士号を取得しており、学位取得までの平均年数は 5 年です。平均年数が長いのは 10 年かかった人が 2 名いるためで、最近の修了者はほとんど 4 年以内に学位を取得しています。フルタイムの職業への就職は 75% 程度ですが、とくに日本国内におけるアカデミアへのフルタイムでの就職はかなり厳しい印象があります。こうした状況は、分野、大学、研究科、指導教員によってかなり異なりますので、進学を希望するさいは、個別の状況も合わせて調べる必要がありそうです。

研究者として人生を歩むことを志す者なら、**自分の歩むことになる進路を調査し、調査データに基づいて冷静に判断する必要がある**でしょう。現時点でのデータが将来を約束するものではありませんが、少なくとも現時点ではリスクの高い選択であることを頭に入れておく必要があります。

なお、同じ人文系であっても、分野によって就職事情はかなり違います。教授、准教授、助教といった常勤の大学教員を目指す場合、**JREC-IN Portal**（https://jrecin.jst.go.jp/）というサイトを見て、どのような公募が出ているのかを確認するのが、研究者の就職活動の基本です。ここには、日本全国の大学の教員公募が集中して掲載されています。毎月 1 回、1 年間検索をしていれば、自分の研究分野にどのぐらいの公募があるのか、おおよその見当がつくはずです。もちろん、年によっても、また、時代によっても左右されるものですが、研究者を目指す以上、**まずは自分の進路を調べてみる**という姿勢が肝要かと思います。

2.2 研究テーマの探索

2.2.1 研究テーマとの出会い

Q 研究テーマに出会うためにどうすればよいですか。

A 研究テーマに出会いたいという気持ちをつねに持って、多方面に興味のアンテナを張っておくことです。

④「研究する人生を歩む」ことを目指している人は、惚れこんでいる研究テーマを持っているでしょう。なかには、「それをやらなければ生きていけない」テーマを持っている人もいるかもしれません。しかし、「専門職に進む」「就活を有利に」「モラトリアム期間を確保」という進学動機の人は、研究テーマと言えるほどのものは持っていないのがふつうでしょう。また、研究者志望の人でも、大学院入学段階では研究テーマは漠然としている人が多いのではないでしょうか。

私自身、自分の研究テーマが見えてきたのは、恥ずかしながら最近になってからです。ただ、考えることは好きだったので、その時々に思いついたことを試み、考えるなかで、徐々に自分の研究テーマを固めてきたというのが正直なところです。

研究が恋だとするならば、大学院は恋につながる出会いの場です。出会いは突然訪れるもので、その出会いが自分にとって運命的なものかどうか、人は直感的に選びとります。そして、その直感はだいたい正しいものです。そう考えると、研究テーマを見つけたいという気持ちをつねに持ち、アンテナさえ広く張っていれば、自分に合った研究テーマにいつか出会えると思います。

アンテナにはさまざまな研究テーマが引っかかってきて、その一つひとつが出会いだと思うのですが、そのなかでもピンとくる研究テーマを直感的に感じとり、それに取り組んでみればよいのです。やってみてしっくりくれば、それが自分にとってふさわしい研究テーマでしょうし、そうでなければ、自然と心が離れるでしょう。恋愛の場合、付き合ってみて初めて、その人が自分にとって大事な人かどうか判断がつくように、研究の場合も、取り組んでみて初めて、その研究テーマが自分にとって大事なものかどうかわかります。

そうは言っても、周囲の人みんなに特定の相手がいると、自分だけが取り残された気持ちになって焦るように、周囲の人みんなが研究テーマを見つけていて、自分だけが研究テーマが決まっていないと、不安に襲われるのが人間です。そこで、以降では、研究テーマに出会うためのアンテナの張り方を考えてみることにしましょう。

2.2.2 経験と研究テーマ探し

Q 研究テーマを考えるときに、まずどこから考えればよいですか。

A 自分自身の過去の歩みです。今に至るまでの人生経験を振り返ったうえで、なぜ自分が大学院に進学しようと志したのか、その原点と研究テーマの接点を考えることが重要です。

研究テーマを見つけるためのアンテナを張る領域には、対象となる学問分野にかかわらず、三つの領域が考えられます。それは、**経験、知識、データ**です。

そもそも研究を志す背景には、一人ひとりの人生があります。その人生における経験が研究テーマと結びつきます。文系研究の醍醐味は自分自身の経験と深く関わる内容を研究テーマにできるという点です。人間は自己にもっとも関心があるものです。人によって研究テーマが異なるのは、一人ひとり自己というものの捉え方や関心の置きどころが異なることに由来します（細川 2008）。

私の専門分野は日本語教育ですので、私のところに来る大学院生は、留学生の場合は日本語の学習経験が、日本人学生の場合は日本語の教育経験が、研究への関心の土台となっていることが多いという特徴があります。

たとえば、私の研究室に所属していた、同じビジネス日本語に関心を持った大学院生であっても、ビジネスの商談で苦労した留学生はビジネスの交渉の談話を研究テーマに選び、ビジネスメールを書くのに苦労した留学生はビジネスメールの執筆過程の研究にたどり着き、海外でのビジネス経験が豊富な日本人学生はビジネス文書に見られる外来語の研究に本格的に取り組みました。それぞれ、自分のそれまでの人生経験を生かした研究になっていることがわかります。こうして選ばれる研究テーマを見ていると、ある研究テーマが選ばれたのは、そのときは偶然のように見えつつも、後から振り返ると必然だったことに気づかされるのです。

研究テーマを見つけたいときは、**まずは自分の人生を振り返ることから始める**とよいでしょう。なぜ大学院に行ってまで研究をしたいと思ったのか、その動機がこれまで歩んできた過去の経験のなかに埋まっているわけで、それを掘りだすところから研究テーマ探しの旅は始まります。

2.2.3　知識と研究テーマ探し

Q　経験を踏まえて研究テーマを考えるとき、どのように研究テーマを絞っていけばよいですか。

A　専門書を読んだり専門家の話を聞いたりして知識の幅を広げ、研究テーマの全容を把握することです。そして、そのなかに自分の関心を位置づけ、研究テーマを絞っていくことです。

経験についてはここまで見てきましたので、今度は知識について考えてみることにしましょう。

研究テーマに関わる知識を得る方法としてまず考えるのは、**本を読むこと**です。本は研究する人生を歩む者にとって食事のようなもので、本を読まないと研究のエネルギーが湧いてきません。専門書のなかには栄養豊かな学術情報がぎっしり詰まっています。

活字になった内容は、書き手が自分の名前を記して責任を持って書いたものですので、情報として正確で、高度に洗練されていることが期待できます。私たちが研究を行ううえで、その基礎となる知識はできるだけウソの少ない正確な内容で固めることが求められます。良質な知識が根っこにあれば、茎や葉にも十分な栄養が行き渡り、きっときれいな研究の花が咲きます。本の読み方について、詳しいことは第 3 章「読む（文献）」で検討することにします。

また、読むことと同じぐらい重要なのは、**話を聞くこと**です。大学院の講義を聴講することはもちろん、ゼミで先輩同士の質疑応答を目の当たりにすることも、学会の大会で口頭発表やポスター発表を聞くことも、研究者仲間の雑談に耳を傾けることも、すべて鮮度の高い知識を得ることにつながります。耳学問は読書以上に力があり、短時間で効率よく情報を収集することができます。おそらく話し手が聞き手の興味に合わせ、わかりやすく、面白く語ってくれるからでしょう。また、読書だと、自分の選んだ内容を読むことになりますが、学会などでは予期せぬ面白い話が聞けることもあります。**思いもかけない方向に知識の幅が広がる**のも耳学問の魅力です。知識の幅が広がれば、自分が関心を抱いている分野の全容が姿を現し、自分の関心との関係で自ずとそのなかに自分の研究テーマを位置づけることが可能になるはずです。

今はZoom等を用いた学術イベントやYouTubeなどの動画配信が盛んです。オンラインで発信される情報を積極的に耳に入れることもまた、現代的な知識吸収の手段として有効であると思われます。

2.2.4 データと研究テーマ探し

Q 知識の幅を広げて研究テーマを絞ったとき、どのように研究テーマを深めていけばよいですか。

A 数は少なくても分析に用いるデータを収集し、それとにらめっこしながら「ああでもない、こうでもない」と考えつづけることです。

経験、知識に続いて、研究テーマ探しに必要なのは**データ**です。研究をするためには言うまでもなく分析の材料が必要になります。その材料をここではデータと呼ぶことにしましょう。データについては第4章「調べる（調査）」のところで調査との関連で詳しく述べることにし、ここでは**データとの付き合い方**を考えることにします。

研究で大事なことはデータとのにらめっこです。データを見ることに十分な時間をかけていない研究は、優れた研究にはなりません。データは長い時間見つめて「ああでもない、こうでもない」という試行錯誤を繰り返すなかで徐々にその真の姿を現します。大学院入試で研究テーマを探している段階で、そんなにたくさんのデータを収集することはできませんが、身近にある数例でもよいので、自分が対象としたいと考えているデータを手元に置き、それに基づいて考えてみましょう。それだけでも、研究計画書の質が格段に上がります。

また、データは字面を追いかけていても、その本質は見えてきません。データを見るときは自分が何を見たいのかを考え、それが見えるように加工することが不可欠です。**自分が見たいものが見えるように、客観的な手続きを用いてデータを加工することを分析といいます**。

分析と一口に言っても、いろいろな方法があるでしょう。たとえば、文学研究において、これまで見いだされなかった独創的で一貫性のある読みを発見するために、多様な観点からテキストを何度も読み返すことも分析です。言語学研究において、ある文法形式にいくつの機能があるのか、機能ごとに分類するのも分析です。似た背景を持つ人へのインタビュー調査で、なぜＡさんはＣという道を選び、なぜＢさんはＣという道を選ばなかったのかを比較し、その違いを探るのも分析です。ある現象を観察していて、一見まったく異なる現象に共通点を発見する類推も分析です。さらには、ある現象にたいし、あるモデルを当てはめてみて、その現象がモデルに従うかどうかを確認するのも分析です。つまり、**分析には、観点の検討、分類、比較、類推、モデル化などがあり**、それらをまとめて分析と呼んでいるわけです。

ただ、データとにらめっこしている段階では分析方法を自覚しているわけではありません。いわば直観でデータを眺めているはずです。しかし、その直観のなかに上で述べたような多様な分析方法があり、それらを私たちは無意識のうちに動員しています。

研究者は地道にデータを収集し、うんうんうなりながらデータと睨みあい、直観力を生かして考え抜く力が求められます。すぐに答えが降ってくるわけではありませんので、粘り強く考える根気が大事になります。勘がよい、センスがよいなどといったことが研究にとって重要だと思われるかもしれませんが、実際は、**あきらめないで飽きずに考えつづける力こそが研究者の力の源**です。

勘のよい人は最初に思いついた解を正しいと思いこみがちですが、すぐにはうまい解を思いつかなかった人が紆余曲折を経てたどり着いた解こそが正しい解であることはよくあることです。ウサギとカメが競争すると、結局はカメが勝つのです。

2.2.5　よい研究テーマ

Q　どんなものがよい研究テーマと言えますか。

A　自分自身が心から取り組みたいテーマ、先行研究にないオリジナリティが出せるテーマ、社会的な関心が集められるテーマが、よい研究テーマです。

よい研究テーマとは何か。少なくとも誰にとっても重要なことは、**自分にとって取り組む必然性のあるテーマ**であることでしょう。自分が興味を抱けないテーマについてやるのは時間の無駄です。人生の貴重な時間を費やして行う研究ですから、自分にとって意味のある研究テーマを選択することが最優先です。そのことは、すでに紹介した上原専禄先生の「どんな問題をやるにせよ、それをやらなければ生きていけないというテーマを探すのですね」という言葉のとおりです。

しかし、自分にとって意味のある研究テーマであっても、他の人にとっても意味のある研究テーマでないと、研究が個人の単なる自己満足に終わってしまいます。自分の興味のためだけに研究している人の論文は概してつまらないものです。「あなたは今そういうテーマがやりたいのかもしれませんが、そのテーマをやっても、あなた以外の誰も喜びませんよ」と言いたくなるようなテーマは存在します。

そうした研究の典型は、他にも多くの人がすでに手をつけていて、やるまえから結論が見えているテーマです。別の言い方をすれば、研究のオリジナリティに乏しいテーマです。もちろん自分が知りたいことを明らかにするのが研究ですが、その人のなかだけで閉じていて発展性が感じられない研究は魅力に欠けます。反対に、成長する可能性があるテーマは、タイトルを見ただけで中身を読むまえからわくわくするものです。そこに、その人ならではの独自の観点があり、読者に知りたい気持ちを起こさせるからです。未知の内容を含むことが専門家の好奇心を喚起しますので、どこかに斬新さを忍ばせておくことが条件です。研究は最終的に論文を読んでもらい、専門家の高い評価を得られるかどうかでその価値が決まります。そのため、**ありきたりのテーマは避け、従来の研究にない斬新な観点を盛りこんだテーマを目指す**心がけが肝要です。

さらにもう一つ、とくにその研究テーマが**社会に役に立つか**ということも、よい研究テーマを考えるうえで大事なことです。研究は、新しい知見の獲得や理論の形成に貢献する**基礎研究**と、製品の実用化や実際の現場に役立つ知見を提供する**応用研究**に分かれます。このうち、とくに応用研究は、実用性が高いかというのがよい研究かどうかを測る物差しとなります。たとえば、私の専門である日本語教育学では、教科書を作成したり、辞書を開発したり、教室活動に役立てたりするなど、実践的な研究が価値の高い研究です。

応用研究の場合、研究テーマは現場のなかで見つかります。ドラマ『踊る大捜査線』の有名なセリフ、「事件は会議室で起きてるんじゃない! 現場で起きてるんだ!」は応用研究にも当てはまります。ですから、日本語教育学は日本語教室という現場に足を運び、そこで研究テーマを見つけようとします。つまり、現場を持つ研究者の場合、現場に研究のタネが落ちているので、現場に拾いに行く必要がありますし、自分が現場を持たない場合は、参与観察させてもらって研究テーマを探す必要があるわけです。

以上見てきた「よい研究テーマかどうか」を判断する三つの条件は、わかりやすく整理すると次のようになります。

よい研究テーマの条件

①研究者自身にとって意味のある研究であること
…知的好奇心を満たす刺激

②専門家にとって意味がある研究であること
…学界を揺るがす独創性

③社会にとって意味がある研究であること
…社会に役立つ実用性

長く研究を続けるうえで、自分が恋した研究テーマを選ぶのがもっとも大事で、自分にとって意味があるかが最優先です。一方、現代の研究は納税者がパトロンであることを考えると、納税者である一般の人が好奇心を抱いたり、役に立つと感じたりするテーマでなければ、意味のないテーマであると判断され、社会的に淘汰される運命にあります。自分の研究テーマの社会的価値を、その分野に詳しくない人にたいしても説明できる能力というのが重要になります。

2.2.6 研究テーマと指導教員

Q 研究テーマは指導教員に近いものを選んだほうがよいですか。

A 可能であれば遠いテーマを選んだほうが安全です。

研究テーマを考える場合、指導教員との関係を考えないわけにはいきません。そもそも研究計画書を書き、入試の面接で「この大学院をなぜ選んだのですか」と聞かれたとき、「私の研究テーマが○○先生のご専門と近く、ご指導を受けられると考えたからです」と多くの受験生は答えるでしょうし、そう答えた以上、入学後もその指導教員のもとで学ぶ可能性が高いからです。

昔の自然科学系の講座制であれば、教授が大きな研究テーマを掲げ、准教授、助教、大学院生がその研究テーマを分担して研究を進めるという構図が一般的だったのかもしれません。しかし、人文系の場合はそのような体制を持たないところがほとんどでしょうし、大学院生は自分の研究テーマを自由に選ぶことが建前上は認められています。

しかし、大学院入試の合否は、大学院生が掲げた研究テーマを指導できる教員がいるかどうかにも左右されますし、入学後もある研究室に所属すると、指導教員がその研究テーマを指導できるかどうかということが問題になります。そう考えると、自分の研究テーマと指導教員の専門分野が無縁ではありえず、その距離感を調整することが必要になります。

自分の研究テーマが指導教員の専門分野に近い場合、深く指導してもらえますし、進む道も明確に示してもらえるので、その点でありがたいです。しかし、かえって息苦しくなることが多くなるのも事実です。近いテーマだとどうしても指導教員の目は厳しくなりますし、指導教員がライバルになります。指導教員の度量が広い場合はよいのですが、指導教員を超えようとして指導教員の研究の問題点を指摘すると、人間関係はギクシャクします。また、指導教員が現在研究している領域に踏みこんでいくと、その棲み分けに苦労し、オリジナリティのあることを考えだしても、それが指導教員の構想の範囲内であることも多く、オリジナリティを出しにくくなります。このため、指導教員の研究の枠組みのなかに留まると、研究のスケールが小さくなり、指導教員の研究を再生産するようなことになります。さらに、指導教員の研究へのアプローチから外れた新たなアプローチを採用したり、他大学の研究室に出入りして別のアプローチを学んだりすることを嫌う指導教員もいます。もちろん、自分の関心のある内容が、指導教員の専門分野とぴったり重なっている場合に避ける必要はないのですが、もし迷っているのであれば、ある程度距離を取ったほうが無難です。

指導教員と研究テーマが重なることの弊害

①指導教員の目が厳しくなる
②指導教員の先行研究を批判しにくい
③指導教員の研究との棲み分けに苦労する
④指導教員の枠内で似た研究を再生産することになる
⑤指導教員の枠外のアプローチが取りにくくなる

以下のコラムで述べる流行との距離感、指導教員との距離感、いずれも難しいものですが、流行に流されず、指導教員の影響を受けすぎず、自分が取り組みたいテーマを何よりも優先し、学術的、社会的な意義を考えながら進めることが肝要かと思います。

コラム1

研究テーマと流行

ファッションに流行があるように、研究テーマにも流行があります。大学院生の面接をしていると、今の流行が伝わってきます。若い受験生は研究テーマに敏感だと感じます。

ファッションに流行があるのは、おそらく古い自分に飽きて新しい自分になりたいという変身願望と、みんなが着ているから安心という同調意識があるからだと思われます。研究テーマに流行があるのも、似たような理由だと思うのですが、研究がファッションともっとも違うところは、研究という営み自体がオリジナリティを求める性格を有しているところにあります。研究は、今まで誰もやったことがない何かを含んでいなければならないので、もうすでにたくさんの人がやってきた領域は魅力がないわけです。芋掘りにたとえると、たくさんの人が入った畑にはもう芋があまり残っていないので、まだ手つかずの畑に人は移ります。しかし、手つかずの畑を探すのは大変なので、芋掘り名人が「ここによい畑があるよ」と声をかけると、たくさんの人が集まってくるのです。ファッションの世界には、流行の色やデザインを世界的に流行らせようとつねに仕掛けているファッション・リーダーたちが存在します。同じように、学問の世界にも、学問の流行をつねに狙っているオピニオン・リーダーが存在します。

流行している研究テーマの周辺にはたくさんの芋が埋まっている可能性があるので、流行に乗るのも一つの方法です。しかし、私自身は、流行に乗ることに二つの点で危惧を覚えています。一つは、流行はかならず流行遅れになるということです。ファッションでも流行は先取りするもので、夏の流行服を選ぶのは春がよく、夏に選んでしまうとすぐに流行遅れになり、長い期間着ることができません。同じように、流行している研究テーマは先取りした人が有利になるようにできています。流行したあとに参入しても、おいしいところは先取りした人たちが取ってしまっており、大変なところだけが残っていることが多いのです。さらに、研究は長く続く営みですので、修士課程入学時には流行の全盛を迎えていたテーマは博士課程修了時には時代遅れのテーマになっており、その後の進路選択にも暗い影を落とします。したがって、流行に左右されないほうがよいと私は考えています。

流行に乗らないほうがよいもう一つの理由は、流行は乗るものではなく、生みだすものだからです。人が作った流行に乗ると、既成のレールのうえを走ることになりますので、走りやすいのですが、スリルがありません。研究の醍醐味は、新しい世界を自分の力で切り開くところにあります。自分の力には限界がありますので、失敗はつきものですが、失敗から学ぶことも多いですし、苦労の結果手にした成果は、たとえ小さくても自分にとってかけがえのないものになるはずです。また、そうして切り開いたささやかな研究のタネを、別の誰かが受け継いで発展させていってくれることもあります。自分が蒔いた研究のタネが育っていくことを眺めるのもまた、研究の醍醐味です。

この感覚は一般の人にはわかりにくいようで、霞が関の優秀な官僚でさえしばしば誤解してしまうようです。研究の世界では、「選択と集中」によって効率化を図るという考え方が長いこと席巻し、それによって日本の研究力が下がってきました。そのことは各国の論文数による比較で、日本がじり貧になっているという事実から説明がつきます。

にもかかわらず、「選択と集中」という考え方に基づく予算配分はなかなか変わりません。「選択と集中」を行う場合の基準は、今世界的に流行している分野に資本を集中投下するということになるのですが、それがよくないのです。つまり、その分野はもはや衰退が始まっている分野だからです。したがって、研究に必要なのは「ばらまき」です。

バブルの時代の竹下内閣で「ふるさと創生事業」が行われました。この事業の正式名称は「自ら考え自ら行う地域づくり事業」であり、地域の活性化を目指し、各市区町村に一律1億円を交付した政策です。この政策で大事なのは、一律一定額を交付したこと、そして、その使途に政府は一切口出しをしなかったことです。これこそが研究予算のあるべき姿です。研究者を信頼し、小額の予算を自由に使わせたほうが、将来、とてつもない富を生みだす発想のタネが生まれるものです。しかし、その確率は低いので、だからこそ「ばらまき」が重要になります。研究はいわば「ふるさと創生事業」です。

一人ひとりの新しい研究に芽が出るかどうかはだれにもわかりません。しかし、芽が出た研究は、その後の研究の大きな潮流を形作ります。ある研究に予算を集中投下するとしても、集中投下すべき対象はあくまで芽を出したばかりの段階の研究です。そうした研究に予算を投下すれば、やがて、研究の葉が出て、幹が育ち、枝が広がり、豊かな実りをもたらします。

「選択と集中」は「流行は乗るものである」というキャッチアップ信仰に基づく発想です。しかし、研究においては「流行は生みだすものである」という考え方に立たないとイノベーションは起きません。もし研究が「工場」での大量生産品であれば、「選択と集中」は有効です。しかし、研究はつねに研究室という「工房」での手作り品なのです。手作り品にたいして「選択と集中」を行うと、優秀な職人が絶え、その伝統的技法が継承されなくなり、その分野自体が廃れてしまうのです。

とくに、人文系の研究の場合、ハンドメイド感が強いのが特徴です。研究にたいして高い志を持つ大学院生にはぜひこのことを理解し、新しい道を切り開く研究に力を注いでほしいと願います。

2.3　研究課題の設定

2.3.1　問いと答え

Q　問いを立てることと答えを出すこと、どちらが大事ですか。

A　どちらも大事ですが、しいて言うならば、よい問いを立てることのほうが大事です。

私たち研究者が、それをやらなければ生きていけない研究テーマに幸運にも出会えたら、それについて考えつづけていくことになります。そのときに大事なのは**研究課題（リサーチ・クエスチョン）を設定する**ことです。研究が課題解決の営みである以上、課題を設定することが必要になります。課題を設定することを「問い」を立てる、課題を解決することを「答え」を出すと言います。どちらが大切かと聞かれたら、どちらも大切だと答えるよりないのですが、あえて言うなら、「問い」のほうが大切です。優れた「問い」は、重要な学術的・社会的課題を研究者間で共有することを可能にするからです。優れた「問い」は、立てた本人がかりに十分な「答え」を準備できなかったとしても、多くの研究者がその「問い」をめぐって議論を深め、いつか誰かが十分な「答え」を出してくれるかもしれません。

評論家の小林秀雄はこう言っています（小林秀雄・国民文化研究会 2014）。「実際、質問するというのは難しいことです。本当にうまく質問することができたら、もう答えは要らないのですよ。僕は本当にそうだと思う。ベルグソンもそう言っていますね。僕ら人間の分際で、この難しい人生に向かって、答えを出すこと、解決を与えることはおそらくできない。ただ、正しく訊くことはできる。」

研究の目的は答えを出すことです。私たちは中間的な答えなら出すことはできるかもしれません。しかし、最終的な答えを出すことはできないのです。答えを出すために考えつづける営み、それが研究です。

2.3.2　問いを立てる

Q　問いを立てるとはどのようなことですか。

A　研究をとおして自分が明らかにしたいことを、１文の疑問文の形で示すことです。

研究テーマと研究課題は違います。研究テーマは「○○について研究したい」という「～について」の世界であり、いわば論文のタイトルのようなものですが、研究課題は「○○は何／なぜ／どんな～か」という疑問文の世界です。**研究課題は問いである以上、１文の疑問文としての明確な形が取れる必要があります。**そこで、「～について」という研究テーマから脱却し、「○○は何／なぜ／どんな～か」という研究課題に移行する必要があります。

具体的に考えてみましょう。日本語教師志望の漫画好きの受験生が、漫画を使った日本語教育を研究テーマにしたいと考えたとします(石黒・柳田 2015)。それをそのまま文字にすると、①「日本語教育における漫画について」となります。しかし、これが研究テーマにふさわしくないことは、一目でわかります。目的は日本語教育であり、漫画は手段でしょうが、漫画という手段を使って日本語教育にどのように貢献するのかが見えないのです。

そこで、日本語教育の教材として漫画を取りあげ、授業をしてみればおもしろいかもしれないと思いつきます。そこで考えられる研究テーマは、②「漫画を使った日本語教育の授業実践」となるでしょう。①よりもよくなりましたが、これでもまだ漠然としています。漫画を使ってどんな授業実践をしたいのかが見えないからです。

読む・書く・聞く・話すという４技能で授業実践を考えた場合、漫画は読むものなので、読解教材として役立つ可能性がまず考えられます。しかし、漫画を漫然と読むだけでは授業になりません。そこで、漫画を読んで語彙の習得が進めば、日本語教育に役立つのではないかと考えます。漫画は会話で成り立っているので、漫画を読みこめば、会話に頻出する表現の習得に役立つでしょう。漫画好きの学習者が多い教室なら、勉強という意識を持たずに、楽しみながら日本語の語彙力が鍛えられそうです。その結果、研究テーマは、③「漫画を使った日本語読解教育の語彙習得の授業実践」くらいに設定できるでしょう。

しかし、研究テーマはまだ問いの形になっていません。そのため、「漫画を使った日本語読解教育の語彙習得の授業実践」を報告したとしても、それは研究にはなりません。そこで、このテーマを疑問文で表す工夫が必要になります。③を問いの形にしてみましょう。④「漫画を使って多読の読解授業をした場合、日本語の語彙習得が進むか」です。ずいぶんよくなりましたが、まだ漠然としています。日本語の語彙習得には多様な面があり、比較の対象がないと、語彙習得が進んでいるかどうか確かめようがないからです。

そこで、比較という観点を入れて研究テーマを設定してみましょう。⑤「漫画を使って多読の読解授業をした場合、小説やアニメを使った場合と比べ、日本語の語彙習得が進むか」です。もちろん、漫画、小説、アニメは同じ作品場面でなければなりません。たとえば、『坊っちゃん』『走れメロス』『銀河鉄道の夜』のような文豪の書いた有名な作品なら、漫画化、映画化されているものもあり、また小説もやさしくリライトされたものがあるためお勧めです。また、スタジオジブリの作品や上橋菜穂子氏のようなファンタジー作家の作品のなかにも使えるものがありそうです。

漫画は絵本の一種なので、絵から文章理解のヒントが得られます。また、振り仮名のあるものも多いため、読みの補助も得られます。一方、アニメとは異なり、文字があるので、とくに漢字圏の学生は、語彙の意味を文字から得やすそうです。また、アニメには音や動きがありますが、漫画ではその部分をオノマトペ（擬音語・擬態語）によって補っていますので、オノマトペの習得にも役立ちそうです。

こうして見てくると、漫画は、小説とアニメのいいとこ取りをした特徴を持ちますが、小説と比べて言語の情報量が少ない、アニメとは違って絵に動きがなく、セリフにパラ言語情報がないという弱点もあります。そう考えると、漫画を使った語彙習得学習は、小説とアニメを使った学習と比べて一長一短のはずであり、問いは⑥「漫画を使って多読の読解授業をした場合、小説やアニメを使った場合と比べ、どのような語彙の習得が進みやすく、あるいは進みにくくなるか」とまとまります。こうした漫画の長所・短所が語彙習得にどのように影響を与えるかは興味深いところであり、一般の人でも興味を持ってもらえそうなテーマになりつつあるのではないでしょうか。

2.3.3　問いを思いつく

Q　問いが思いつかない場合はどうしたらよいですか。

A　問いを思いつくのが得意な人に相談し、そこからヒントをもらうことです。

研究は一種の職人芸で、センスの有無が問われます。留学生のなかで日本語が非常にできて、日本語能力が高いから日本語の研究ができるだろうと思って研究を志す人がいますが、そうした人が日本語の研究に向いているとは限りません。むしろ、私が留学生の大学院生を指導していて思うのは、日本語の運用にどこか不器用さが残る留学生のほうが、研究能力が概して高いということです。おそらく、日本語習得に苦労が絶えないぶん、日本語にたいする問題意識が高く、発見も多いのかもしれません。

問題意識を持てるかどうかが、問いを立てられるかどうかの分水嶺であり、何でもそつなくできる人は気づきが少ない傾向がありますし、きちんと勉強のできる真面目な人で問いを立てるのが苦手な人は少なくありません。しかし、そうした人が研究に向いていないと決めつけることはできません。なぜなら、そうしたタイプの人は、問いを立てるのが苦手でも、問いさえあれば答えを出す能力に長けていることが多いからです。このため、問いを立てるのが苦手な人でも問いを立てられる方法を知ることが必要です。

もっとも有力なのは、**問いを立てるのが得意な友人の助けを得る**という方法です。アイデアを次々に思いつく友人がいれば、相談に乗ってもらうのも手でしょう。また、ゼミで「こんな研究をしたいのだけれど、適切な着眼点が見つからない」ということを告白して、問いにつながるアイデアを参加者に出してもらうのも一つの方法でしょう。最初は周囲の協力に頼っていても、コツさえわかれば自分でも問いの立て方が少しずつわかってくるはずです。

研究者には、**問題発見型**の研究者と**問題解決型**の研究者がいます。つまり、問いを立てるのが得意な人と、答えを出すのが得意な人がいるわけです。もし問題解決型の人であれば、問題発見型の人と組み、その発想にヒントを得ることで大きな成果を上げることも可能になるでしょうし、反対に問題発見型の人であれば、問題解決型の人と組み、アイデアを出してそれを問題解決型の人に任せてしまえばよいわけです。研究は試験とは異なり、周囲の人に相談しても問題ありません。むしろ、周囲の人と協力して研究を進め、深められたほうが、研究の質は確実に上がります。

2.3.4 問いを変える

Q 問いの答えが出ない場合はどうしたらよいですか。

A 出ない答えを無理に出そうとするのではなく、問いのほうを、答えが見つかりそうな問いに変えることです。

問いに答えるのが研究という営みであり、よい問いを立てることが研究で重要となると、大きな問いを作ろうと力みがちです。しかし、立派な問いを作っても、その問いに答えられないかぎり、研究は終わりませんし、論文も書けません。問いを立てるまではよかったが、答えがとうてい出せそうにないという状況が生まれたとき、どう対処すべきでしょうか。

その問いに答えられるような新しい研究方法を探しだすというのも一つの方法でしょうし、覚悟を決めて膨大な作業に挑むというのも一つの方法でしょう。しかし、新しい研究方法は容易には見つからず、また、膨大な作業が終わるメドも立たず、膨大な作業を終えても答えが出るかどうかの保障はないとしたら、締切のある大学院生活のなかで一向に進まない研究に焦りばかりが増し、研究そのものが手につかなくなり、時間ばかりが過ぎていくという事態を招きかねません。

もしそうなってしまったときは、答えを無理にひねりだそうともがくのではなく、**答えが出そうな問いに変える**のが賢明な方法です。つまり、答えではなく、問いのほうを変えてしまうのです。そうすることで確実に答えが得られるメドが立ち、研究もまた元のように進みはじめるでしょう。

先ほど、④「漫画を使って多読の読解授業をした場合、日本語の語彙習得が進むか」という問いにたいし、原作やアニメとの比較、さらには習得の進みやすい語と進みにくい語の比較という観点を入れ、⑥「漫画を使って多読の読解授業をした場合、原作やアニメを使った場合と比べ、どのような語彙の習得が進みやすく、あるいは進みにくくなるか」という問いに変えました。これは、

⑥のように問いを限定したほうが、答えが容易に出せるようになるためです。

問いを立てるとき、人は問いだけを立てるのではなく、問いにたいする答えもセットで考え、その答えに見当をつけているものです。見当をつけた答えは「仮説」と呼ばれます。そのため、やみくもに問いを立てるのではなく、**仮説という予想される成果を考えたうえで研究を始める**のが研究を成功させるコツです。問いを立ててから答えを立てる方法もありますが、答えが出てからそれに合う問いを立てる方法もあるのです。その答えに、周囲の専門家をうならせる新規性があれば、問いが先でも答えが先でも、どちらでもかまいません。

当たり前のことですが、自分の力量では手に負えない研究をやるのは無謀です。一人の院生ができる研究には限界があります。修士課程の2年間で、解くのに10年かかるような問いを立ててはいけませんし、反対に2週間程度で容易に解決できる問いを立ててもいけません。**研究課題には適切なサイズがあり、**大きなサイズは扱いきれないし、小さなサイズはつまらないのです。適度な大きさのサイズに切り取れるテーマを選ぶことが肝要です。

また、**答えられない研究課題に無理に答えない**というのも大切な心得です。論文を書くのがうまいと感じられる人の場合、不正確なところを書かないで済ませる術に長けています。面倒な議論を招きそうなところは読者の注意がそちらに向かないようにたくみに伏せる一方、自信を持って書けるところをしっかり書いて読者の注意をそちらに引きつける。そうすることで、論文の説得力は高まるものです。

2.3.5　問いを分割する

Q　研究課題はどこから手を付けたらよいですか。

A　研究課題を小さな問いに分け、手の付けやすそうなところから順に手を付けることです。

前項で研究課題には大小さまざまなサイズがあると申しました。それはそのとおりなのですが、研究課題の難しいところは、研究課題は多層構造になっている点です。すなわち、**大きな研究課題はその下位に小さな研究課題を従えて**

いることが多く、逆に言えば、**小さな研究課題が集まって一つの大きな研究課題になる**という関係になっています（近藤 2018）。

したがって、私たちは大きな研究課題を分割して取り組んでいく必要があります。たとえば、一生かかって明らかにしたい研究課題があり、その一部が修士課程・博士課程 5 年間の研究課題となり、さらにその一部が修士課程 2 年間の研究課題になる。そうした関係になっています。このため、博士課程に進もうとする人が修士課程 2 年間の研究課題を設定する場合、少なくとも博士論文の研究課題全体を意識して、その研究課題をいくつかの下位の研究課題に分割し、その一つ、あるいは二つを修士課程 2 年間の研究課題に充てるという考え方を採用する必要があります（石黒 2010）。

そのように研究課題を細かく分割する場合、大事なことは**研究課題を整理する**ことです。分割した小さな問いを、**今すぐ手を付けるべきもの**と、**近い将来着手したいもの**と、**遠い将来できたらいいなというもの**に分け、研究テーマを開拓していく道筋を整えておくことが大切です。今すぐ手を付けるべきものは、**学術的・社会的な価値が感じられ、読者の興味を惹きそうな、今の自分にもできそうな問い**です。おいしいものを後に取っておく必要はなく、修士論文の段階で最初に手を付けるのがお勧めです。一つ形になれば、弾みがついて、次につながっていくからです。

なお、研究課題には、**小ネタ**と呼ばれる研究課題があります。少なくとも大学院生時代は、小ネタは避けたほうがよいでしょう。小ネタとは、着想に光るところはあるものの、それをやっても次につながる発展性の感じられないものです。電車の席でたまたま前の席が空いているのが目についたら、座りたくなるのが人情です。修士論文や博士論文という長い論文に取り組む場合、終えるまでに膨大な時間がかかりますので、すぐに着手できて、容易に成果が得られる小ネタに惹かれることはあるでしょう。しかし、修士論文や博士論文といった本格的な論文と格闘している時期に、一つしか席が空いていない研究に労力を割くのは、やるべき仕事を後回しにするだけです。もし、空いている席を選ぶのであれば、友人も一緒に座れるように、両隣が空いているような席を選んだほうがいいでしょう。**研究課題は発展性を計算し、発展性のあるものにリソースを割く**心がけが必要です。

2.4　考えるコツ

2.4.1　論拠とデータを示す

Q　学術的な思考で大事なことは何ですか。

A　主張を述べるときに論拠とデータを示して議論することです。

研究は、「問い」にたいする「答え」を学術的な手続きにしたがって導きだす営みです。「答え」を導くことを**論証**といいますが、論証のさいに大事なのは論理的に考えること、すなわち、**論拠とデータを示して議論する**ことです。「問い」にたいする「答え」の見込みは「仮説」にすぎません。「仮説」の段階では、「～と思う」がついています。しかし、明確な論拠とデータを示して「～と思う」を「～である」とできれば、「仮説」は「答え」に変わります。**研究とは、論拠とデータを示して「～と思う」を「～である」に変える営み**です。このため、学術論文では、論拠とデータのない主張をしてはなりません。学術論文の生命線は「正しさ」です。論拠とデータを欠いた主張には嘘が混入し、真理を追求する妨げとなるからです。

しかし、論拠とデータを示すことは簡単なことではありません。たとえば、「イチゴは果物だ」と主張したいとします。そうすると、次のような論拠とデータを示すことができます。

①主張：イチゴは果物である
②データ：イチゴの実の糖度は平均 12 度である
③論拠：甘くて生食をする果菜は果物である

「データ」のほかに「論拠」、すなわち「データ」の解釈が必要なのは、「主張」と「データ」が直接結びつかないからです。③のような、果物の定義となる「論拠」があって初めて論理の飛躍が埋まり、イチゴは果物と主張できます。

ところが、「イチゴは野菜だ」と主張することもできます。

①主張：イチゴは野菜である

②データ：イチゴの実は永年生の木ではなく一年生の草にできる
③論拠：畑で栽培された、一年生の草にできる果菜は野菜である

こう考えると、イチゴは定義によって果物にも野菜にもなることがわかります。つまり、論拠があいまいで、果物に有利なデータを選ぶことも、野菜に有利なデータを選ぶこともできるわけです。しかし、この二つの論点が出れば、それを比較して総合的に判断することが可能です。

ちなみに、農林水産省の定義ではイチゴは野菜、生活者の定義では果物ということになります。農林水産省はイチゴ、メロン、スイカなどの一年生草本植物は野菜と分類する一方、一般的な感覚ではイチゴはデザートとして食され、食品売り場でも果物として分類されているからです。このように、判断が分かれる問題について論拠とデータを示し、議論の見通しをよくするのが学術的な思考の基本です。

2.4.2 疑いを持つ

Q 学術的な思考の精度を高めるうえで必要な心得は何ですか。

A 学術的な思考によって生みだされた内容を一つひとつ吟味し、正しいかどうか疑ってみる批判的思考です。

疑いを持つことは、一般にはあまりイメージのよくないことかもしれません。しかし、学術的な思考が「問い」に支えられた思考であることを考えると、**疑いを持つことは学問への第一歩**です。当たり前のことを当たり前と思わず、「不思議だな」「おかしいな」「どうしてそうなるのかな」といった疑いを持つ力が学問では問われています。

近年、**「批判的思考（critical thinking）」**が注目を浴びています（楠見・子安・道田編 2011）。「批判的」といっても誰かのことを責めるのではなく、常識をはじめとする既存の考え方を疑う思考のことです。

研究者は、他者の書いた論文を審査するときも、自己の書いた論文を推敲するときも、そこに書かれている内容を一つひとつ「これは本当か」と疑って読

む習慣が身についています。先ほど述べたように、学問は「正しさ」が生命線ですので、批判的思考という目で、混入している嘘を取り除く作業が欠かせません。そうした数々の厳しい目を経て発表された論文であるからこそ、学術的な内容は社会的に「正しい」と考えられ、信用されるのです。

もし本当かどうか疑いのある内容が出てきた場合、本当かどうかを論拠とデータから確認し、正しさが確かめられたら、「なぜそれが本当なのか」という理由を考える一方、正しさが疑われたら、「では、何が本当なのか」という代案を考えることになります。このように、批判的思考は嘘を取り除くだけでなく、論拠とデータをめぐる思考を深める役割も果たしてくれるのです。

批判的思考が鍛えられるのは大学院の**ゼミ**という場です（石黒・烏編 2020）。ゼミについて、詳しいことは第５章「話す（発表）」で述べますが、ゼミの場で参加者から出る質問もコメントも批判的思考に裏づけられています。質問が出るところは、発表者の発表内容にわかりにくさを含む部分です。参加者から見てわからないところがあるから質問が出るのです。また、コメントも批判的思考の産物です。コメントは、発表者の発表内容でここは直したほうがよいと参加者が感じた箇所にたいしてなされるものですが、ここは直したほうがよいと感じた背景には、批判的思考から生まれた疑問があります。

批判的思考が鍛えられると、次第に口が重くなります。自分が思考を行っていても、そこにさまざまな疑いが湧いてくるようになり、それを一つひとつ丁寧に吟味し、正しいと確信できて初めて言葉にできるようになるからです。つまり、思考が慎重になるわけです。

また、他者にコメントをするときもなかなか言葉が出てこなくなります。コメントをしようとしたとき、自分のコメントにたいする評価も厳しくなり、こんなことを言ってよいのか、自分の伝えたい内容をこの言葉で伝えてよいのかなどと、考えてコメントするようになるからです。

研究経験を積めば積むほど次々に言葉が出てくるかというと、じつは逆です。優れた研究者になればなるほど、書くときにせよ、話すときにせよ、そのまえに厳しい**自己吟味**を行うため、言葉はなかなか出てきません。しかし、そうした自己吟味のフィルターを通ってきた思考内容は精度が高まり、重みを持って他者に伝わるようになるのです。

2.4.3 新たな考えを生みだす

Q 研究の社会的価値は何ですか。

A 「今まで誰も知らなかった何か」をその研究をとおして初めて明らかにすることです。

「批判的思考（critical thinking）」が進むと、「**創造的思考（creative thinking）**」に発展します。**創造的思考は、新たな考えを生みだす思考**です。研究にはオリジナリティが必要だとよく言われます。研究は個人知でなく、社会知であり、今まで誰も知らなかったことを初めて明らかにしたからこそ、研究は社会的価値を持つわけです。もし研究にオリジナリティがなければ、個人が趣味でやればよいわけで、そこに国民の税金を投入する必要はなくなります。

論文のなかで先行研究をまとめて示すのは、先達の知恵を借りる意味もありますが、先達の研究成果を整理することで、そのなかに「今まで誰も知らなかった何か」があることを示し、それを自分が初めて明らかにしたということを宣言する意味もあるのです。つまり、**自分の研究の社会的価値を示すために、先行研究の整理を行っている**わけです。

第 6 章「書く（執筆）」で詳しく示しますが、優れた論文は「説得のストーリー」を持っていると私は考えています。自分のわかったことだけを示す論文には社会的価値がありません。そこに、今まで誰も知らなかった発見があり、その発見が学術的に重要な意味を持つことを示して初めて、その論文は社会的価値を持つのです。そして、今まで誰も知らなかった発見であること、その発見が学術的に重要な意味を持つことは、論文の執筆者が自ら論証することが求められます。つまり、自分の論文の社会的価値は、論文のなかで自ら宣伝しなければならないわけです。

その「説得のストーリー」はじつは単純で、次のように定式化することが可能です。

説得のストーリー

①このテーマにはこれまでこうした優れた研究成果があった。

②しかし、これまでの研究成果にはこうした点で不足があった。

③そこで、本稿では、このような新たな調査・分析を行った。
④その結果、これまでにない新たな知見が得られた。

私はこれを**「① ⇒ ②しかし ⇒ ③そこで ⇒ ④その結果」パターン**と呼んでいます(石黒 2016)。これは、論文に当てる物差しのようなもので、論文の要旨をこのパターンに当てはめることができれば、論旨が明確な論文になっていると見なせます。

なお、「今まで誰も知らなかった発見」には２種類あります。一つは、すでに発見はあったのですが、そこに誤りがあることを指摘し、その修正案を示すタイプの発見で、これは「批判的思考」から生まれます。もう一つは、今までまったく指摘されなかった発見で、これは「創造的思考」から生まれます。ただし、「創造的思考」を生みだす決まった方法はありません。もしそれが示せたら「創造的思考」ではなくなるからです。しかし、「創造的思考」を生みだす思考の材料を仕込むことは可能です。それについては、次のコラムで示すことにしましょう。

コラム２　思考の材料を整える

今まで誰も指摘しなかったオリジナリティを発見するのに有効なのは、研究の観点の整理です。研究のデータや資料を集めるさい、観点を整理しておくと、出てきた結果のどこにオリジナリティがあるか、可視化することができます。

天津外国語大学に勤務する赫楊《かくよう》さんという、筆者の教え子がいます。彼女は、一橋大学大学院言語社会研究科の研究生を経て、同研究科の修士課程・博士課程で学び、最終的に博士号を取得しました。その研究の道のりを追うなかで、研究の材料の仕込み方について考えてみましょう(石黒 2012b)。

彼女の研究テーマは日本語のオノマトペです。オノマトペは「パンパン」のような擬音語と、「だらだら」のような擬態語の両方を指します。「日本語のオノマトペ」にたいする彼女の関心は、研究生の時代から博士課程を修了するまで一貫していました。

ただ、難しいのは、オノマトペのどのような特徴に着目するかです。母音と子音の組み合わせによる印象のような音韻的特徴、反復形や「〜り」「〜ん」で終わるという形態的特徴、文のなかでの文法的なふるまいを考える統語的特徴などが考えられますが、彼女はどんなジャンルでオノマトペが使われているかに興味があったので、文体的特徴に着目することにしました。

文学少女であった赫さんは当初、文学のオノマトペをやりたかったのですが、話しあった結果、断念することにしました。よほど好きな作家がいれば別ですが、宮沢賢治のオノマトペ、幸田文のオノマトペなど、オノマトペが豊富な作家を扱ったとしても、過去の研究の焼き直しになってしまい、新しさを出しにくいと考えたからです。では、どのようなジャンルでオノマトペは多くなるのでしょうか。石黒（2018）を参考に、私がオノマトペを研究して面白そうだと考えるジャンルは次のとおりです。

▶特徴的なオノマトペを持つジャンル

①小説（文学作品）のオノマトペ：「ざあざあ」「とぼとぼ」
②童話（幼児語）のオノマトペ：「ごとんごとん」「かぷかぷ」
③詩歌・歌詞（J-POP 等）のオノマトペ：「ドキドキ」「キラキラ」
④漫画・アニメのオノマトペ：「ドーン」「うるうる」
⑤ドラマ・映画（日常会話）のオノマトペ：「ピンポーン」「ジャーン」
⑥料理・食事のオノマトペ：「ジュー」「トントン」
⑦商品名（とくにお菓子）のオノマトペ：「ガリガリ君」「ポッキー」
⑧ファッション・ビューティーのオノマトペ：「ふわもこ」「だぼっ」
⑨スポーツのオノマトペ：「カキーン」「タンタターン」
⑩病院（患者）のオノマトペ：「ずきずき」「がんがん」

研究が比較的多いのは、①のほか、②、④、⑤でしょうか。最近は、グルメブームから⑥や⑦に注目が集まっています。また、スポーツの指導に生かす⑨や、患者の訴えを的確に判断できる⑩の研究が増えてきています。

比較的研究が少ないのは③と⑧で、赫さんとの話し合いの結果、⑧に落ち着きました。もともと赫さんがオノマトペに興味を持ったきっかけは、北京で過ごした学部時代に日本のファッション誌の中国語翻訳をアルバイトとして行ったさいに、日本語のオノマトペが中国語になると跡形もなく消えてしまうことにありました。そこで、ファッション誌のオノマトペのジャンル的特徴の研究は、関心を持った動機とも一致すると考えたわけです。

さて、ここからが材料集めです。どのようなファッション誌を集めたらよいでしょうか。ファッション誌の文体的特徴を考える場合、雑誌の種類を考える必要があります。ファッション誌を観点ごとに分類すると、次のようになります。

▶ファッション誌の分析観点

①**世代**：10 代から 20 代を対象にしたヤング誌と、30 代から 50 代を対象としたアダルト誌が代表的。

②**属性**：女性の場合、学生（ティーンズ）、OL、ミセスが代表的。

③**性別**：女性誌が主流だが、男性誌もある。

④**系統**：カジュアル系とコンサバ系が代表的。ストリート系、ギャル系、フェミニン系、ナチュラル系などもある。

⑤**版元**：出版社によって、雑誌のカラーに違いが見られる可能性がある。

⑥**季節**：春夏秋冬。平均気温や季節のイベントとも連動。

⑦**時代**：90 年代、00 年代、10 年代と年代によって流行が異なる。

赫さんは修士論文の段階では、⑥「季節」を取り入れたのですが、博士論文では、比較的判断がつきやすい①「世代」と③「性別」という二つの観点を選択しました。その結果、次のような 2×2 の観点からの整理となりました。

赫さんの分析観点

世代＼性別	女性誌	男性誌
ヤング誌	『nonno』等	『MEN'S NON-NO』等
アダルト誌	『VERY』等	『UOMO』等

このように観点ごとにデータを収集し、観点別に分類しておくと、のちの分析のさいに便利です。ヤング誌とアダルト誌の比較も、男性誌と女性誌の比較もできるようになるからです。こうした観点の整理がないと、ファッション誌にはこんなオノマトペが出てくるということしか言えません。しかし、この整理があれば、ファッション誌にはこんなオノマトペが出てくるということにく

わえ、ヤング誌はアダルト誌と比較して、あるいは女性誌は男性誌と比較して、こんなオノマトペが好んで用いられるということが言えるわけです。そこまで言えると、「今まで誰も知らなかった発見」が出しやすくなりますし、論文も2本書けてお得です。私自身は、院生を指導するさい、研究観点別にエクセルの表を示すのが習慣になっています。赫さんの場合は2×2の2次元ですが、人によっては3×3の2次元や2×2×2の3次元になることもあります。こうした思考の整理法はオノマトペの研究に限らず、文系の多くの研究で応用可能です。

赫さんは、上記の「ヤング誌―女性誌」「アダルト誌―女性誌」「ヤング誌―男性誌」「アダルト誌―男性誌」の四つのカテゴリに、五つずつの雑誌を選定しました。1冊だけだと、版元や系統による偏りが大きく、そのカテゴリを代表しているとは言えない可能性があるためです。その五つの選定には主観が入らないよう、市場における売り上げ（社団法人日本雑誌協会の発行部数）を参考に、ベスト5を選びました。発行年月もそろえ、春夏秋冬をバランスよく含むようにしました。また、すべてのページを扱うと量が多すぎるので、特集ページ等によるムラが出ないように全ページの10分の1程度のページを取りだすランダム・サンプリングを行い、オノマトペのデータを抽出しました。さらに、オノマトペかどうかの判定は、オノマトペの専門辞典をベースにしつつ、ファッション誌特有の造語があることも踏まえ、3名の判定者による合議制で決めました。そこまでやって初めて信頼できるデータになるわけです。

しかし、ここまでの赫さんの研究では、ファッション誌のオノマトペの大事なことがわからないことに気づいた方もいるかもしれません。なぜなら、この研究で行ったことは、ヤング誌とアダルト誌の比較、男性誌と女性誌の比較、すなわち、ファッション誌内部のジャンルの比較にすぎず、ファッション誌のジャンル特性を知りたいのであれば、ファッション誌以外のジャンルでどのようなオノマトペが使われているかを調べ、それをファッション誌のオノマトペと比較する必要があるからです。

その場合、もっとも望ましい比較は、ジャンルの面で偏りのないデータとファッション誌との比較です。ジャンルの面で偏りのないデータは心理学で言う統制群、ファッション誌は実験群に相当します。統制群は変数に何も操作を加えていないグループであり、そうした統制群と、変数に一定の操作を加えた実験群を比較することで、その変数の効果を測定するわけです。ジャンル面で偏りのないデータを作るのは現実には難しいのですが、幸い、国立国語研究所が開発した「現代日本語書き言葉均衡コーパス(BCCWJ)」というものがあり、それを使えば比較することは原理的には可能です。実際には、「現代日本語書き言葉均衡コーパス」は規模が巨大であるため、赫さんは時間の関係でその使用を断念しましたが、今後の課題として、期待される研究となります。

赫さんが代わりに行ったのは、料理で使われるオノマトペとの比較です。衣食住という言葉があるように、「衣」すなわちファッションと「食」すなわちグルメは、セットで比較するものとしては興味深いものです。ファッションと小説、ファッションとスポーツを比較するよりも、より明確な結果が得られると思います。しかし、この比較は厳密には問題があります。変数に操作を加えたグループ同士を比較する場合、操作が加えられていないそれ以外の変数は同じでなければなりません。先ほどの例で言うと、女性誌と男性誌の比較を行う場合、性別以外の変数、すなわち、世代、出版社、発行時期などが同じでなければ、性別による違いを見ることができないわけです。しかし、ファッション誌と料理誌を比較する場合、変数があまりに違うので、その比較の結果は参考程度の意味しか持たないことになります。二つのグループを比較する場合は、共通点と相違点に着目し、両者の違いによる効果が見られるように、相違点以外はできるだけ共通するようにそろえておくのが比較のさいの要点です。

以上をまとめると、今まで誰も指摘しなかったオリジナリティを発見するのに有効なことは、観点別に比較できるように、複数のグループを作って比較することです。比較するさいに、実験群にたいする統制群という考え方が有効で、複数のグループを有効に比較できるように、相違点以外はできるだけ共通するようにそろえておくことで比較の精度が高まります。

第3章　読む（文献）

知恵は知恵を愛する者にはたやすく姿を現し
知恵を探す者によって見いだされる。
（『聖書 聖書協会共同訳』「知恵の書」6章12節）

3.1　文献を読む

3.1.1　勉強のために文献を読む

Q 研究に本格的に取り組むまえに、基本的な知識を得るために、どのような本をどのように読んだらよいですか。

A 教科書と呼ばれる、定評ある入門書や概説書を繰り返しボロボロになるまで読むことです。複数冊読み比べる読み方も有効です。

研究を始める場合、最初にすることは、おそらく自分のやりたい研究について書かれた文献を読むことでしょう。読むことで、自分の研究についてのさまざまな情報を手に入れることができるからです。自分がこれまでに取り組んだことのない分野の研究を志す場合、頭のなかの知識がスカスカですので、まず、基本的な知識を頭に入れ、それを体系として構造化する必要があります。そのときに読むべき文献としては、次の四つが考えられます。

勉強のために読むべき文献

①入門書・概説書
②研究エッセイ・テーマもの
③講座もの・シリーズもの
④専門事典・オンライン事典

①「入門書・概説書」はある分野についての体系が、初学者向けにわかりやすく示されたものです。高校までの教育での「教科書」は文科省検定済教科書のことを指しますが、大学の学部や大学院で「教科書」として指定されているものは、多くの場合、①「入門書・概説書」を指します。書名は「○○学入門」「○○論概説」となっているものが多く、定評のあるものは「○○学」「○○論」とだけ記されることもあります。初学者の場合、その「教科書」をボロボロになるまで繰り返し読み、そこに書かれている内容を一冊まるごと頭に入れるとよいでしょう。

②「研究エッセイ・テーマもの」はある分野にかんするトピックについて、初学者の興味を惹くように紹介したものです。「研究エッセイ」は、ある研究分野で著名な研究者が、日々の研究現場での出来事や、自身が歩んできた人生の経験を振り返りつつ、**研究をめぐる雑感を一般向けにわかりやすく紹介**したもので、その研究分野の考え方や取り巻く空気感を知るのに役立ちます。高校の国語の教科書に掲載されたり、大学入試で出題されたりすることが多いタイプの文章です。一方、「テーマもの」というのは、ある研究分野における興味深いトピックについて扱ったもので、**一般の読者の社会的ニーズや知的好奇心を満たす**ことを目的に、新書でよく書かれるものです。私自身、これまで７冊の新書を執筆しましたが、後述する１冊を除き、テーマものとして執筆しています。この②「研究エッセイ・テーマもの」は、学術的な精度では①「入門書・概説書」に劣ります。面白さとわかりやすさが優先されており、体系性と厳密さが損なわれていることが多いからです。ただし、研究のヒントとなる鋭い着想が惜しげもなく披露されていることもあり、その点では①「入門書・概説書」を上回りますので、侮ることはできません。

①「入門書・概説書」と②「研究エッセイ・テーマもの」はどのように区別できるでしょうか。①「入門書・概説書」は比較的厚く、章の数が多く、参考文献が豊富に掲載されており、索引が整っているのが特徴です。②「研究エッセイ・テーマもの」は比較的薄く、新書のようなハンディなものが多く、トピックは限られており、参考文献や索引はなかったり貧弱だったりします。ただし、小著『日本語は空気が決める——社会言語学入門』（光文社新書）のように、①と②の中間を狙うような書籍もありますし、学問には学派や立場があり、①「入門書・概説書」でも分野によってはかなり偏っていますので、１冊ですべてを

カバーしようとするのではなく、数冊購入して比較しながら読み進めるのがよいでしょう。要点や論点も明確になりますし、より穴の少ない勉強の仕方ができるので、受験準備としてはお勧めです。

③「講座もの・シリーズもの」は多数の著者が分担して書いている「入門書・概説書」であり、幅広い領域をそれなりの深さでカバーできているのが強みです。「講座もの」は「○○学講座」として、すでに確立されている○○学（あるいは○○論）と称されるある学問分野を網羅するように書かれるのにたいし、「シリーズもの」は、まだ十分には確立していない新分野、複数の分野にまたがる学際的な分野を対象に、興味深いトピックを列挙するように書かれます。いずれも、狭い領域にとらわれず、分野横断的に書かれる特徴があり、少ないものでも3巻、多いものでは10巻以上の大部のまとまりとして刊行されます。しかし、分量が膨大で、執筆者によるムラが目立つことも多いので、初学者が一から挑むのは厳しく、①「入門書・概説書」を読み終わったあとにさらに理解を深めるために用いるのに向いています。

④「専門事典・オンライン事典」はわからない専門語を調べるための事典です。私の専門分野では、日本語学会編『日本語学大辞典』（東京堂出版）や日本語教育学会編『新版日本語教育事典』（大修館書店）があります。こうした辞典・事典は学会責任編集であるため、それほど大きな間違いはないと見られ、値段が高くても、手元に一冊置いておきたいものです。ある用語についての説明を求めるタイプの大学院入試にはとくに有効ですし、入学後に関連分野の基本的な内容を確認するときにも役に立つでしょう。他方、最近ではインターネットで専門語を調べることも多くなってきています。そこで参照されやすいのがWikipediaです。Wikipediaは決められたルールに則って書かれているので、初学者が当たりをつけるのには適しています。しかし、Wikipediaを引用してはいけません。なぜなら、Wikipediaは引用のパッチワークによって成り立っているので、オリジナルの文献ではないからです。引用したい場合は、かならずWikipediaで引用されている元の文献に当たることが求められます（石黒 2018）。また、日本語のWikipediaは芸能人やスポーツ記事の充実ぶりに比して、学術用語の記述は貧弱なことが多いのが現実です。鵜呑みにするのは避け、示されている参考文献を確認したり、英語のWikipediaを見たりして裏を取る心がけが必要です。

3.1.2 研究のために文献を読む

Q 大学院で本格的に研究を進めるうえで、どのような本をどのように読んだらよいですか。

A 学術論文を中心に、質の高い論文を丁寧に読むことです。

大学院に進学したら、入門書や概説書は復習用、あるいは近隣の分野の概要を知るためのものとなるでしょう。研究を進めるうえで読むべき文献は、自分の専門分野や関連分野の本格的な**学術論文**です。

研究のために読むべき文献

①学会誌論文・紀要論文
②専門書・論文集論文
③博士論文・修士論文
④報告書・資料集

まず、**①「学会誌論文・紀要論文」**から見ていくことにしましょう。代表的な学術論文は、査読付きの学会誌に載る原著論文です。学会誌の厳しい査読に通った論文は高い質を備えており、自分が論文を書くときのお手本にするとよいでしょう。大学や研究所の紀要に載る紀要論文は、査読がないケースもあり、玉石混交ですが、かなり高い質を備えたものや、学会誌論文には見られない大胆なアプローチの論文もあり、参考になるものも少なくありません。最近では、多くの大学で**機関リポジトリ**が構築され、自校の紀要論文は大学図書館のサイトに掲載されるようになっていますので、インターネットで検索でき、無料で読めるのも強みです。

②「専門書・論文集論文」も欠かすことができません。学術的な専門書は、脂ののった中堅・ベテランの研究者が書きおろした本格的な内容のもので、研究者としての一定の到達点を示すもので、自分の研究と関連する分野のものは何度も読み返して頭に入れるべきでしょう。また、論文集論文はあるテーマに沿って編集されたもので、企画意図重視タイプと、執筆陣重視タイプがあります。企画意図重視タイプは、編者の強い意図に従って編集された論文集で、各

章は執筆者の専門によって担当が割り当てられ、一人の執筆者が書いたように編集されます。執筆陣重視タイプは、著名な執筆者を集めて編集されたいわばオールスターの共演のような論文集です。論文集論文はインターネットで検索されにくく、見落とされがちな重要な論文が含まれていることが多いので、注意が必要です。

③**「博士論文・修士論文」**のうち、博士論文は博士課程進学者、あるいは進学予定者にはよい参考になるでしょう。最近学位が授与された博士論文はインターネット上の公開が原則となっていますので、探しやすいのもメリットです。博士論文はその分野の情報の宝庫ですし、自分自身が論文を書くときの参考にもなりますので、自分の専門に近いものがあれば熟読玩味するのが必須です。一方、修士論文は非公開ですので、執筆者自身が公開していなければ見ることはできません。ただし、同じ大学院の先輩が書いた修士論文であれば手に入る可能性があります。修士論文をどのような構成・書式・分量で書けばよいか参考になりますので、分野が近い先輩に依頼してみるとよいでしょう。また、違う大学院であっても執筆者に連絡がつけば見せてくれる可能性もありますので、積極的に依頼することをお勧めします。

④**「報告書・資料集」**は見すごされがちなものです。学会誌であれば学会が、紀要であれば大学・研究所が、専門書・論文集であれば出版社が、博士論文・修士論文であれば執筆者の所属大学がそれぞれ把握しているのですが、報告書や資料集は発行主体があいまいなことが多いからです。しかし、報告書や資料集は科研費など、大きなプロジェクトが行われた場合に発行されており、それが重要な参考文献になることもあります。報告書・資料集の存在は頭の片隅に置いておくとよいでしょう。同様の意味で、学会等の大会開催のさいに発行されている**予稿集**や**プロシーディングズ**も役に立つことがありますので、入手可能なものはできるだけ入手したほうがよいと思います。

勉強のためにせよ、研究のためにせよ、文献を読むことは学ぶことです。本書は何を読むかが中心であり、どう読み、どう学ぶかは各自が試行錯誤するしかないと考えています。しかし、読書家がどう苦闘し、自己流のノウハウを身につけていったかは参考になるでしょう。その意味で、読書猿（2020）のような書物をひもとくのも、一つの有力な方法になると思います。

3.2　文献データベースを調べる

3.2.1　学術検索サイトで検索する

Q　文献を検索する場合、どのサイトで検索すればよいでしょうか。

A　Google Scholar と CiNii の二つの学術サイトを検索すれば、だいたい用は足ります。

文献について一通りの知識が得られたら、つぎは文献の検索です。検索と言えば、まず**インターネット上の検索**が思い浮かぶと思うのですが、問題はどのように検索するかです。

検索というと、一般には、Google、Yahoo!、Bing といった検索エンジンがまず候補に挙がりそうです。一方、書籍の検索では、Amazon、楽天ブックス、honto といったインターネット書店を考えるのではないでしょうか。もちろん、そこで適切な文献が拾えればよいのですが、じつはこうした検索エンジンやインターネット書店は学術情報の収集にはあまり向いていません。情報が偏っていたり、余計なゴミが大量に引っかかったりして、効率がわるいのです。では、どのような検索サイトを使えばよいのでしょうか。

一つは、**Google Scholar** です。Google Scholar は、学術情報に特化したデータベースですので、余計なゴミが引っかかることを減らしてくれます。また、英語をはじめとする諸外国語にも強みがあり、国際的な情報を検索するならまず Google Scholar です。

もう一つは、**国立情報学研究所（NII）**の文献データベース **CiNii（サイニィ）**です。CiNii は、学術論文を扱う CiNii Articles、学術書を扱う CiNii Books、博士論文を扱う CiNii Dissertations の三つに分かれており、日本語の学術情報に強みを発揮します。**国立国会図書館サーチ（NDL Search）**というものもあり、この背後には、**学術機関リポジトリデータベース（IRDB）**という巨大なデータベースが存在し、CiNii や NDL Search に情報を提供しています。

なお、CiNii の便利なところは、検索した学術論文の本文が読める点です。学会誌論文は**科学技術振興機構（JST）**が **J-STAGE** というシステムで、紀要論文は各大学・機関の図書館が機関リポジトリで（実際には JAIRO Cloud という国立情報学研究所提供のシステム上で)、それぞれ PDF データとして保存・管理するケースが多いのですが、CiNii で検索された論文類は J-STAGE や各機関リポジトリにリンクが張られているので、ボタン一つで論文が見られる仕組みになっており、たいへん便利です。

3.2.2 検索で漏れた文献を補う

Q 通常の検索で漏れてしまう文献は、どのように探せばよいでしょうか。

A 最新の論文を参考にしたり、検索するデータベースを変えたりして、文献検索の精度を上げることです。

すでに見たように、CiNii で検索すると、日本語の学会誌・紀要論文、博士論文はほぼ網羅できるのですが、CiNii にはいくつか隠れた弱点があり、**検索漏れ**という現象が出てくることを知っておく必要があります。

一つ目は**講座もの・シリーズもの、論文集など、書籍に収録された論文が落ちてしまう**という点です。論文集では、著書自体は CiNii に掲載されるものの、分担執筆者が執筆した 1 章 1 章は CiNii では掲載されないことが多く、論文集の細かい内容まではわかりません。

二つ目は**海外の論文**です。英語で書かれた文献は Google Scholar と、CiNii の英語版に相当する Research Gate の併用である程度知ることができるのですが、中国、韓国、台湾を中心に、東アジアの雑誌では、日本語で書かれている論文も少なくないにもかかわらず、**CiNii は国内で刊行された論文しか収録されていない**ので、そうした論文が漏れてしまいます。

三つ目は**最新の論文**です。ある論文が公刊されてから J-STAGE や機関リポジトリに登録され、メタデータが CiNii にリンクされるまで、どうしても一定の時間がかかります。そのため、**つい最近に公刊された最新の論文は検索から漏れてしまう**ことがあります。

こうした抜けてしまう論文を確実に捕捉するには、他の研究者の力を借りるのが一番です。まず、思いつくのは、自分の研究テーマについての論文がよく掲載される**学術雑誌の最新号**を取り寄せたり、自分の研究分野と重なる**研究者**

の researchmap や所属先の紀要を見たりして、その論文の参考文献欄に、自分の読んでいない論文がないかどうかを確認することです。

また、有力な学会誌にはその学会の研究動向を概観する**展望号**や**展望ページ**を備えたものがあり、分野別にここ 1〜2 年の最新の研究成果を当該分野の専門研究者がまとめて紹介しています。また、**レビュー論文**と呼ばれる論文において（6.3.3 も参照）、ある研究テーマをめぐる研究論文を網羅的に引用し、研究動向をまとめて示してくれることもあります。そうした展望号や展望ページ、レビュー論文を活用するのもよいでしょう。

さらに、研究機関が独自に収集している文献検索のデータベースにアクセスすることで漏れを補うことも可能です。たとえば、私の所属する国立国語研究所では、**日本語研究・日本語教育文献データベース**という独自のデータベースを構築しており、書籍に掲載されている論文、海外の論文、論文の構成やキーワードなど、CiNii でカバーしきれない情報もカバーしています。人文系の研究者の場合、国立国語研究所と同じ**人間文化研究機構に所属する諸機関の蔵書データベース**も、同様の意味で役立てられるでしょう。日本文学・古典籍では国文学研究資料館、歴史学・民俗学では国立歴史民俗博物館、文化人類学・民族学では国立民族学博物館、日本文化全般では国際日本文化研究センターのサイトを調べることが有効になりそうです。

以上述べてきた検索漏れを捕捉する方法をまとめておきましょう。

検索漏れを捕捉する方法

①専門の学術雑誌の最新号や関連する研究者の最新の発信情報を確認する。
②有力な学術雑誌の展望号や展望ページ、レビュー論文を参照する。
③専門の研究機関が構築しているデータベースを活用する。

コラム 3　検索ワードを増やす

検索漏れが起きるのは、必要な情報がその学術サイトにないからという場合だけではありません。必要な情報がそこにあったとしても、検索ワードを間違えてしまうと、必要な情報は検索結果に出てくることはありません。その点で、キーワード検索というのは、便利で手軽な半面、落とし穴もあるわけです。

たとえば、従来の研究に見られなかった新しい現象を取りあげる場合、執筆者がその現象に個性的な名称をつけたり、日本語と英語、言語学と心理学とで同じ現象を別の名称で呼んだりするなど、関連する内容を有する論文が通常のキーワード検索で引っかかってこないことがあります。

例を挙げると、「パチパチ」のような擬音語、「ひりひり」といった擬態語を考えた場合、擬音語のかわりに擬声語、擬態語のかわりに擬情語という語を使ったり、オノマトペや音象徴語という語を使ったりしていると、擬音語・擬態語というキーワード検索をしても出てこない可能性があります。英語でもonomatopoeiaで調べても出てこないものが、mimetic wordsやsound symbolic wordsで調べると出てきたりすることがあるのと同じです。

こうした問題を解決する方法は三つほど考えられます。一つ目は、研究のアンテナを、分野横断的にできるだけ広く張っておくことです。そのためには、自分が解明を志す研究テーマについて、自分が立脚する学問分野からだけでなく、別の学問分野からもアプローチする目を持つ、すなわち学際的な視点を鍛えることです。

日本語研究者を例に取ると、日本語学の文献だけフォローしておけばよいとは限りません。英語学をはじめとする諸外国語の文献、認知言語学や言語心理学などの言語を扱う心理学の文献、日本語教育や国語教育などの言語を扱う教育学の文献、言語接触や言語政策、エスノメソドロジーなどの言語と関わる社会学の文献、計算言語学や自然言語処理などの言語の工学的処理の文献など、近隣分野の文献に意識的にアクセスし、学際的な情報収集に努めることで、検索ワードの幅は広がっていきます。

二つ目は、博士論文です。博士論文は、博士課程に在籍する学生が、自分の研究テーマに関連すると思われる論文を、労力をかけて収集した一覧が掲載されています。博士論文は、当該分野における優秀なビブリオグラフィー、すなわち参考文献の総目録であり、先行研究史を詳しくまとめてくれている点でありがたい存在です。それだけでなく、本文では先行研究の詳しい紹介がなされ、その紹介のなかに自分では思いつかない観点からの検索ワードに出会うことがあります。そして、そうした新たな検索ワードを使うと、今までクラウドの海に埋もれていた研究が芋づる式に次々に見つかることがあるのです。

三つ目は、専門家が集めた文献サイトを活用することです。たとえば、私の元指導学生であり、句読点を専門とする岩崎拓也氏の Web サイトに行くと、『句読点研究文献データベース』というページがあり、句読点の文献が並んでいます。また、接続詞の分野では、北海道教育大学の馬場俊臣氏が『接続詞関係研究文献一覧』というページに 1,000 以上の文献を網羅しており、こうした努力が接続詞研究の水準を高めています。さらに、指示語の分野では、指示語研究会が『日本語指示詞研究文献一覧』を、終助詞や感動詞・応答詞では、大東文化大学の富樫純一氏が『現代日本語終助詞研究文献目録』『感動詞・応答詞研究文献目録』をそれぞれ整備してくれており、私もお世話になっています。このように、研究者のなかには、他の研究者の便宜のために、ひいてはその研究分野の隆盛のために、ボランティアベースで文献サイトを構築している方がいらっしゃるものです。そうした努力をしている方は、文献検索に漏れがないようにかなり広い視野で文献収集を行っています。そうした文献リストを何度も眺めているうちに、ある研究テーマにたいする多様なアプローチが自分のものとして身についてくるでしょう。

▶検索ワードのレパートリーを広げる方法

①異なる専門分野からの学際的アプローチを積極的に学ぶ。
②関連する博士論文が論じている先行研究の章を読みこむ。
③専門家が集めた「論文まとめサイト」を活用する。

3.3　引用の作法

3.3.1　引用の意義

Q　なぜ論文に先行研究を引用しなければならないのですか。

A　先人の力を借りて自分が考えた部分と、世界で初めて自分が考えた部分を明確に区別し、社会的な共有知としての研究という営みを、さらに一歩前進させるためです。

私がまだ博士課程の大学院生だったころ、修士課程の後輩の発言に度肝を抜かれたことがあります。その後輩の発言は、「なぜ先行研究を引用しなければならないのか。自分で考えたことだけを書けば、引用せずに済むのに」というものでした。みなさんはそれを聞いてどう思われるでしょうか。

たしかに**自分で考えたことだけを書けば、引用せずに済む**というのはそのとおりです。しかし、学術論文というものの性格を考えた場合、その考えには二つの点で問題があります。

一つの問題は、人は、**何もないところから自分ひとりで考えることはできない**ということです。大学院入試に合格して研究を始めたということは、専門分野についての一定の知識は持っているはずで、その知識に基づいて専門的思考は行われます。さらに言うと、私たちはこれまでに歩んできた人生の蓄積を生かして、自己の生産的思考を行っています。そこには、これまで読んだ専門書の内容、授業で聞いた講義の内容が含まれています。明確に意識はしていないかもしれませんが、私たちが思考活動を行うとき、そこにはかならず他者の考えが柱になっていたりヒントになっていたりするのです。それに言及しないのは、学術論文として問題です。

もう一つの問題は、たとえ自分ひとりでものを考えた人がいたとしても、**自分よりも先に似たようなことを考えている人がかならずおり**、それに言及しないわけにはいかないということです。自分の考えたことがまったく新しいということは、研究の蓄積に厚みがある現代において、ないと断言して差し支えなく、かならず誰かが似たようなことを考えています。私もこれまで長いあいだ大学院生を指導してきましたが、似た先行研究がまったくない研究には出会ったことがありません。自分だけがやっている特殊な研究だと思っていても、少し見方を変えてみれば、別の研究分野で行われていた研究に類似するということがいくらでも出てくるのが現代的状況です。

研究論文としての社会的価値はオリジナリティの有無によって決まります。オリジナリティは自分のなかで新しいということではありません。世界中で最初に明らかにされた新しさです。したがって、**自分の研究がほんとうに世界で初めての内容を含んでいることを示す**ために先行研究を引用するわけです。ここまでは先行研究で言及されているけれども、ここからは誰もまだ明らかにしたことがない世界初の内容を含んでいる、ということを示すのに先行研究が必要です。

私自身も自分の思いつきについて世界の誰もまだやっていないことを確かめるために先行研究を読みあさることがあります。たとえば、「だが、しかし」のような接続詞の重複使用について世界初かなと思って研究を進めていくと、接続詞研究の第一人者である馬場俊臣氏が「二重使用」という名称ですでに着手していることに気づき、慌ててその研究と差別化を図ったことがあります。それに気づけたのも、馬場俊臣氏自身が『接続詞関係研究文献一覧』というデータベースをインターネット上に公開してくれていたおかげです。先行研究は誰かの研究を参考にするために読むとはかぎりません。**他に誰もやっていないことを確認するために読む**というのもまた、先行研究の大事な読み方です。

3.3.2　研究史に位置づける

Q　先行研究を紹介するうえで必要な作業は何ですか。

A　単なる紹介だけでは不十分で、先行研究によって形作られる研究史のなかに自分自身の研究を位置づける作業が必須です。

論文を書くときは、先行研究を紹介しなければいけないという意識は大学院生なら誰もが持っています。しかし、無目的に先行研究を引用し、ただ羅列するだけで済ませてしまうと、先行研究のよい紹介になりません。

先行研究の紹介にありがちな誤解は、関係のありそうな論文のリストを作成すればよいという誤解です。そうした意識を持つ人は、関係のありそうな論文を、インターネットなどで適当に見つくろい、相互の関連を考えず、簡単な要旨とともに機械的に列挙します。ひどい場合は、直接関係のない論文が紹介されていたりもします。執筆するさいの引用の具体的な方法や心得については、6章「書く（執筆）」で詳しく解説しますが、ここではその前提として引用の基本的な考え方について簡単に説明することにします。

先行研究の紹介は、論文を書くにあたっての儀式ぐらいに思われているのかもしれませんが、その認識は誤りです。先行研究の紹介の意味は、**先行研究が、自分の論文の本論とどのような関係があるのかを明確にすること**です。自分の研究をさておいて、先行研究をいじってみても仕方がないのです。こうした意識が欠けていると、先行研究の紹介は、論文らしく見せかけるだけの単なるアリバイ工作に終わってしまいます。

先行研究を引用する目的は、**自分の研究のどこにオリジナリティがあるかを明確にすること**にあります。そのため、自分の研究テーマに関わる研究史を先行研究によって形作り、そのなかに自分自身の研究を位置づける作業が欠かせません。**研究テーマの研究史を編むことは、自分の研究が学史的に必須であるというストーリーを構成すること**にほかなりません。

先行研究の章を見ると、論文を書いた研究者の研究力が透けて見えるものなので、論文を投稿するときには細心の注意を払います。有能な研究者は自分の研究に複数の角度から光を当てて見せます。たとえば、ビジネス・コミュニケーションにおける外国人の敬語について論文を書いている研究者の場合、ビジネス日本語という言語の側面、外国人と日本人の接触場面というコミュニケーションの側面、敬語というポライトネスの側面について、それぞれ研究史を丁寧に整理し、そのなかに自分の研究を位置づけ、どこが新しいかを的確に述べていきます。研究史の整理の手際の鮮やかさを見ていると、その人の視野の広さと豊富な勉強量を感じることができるものです。そうした論文に出会えたら、ぜひ研究史の編み方をまねしてみましょう。内容をまねすることは、もちろん盗用になりますが、優れた論文の書き方をまねすることは、むしろ好ましいことです。そうしたお手本になる論文を手元に置き、自分なりのまとめ方を確立することを目指しましょう。

3.3.3　引用のマナー

Q　オリジナリティを出すためには先行研究を批判することは必須でしょうか。

A　先行研究の批判は必須ではありません。先行研究の成果を尊重しつつ、そこに自分の成果を加えることも可能です。

論文を執筆するとき、先行研究はかならず批判しなければならないと考えている人がいます。しかし、それは誤りです。先行研究を批判しなくても論文は書けるからです。むしろ、先行研究を批判しない論文のほうが一般的だと考えておいたほうがよいでしょう。

先ほど述べたように、論文における引用という営みは、自分の研究テーマに関わる研究史を編み、そこに自分自身の研究を位置づけるためのものです。自分が現在取り組んでいる研究テーマには関連する先行研究が多数存在し、すでにいろいろ成果が出ているでしょうが、自分が明らかにしようとしている研究課題については、まだ誰もやっていないということを示すための場です。つまり、**先行研究の穴を見つけ、そこを埋めるのが論文を書くという作業**です。たとえて言えば、論文を書くことはジグソーパズルを完成させるようなもので、パズルの絵柄を完成させていく過程で、そこに欠けているジグソーパズルのピースの存在を指摘し、そのピースを埋めてみせる作業です。その場合、先行研究を批判する必要はまったくありません。否定してしまうと、背景となる絵柄が崩れてしまうからです。むしろ、「巨人の肩のうえに立つ」と称されるように、先人たちの知恵の積み重ねを尊重して体系化していく作業が必要になるわけです。

また、批判は、もとの執筆者の意図を正確にくみ取り、その問題点を指摘することです。そのため、理解が不足している批判は、もとの執筆者の怒りを招くことになります。学会の大会における発表のなかで批判的に引用された執筆者がフロアにいて、引用にたいする反批判が行われる現場を何度も見たことがあります。その場合、研究者のプライドをかけてのやりとりになりますので、修羅場になることは必定です。もちろん研究である以上、批判が正当なものであれば問題はないのですが、えてして、引用者よりも被引用者のほうが研究歴が長く、知識が豊富なことが多いものです。理解不足や見当外れの批判にならないよう、批判は慎重に行ったほうが無難です。

さらに、投稿論文において査読担当者が、批判的に引用された被引用者に当たってしまうこともしばしばあり、その批判が的外れであると、査読担当者の怒りを買いがちです。近年の研究は細分化が進んでおり、狭い分野を対象に少数の顔見知りの研究者が研究を行っています。先行研究の被引用者は将来の共同研究者ということも少なくなく、そうした研究者に否定的な印象を持たれることは、今後の研究人生に悪影響を及ぼしかねません。自分の書いた論文をもっとも真剣に、かつ批判的に読むのは、そこに論文を引用されたライバルです。したがって、引用において批判をする場合に、相手がこの論文を読んだらどう感じるだろうかという目で確認することが大事です。

研究者なら誰しも、自分が全力を注いで完成させた論文が後進の人たちにどう評価されるか、気になるものです。したがって、憧れの先生の論文を引用した場合、まさにその先生が自分の論文を読んでくれる可能性もあります。どう読んでくれるのか、ラブレターを送るつもりで先行研究をまとめることもできるでしょう。

一方、先行研究にほんとうに問題があり、そこを指摘することを避けて通れない場合、批判が禁じられているわけではもちろんありません。研究者人口が多い分野では、研究が成熟してくると、教科書が出版されるようになり、その教科書には定説が掲載されます。しかし、優れた研究は、教科書に載っている定説を覆し、新たな定説に置き換えていくようなインパクトを備えています。それによって、教科書の質は上がっていきます。定説を覆すことは研究の醍醐味で、その定説が強固であればあるほど、研究としての価値が高まります。

しかし、定説には、定着しているだけの理由があります。妥当性が高く、多くの研究者を納得させてきた歴史があり、それを覆すのは並大抵のことではなく、研究者としての高い力量が必要です。もし定説を覆しうる発見をした場合、ぜひ形にすることをお勧めしますが、そのさい、長い研究史の背景を深く掘り下げ、定説の定説たるゆえんを慎重に吟味する必要があります。

そうした研究は、既存のジグソーパズルに不足しているピースを埋めたり、誤ったピースを置き換えたりする研究ではなく、既存のパズルを否定し、新しいジグソーパズルを作る研究です。そうした研究は、既存のパズルを補う研究よりはるかに高度であり、困難な挑戦でしょうが、だからこそ挑みがいのある研究とも言えます。完成に一生涯を捧げるようなジグソーパズルに出会えたら、それは、研究する人生を歩む者にとって極上の幸せです。

3.3.4　引用のルール

Q　剽窃とは何ですか。

A　剽窃とは、リンクを張らないコピー＆ペーストのことです。

そもそも引用とは何でしょうか。引用とは次のように定義することができます（石黒 2021: 143）。

> 引用とは、執筆の際に参考にした先人の知恵を紹介することで、自分の考えを補強し、説得力を高める方法です。引用では、誰がどこで何と言ったのかを正確に示し、先人の知恵に敬意を表することが大切です。

これは、私自身が中学の国語の教科書に書いた引用の定義ですが、この定義自体が引用の対象です。過去に自分で書いたものであっても、「先人の知恵」となり、引用の対象になるわけです。

また、引用をするさいには次のような点に注意が必要です（文化庁 2019 更新）。

> 他人の著作物を自分の著作物の中に取り込む場合，すなわち引用を行う場合，一般的には，以下の事項に注意しなければなりません。
>
> (1) 他人の著作物を引用する必然性があること。
>
> (2) かぎ括弧をつけるなど，自分の著作物と引用部分とが区別されていること。
>
> (3) 自分の著作物と引用する著作物との主従関係が明確であること（自分の著作物が主体）。
>
> (4) 出所の明示がなされていること。（第 48 条）

つまり、引用を行う場合、(1) 引用する必然性があり、(2) 引用部が「　」等で明確になっており、(3) 引用はあくまでサブであり、(4) どこから引用したかが明示されている、という 4 条件を満たさなければならないわけです。

先行研究を引用するとき、もっとも大事なことは、先行研究の盗作と見られないようにすることです。先行研究の内容を自分が書いたかのように記述する盗用は**剽窃**と呼ばれ、研究倫理上きわめて問題が大きく、重篤なものについては大学教員を解雇する十分な理由になります。なぜなら、**研究は誰が最初に発見したかというオリジナリティをめぐる競争であり、剽窃はその競争に深刻な悪影響を与える**ものだからです。現実の世界で窃盗を許しては社会の秩序が保てないように、学術の世界で剽窃を許しては研究の秩序が保てません。

そうは言っても、私たちは先行研究に教わりながら研究を進めているのは事実であり、先行研究について言及しないわけにはいきません。では、どのように言及すればよいのでしょうか。その解決法は簡単で、きちんと出典を示せばよいのです。

剽窃とは、リンクを張らないコピー＆ペーストのことです。黙ってコピー＆ペーストをするから盗作呼ばわりされるので、どこから引用したのかという出典を断ればよいのです。それが第一のルールです。本文で引用する場合は「石黒 (2021: 105–106)」と表記し、論文末の参考文献で「石黒圭 (2021)『文系研究者になる』研究社」としておけば、誰がどこで書いた内容かがわかるので安心です。「石黒 (2021: 105–106)」は石黒さんが 2021 年に刊行した著作の 105～106 ページに書いてある内容だということを示しています。石黒さんが複数いる場合、「石黒圭 (2021: 105–106)」とフルネームを書く方法もあります。

引用元の文章を本文で紹介する場合は、「　」に入れて引用するのが原則です。「　」に入れると、原文そのままの引用であることを示しますので、「　」内の文章は引用元の文章を一字一句変えてはなりません。読み手が理解しやすいように、引用した内容を書き換えたい場合は「　」に入れないようにし、引用した直後に「(石黒 2021: 105–106)」と書いて引用であることを示します。引用元の原文が長大になる場合は、引用の前後を一行空けて、1 字下げか 2 字下げで示すのが一般的です。

一方、論文末に示す参考文献ですが、本文に引用していないものは載せるべきではありません。参考文献は引用文献かつ言及文献でないと、その論文における位置づけがわかりませんので、参考文献に載せる以上、本文のなかで何らかの形で引用あるいは言及する必要があります。参考文献は、リンクを張る操作ですので、読み手が引用先を誤りなく特定できるように正確な引用を心がけましょう。

論文の場合は、次のような感じです。前から順に、執筆者名、発行年、論文名、収録雑誌名、刊行号、収録ページ (pp.)、発行者 (収録雑誌名から見当がつく場合は省略可)、リンク先 (DOI で示すのが基本) となります。「pp.」というのは “pages”、すなわち複数のページを表します。英語では、社会科学でよく使われる APA スタイル (アメリカ心理学会) と、人文学で好まれる MLA スタイル (現代言語協会) がありますが、ここで紹介するのは APA スタイルに近いものです。

布施悠子・石黒圭（2018）「日本語学習者の作文執筆過程における自己修正理由―上級中国人学習者、上級韓国人学習者、日本語母語話者の作文の比較から」『国立国語研究所論集』15、国立国語研究所、pp. 17–42
http://doi.org/10.15084/00001594

書籍の場合は、次のようになります。前から順に、著者・編者名、発行年、書籍名、出版社です。英語の文献の場合、雑誌名や書籍名はイタリック体で示され、出版社は発行地も合わせて示すことになります。

石黒圭編著（2020）『ビジネス文書の応用言語学的研究―クラウドソーシングを用いたビジネス日本語の多角的分析―』ひつじ書房

書籍が論文集で、そのなかの１章を示す場合は、上記の二つを組み合わせればよいでしょう。例を示します。

石黒圭（2020）「第 12 章 授業活動として行う日本語学習者の読解」野田尚史編著『日本語教育学研究８　日本語学習者の読解過程』pp. 225–244、ココ出版

インターネット上の記事は、このように書きます。

石黒圭（2021）「「読む技術」養成講座【第一回：精読…きちんと正確に読む】」『SCIENCE SHIFT』沢井製薬
https://scienceshift.jp/reading-skills-seminar-01/（最終閲覧日：2021 年 6 月 21 日）

最終閲覧日を書くのは、インターネット上の記事の場合、予告なく移動や削除が行われるため、その時点では存在したという記録を残すためです。URL が DOI の場合はパーマネント・リンクですので、最終閲覧日がなくても大丈夫です（7.4.3 参照）。また、インターネット上の記事で調べにくいのは公開年です。公開年がわかればそのまま書きますが、公開年がわからない場合は更新年を書

きます。決まった書き方はまだないようですが、私は「文化庁（2019 更新）」と書くようにしています。最終更新日は、ブラウザを使って調べることが可能です。ただ、どうしてもわからないこともあり、その場合は「不詳」と書いておくしかないでしょう。

参考文献欄に文献を並べる順序は、日本語文献の場合、執筆者の姓名の五十音順が一般的であり、英語文献の場合、執筆者の姓名のアルファベット順になります。両方を区別せずに掲載したい場合は、全体をアルファベット順に並べます。同じ学術研究である以上、書かれた言語によって区別すべきでないという立場を取る人は、日英の文献を区別せずアルファベット順で並べますし、区別したほうが検索する読者にとって読みやすいという立場を取る人は、独立して示すことで、視認性を高めます。

五十音順で並べる場合、読み方を確認することが必須です。その分野にどのぐらい精通しているかは、研究者の名前の漢字の読み方を正確に知っているかどうかによって推し量れます。執筆者名の読み方に迷いがある場合は、かならずインターネット上でローマ字の表記を確認しましょう。

引用の作法については分野によって、かなり異なりますので、それぞれの分野で慣習的に行われている方法に従うのが無難です。一般的な作法については、佐渡島ほか（2020）なども参考になるでしょう。なお、先行研究の扱いについては、6.2.3「先行研究」でも述べましたので、合わせて参考にしてください。

3.3.5　剽窃を防ぐ

Q　大学院で指導を担当している教員として、どうすれば院生の剽窃を防ぐことができますか。

A　剽窃が困難な研究テーマを選ばせるのがもっとも有効です。同時に、剽窃をさせない事前指導を徹底することが求められます。

まさにこの原稿を書いているとき、剽窃のニュースが飛びこんできて、ショックを受けました。2021 年 5 月、開学 125 年を控えた京都大学で、授与された博士学位の取り消しが開学以来初めて行われたそうです。理由は、別の研究者が紀要に書いた論文がほぼそのまま引用されていた無断引用（盗用）であり、分野は言語学でした。その元大学院生は中国からの留学生で、学位取得後、本国の大学で教員をしていましたが、この処分の結果、その職場を解雇されたそうです。研究テーマは私の専門とも重なるもので、中国人留学生は私も多く引き受けていることもあり、胸が痛みました。

残念なことですが、こうしたことは起こりうる土壌があったと思います。それは、文系大学院の場合、学問分野の広がりに見合うだけの大学教員の数が確保されておらず、しかも、さらなる人員削減が強要されているという厳しい現実があるからです。国立大学法人発足時に、毎年度 1% の運営費交付金（大学に使い道を任せて渡す予算）を削減する効率化係数というものが生まれ、その後名称を変えながらも運営費交付金が毎年着実に減らされる仕組みが存続してきました。その影響はとくに人件費が多くを占める文系大学院で顕著に現れ、効率化しようにも効率化するところがなく、教員の頭数を減らすしかなくなっており、その結果として十分な指導が行き届かない現状が生じてしまっているのです。

指導する教員の数が減少する一方で、指導を必要とする院生の数は増加し、多忙ななかで、自分の専門分野と異なる院生を指導していると、どうしても不正な引用に気づきにくくなります。とくに、ある指導教員が定年退職したあとに後を継ぐ人員が補充されず、残った教員が専門外の院生の指導を引き受けるという状況が続くなかで、こうした事件は起こるべくして起こったと見ることができます。

ですから、こうした現状を改善するもっともよい処方箋はただ一つ、**国立大学の運営費交付金を法人化以前の水準に戻し、教員の数を増やして指導体制を充実させる**ことです。大学院生の指導に関わる教員は、こうした主張をきちんと掲げ、政府にたいして継続的に働きかけていく必要があると思います。

とはいえ、教員が声を上げても事態が急に改善することはなく、改善には時間がかかるのが現実です。学部生がネット上の論文や記事をコピペしてレポートを作成し提出するという事態に直面し、**剽窃チェックツール**を使って確認している先生方も少なくないでしょう。同じように、大学院生の指導に関わる教員や学会も、**iThenticate** をはじめとする高度な学術性を備えた剽窃チェックツールを用いて、学位論文や投稿論文をチェックする必要がある時代にきているのだろうと思います。

ただ、剽窃チェックツールには限界があります。悪意を持った盗用の場合、引用元の表現をかなりパラフレーズし、改ざんしてしまえば、剽窃チェックツールによる検出率は下がり、機械的に盗用を検出することは困難になります。最終的に頼りになるのは人間の目であり、表現は違っていても、ベースとなる考え方が過去の研究に酷似していることを発見できるのは、その道の専門家しかいないのです。剽窃チェックツールはあくまで参考程度であり、引用方法に自覚のない投稿者の引用上の問題点を発見したり、そうした剽窃チェックツールの使用を投稿者に周知することによる抑止効果に期待したりすることに留まります。根本的な改善方法は、**剽窃チェックツールを使うことではなく、剽窃せずに研究を進める方法を院生に指導すること**です。

その点で私が心がけていることは、**剽窃が困難な研究テーマを選ばせる**ことです。院生に自前のデータを収集させ、研究方法も自分で編みださなければならない研究をさせれば剽窃は起きにくくなります。自力で進める研究は、自分の頭と手と時間をフル活用した試行錯誤の過程で生まれることを、身をもって実感するからです。もちろん、こうした研究方法を採用すると、院生自身の負担も大きいのですが、研究を進める過程で院生たちはつまずき、他の院生との相談の機会も自然と増えますので、研究遂行の過程を教員がつぶさに追うことになります。そこに万一剽窃が入ってきても、すぐに発見できるでしょう。

また、進んで剽窃しようとする院生は私の経験上皆無です。他者のアイデアを盗もうという悪意のあるケースはまず想定できず、よさそうなアイデアを他の論文に見つけたものの、どのように引用してよいかわからず、「まあ大丈夫かな」ぐらいの感覚でアイデアを借用したという意識のことがほとんどです。

そこで、指導教員としては、自分の専門分野からずれる院生の研究を指導する場合、**研究に大きな影響を与えた有力な先行研究を挙げてもらい、他の院生と一緒に購読する機会を持つ**とよいでしょう。私自身もそうやって院生の専門分野に詳しくなりましたし、もしそこで不適切な引用があった場合でも、院生が参考にしている研究背景がわかるので、すぐに気づくことができます。

また、必要があれば、剽窃チェックツールにかけた結果を院生本人に渡し、自分の引用が先行研究とどのぐらい重複するのかを実感してもらうのも有効な手段です。優れた剽窃チェックツールは、似た表現を持つ別の論文とその類似度を色分けして詳しく示してくれます。それによって、自分の書いた論文がどのぐらい先行研究のお世話になっており、どのぐらいオリジナリティを備えているのかを視覚的に確認することができます。そこに適切さを疑われる引用があれば、院生本人も気づいて改善することができるはずです。

大切なことは、**引用の基本的な考え方と適切な引用の方法を知り、不適切な引用を自力で発見・解決できるようになる**ことです。剽窃は生活習慣病と同じで、発症してから対処する対処療法でなく、発症させない予防がもっとも有効です。そのため、剽窃にたいする意識を高め、剽窃をさせない事前指導を徹底する機会を設けることが肝要になると思われます。

第4章　調べる（調査）

「方法」という悪魔にとり憑かれないで
「目的」という大事なものを思い出して
（SEKAI NO OWARI「RPG」）

4.1　調査とは何か

4.1.1　調査と分析

Q 研究で欠かせないプロセスは何ですか。

A データを収集する「調査」と、収集したデータを分類・整理する「分析」です。

研究というのは、自分で立てた問いに自分で答えを出すことであり、「～と思う」という仮説の「と思う」を取り、説得力のある論拠を示して、「～である」と言いきる営みであることを第2章で述べました。

説得力のある論拠を示すのに必要なのが**調査**と**分析**です。調査というのは、**仮説の論拠となるデータを収集する**こと、分析というのは、**仮説の証明となるように収集したデータを分類・整理する**ことです。調査と分析にくわえて、もう一つ**考察**という段階もあります。これは、**仮説がなぜ成立したのか、その理由を明らかにする**ことです。調査と分析は必須ですが、考察はある研究とない研究があります。

多くの研究でもっとも大変なのは、調査、すなわちデータ収集の作業です。私が所属する国立国語研究所は、コーパスと呼ばれる、言語研究のための言語資料を整備しており、書き言葉のコーパス（現代日本語書き言葉均衡コーパス）、話し言葉のコーパス（日本語話し言葉コーパス、日本語日常会話コーパス）、方言のコーパス（日本語諸方言コーパス）、古典のコーパス（日本語歴史コーパス）などが開発されています。どのコーパスも予算の面でも人手の面でも大きな開発コストがかかっており、これを使えば、データ収集作業の労力が大幅に節減できます。

私にとってもっとも身近なのは、I-JAS と呼ばれる「多言語母語の日本語学習者横断コーパス」です（迫田・石川・李編 2020）。一目で意味がわかりにくい名称ですが、世界各地で日本語を学習している外国人の日本語を収集したものと言えば、わかりやすいでしょうか。世界 12 言語、17 ヶ国、20 地域の 1,000 人の日本語学習者の会話のデータを集めたものです。1 人の学習者に 2 時間程度の収録時間がかかり、そのための事前準備の時間を考えると気が遠くなりそうです。このコーパスを構築するのに、開発者の迫田久美子氏は、信頼できる仲間とともに、重い収録機材を抱えて、何年も世界中を飛び回っていました。私自身も迫田氏のこのひたむきな姿勢を見習って、大学生になって日本語を学び始めた学生が 4 年間でどのように日本語を習得していくのかを明らかにする大規模の学習者作文縦断コーパスを構築するプロジェクトに着手しています。

大きな調査をするには、**卓越した計画、手厚い予算、豊富な人手、幅広い人脈、そして湧きあがる情熱**が必要です。情熱だけならば誰にも負けないという大学院生はいるでしょうが、計画、予算、人手、人脈で大学や研究所の専任教員に勝つことはほぼ不可能です。私自身、大学院生らしき人がある学会で別の大学院生の発表を聞きながら「有名な先生の研究室にいる院生さんはいいよね。データが自由に手に入るから」とこぼしているのを偶然耳にし、ショックを受けたことを今でも鮮明に憶えています。

迫田氏にしても私にしても、一部の研究者が占有するためのデータを作っているつもりはありません。多くの研究者が自由に利用できる公共性の高い言語資料を作ろうと努力しているのですが、上述のような不満が出てくるのもよくわかります。そのぐらい、データを収集するのが大変だということです。では、一介の大学院生としては、どのようにデータを収集すればよいのでしょうか。

4.1.2 調査の方法

Q 大学院生が一人でも調査できる方法にはどんなものがありますか。

A 一つは、その人ならではのデータを自前で収集する方法、もう一つは既存のデータベースを利用する方法です。

調査において大学院生の取るべき方法は二つに分かれます。一つは、規模は小さくても、着眼点が新しい、希少価値のあるデータを自前で収集する方法、もう一つは既存の文献や資料、データベースを加工して活用する方法です。

データベースにたいする二つのアプローチ

①自前で小規模のデータベースを作成する方法

②既存の大規模のデータベースを使用する方法

一般的には、後者、すなわち**既存の文献や資料を使うほうが楽なことが多い**でしょう。しかし、ほんとうに楽かどうかは時と場合によります。たとえば、文学や史学では、そもそも既存の文献や資料を使うのが前提になっていますが、どの文献や資料を使うのか、その選定にかなり時間がかかります。最終的に扱う文献や資料は氷山の一角で、その背後には目を通したものの使わなかった大量の文献や資料があるのがふつうです。また、上述のコーパスを用いた言語学の研究でも、対象を選定して機械的な検索でデータを抽出することは難しく、検索結果に抜け落ちたものがないかを目視で確認すると同時に、ゴミと呼ばれる不要なデータを取り除く**クリーニングの技術**が必要になります。また、分析に必要なメタ情報を各データに付加する**アノテーションの技術**も必要です。つまり、既存の文献や資料を使うということは、魚屋でよさそうな魚を１匹まるごと買ってくるようなもので、どの魚を選ぶのかという目利きの力も、選んだ魚をどうさばくのかという下処理の作業も必要になるわけです。魚を調理したことのない人にとって、戸惑うことの多い作業です。

しかし、自らデータを構築するとなると、それよりもさらに大変な作業工程が加わります。魚を自分で釣ってこなければいけないのです。魚を釣るにはまず海に行かなければなりません。狙う魚の釣れる適切な時期と場所を選び、道具、仕掛け、餌を持って釣り場に出かけます。天候や水温、潮の干満なども考慮に入れながら、適切なポイントに糸を垂らし、適切な誘い方で魚を針にかけないといけません。釣れるまで忍耐が必要ですし、魚を針にかけてから釣りあげるまでの駆け引きも重要です。そして、釣りあげてから、魚屋で買ったのと同じ下処理の作業が要求されるのです。

それでも、私自身は自分の研究室に所属する院生には、自前でデータを構築する方法を勧めています。なぜなら、既存のデータを使う場合、すでに誰かが似たような研究をやっていると、**研究としてのオリジナリティが出しにくくなる**ためです。また、研究というのは、自分がほんとうにやりたいことをやったほうがよく、**既存のデータでは自分のやりたいことができない場合が多い**からです。そして何より、苦労して**自らデータをゼロから構築する経験をとおして、データとは何かということの理解が深まり、研究者の経験として将来生きてくる可能性が高い**からです。苦労が多ければ実りも大きいのです。

もちろん、自前でデータを構築するという作業は大変で、経験とコツが必要です。そのことについて、次に考えることにしましょう。

4.1.3　量的調査と質的調査

Q　調査には質的調査と量的調査があると聞いたことがあります。両者はそれぞれどのような研究に向いていますか。

A　量的調査は人間の集団を扱う社会科学系の研究に向き、質的調査は個人の内面や身近な他者との関係を扱う人文学系の研究に向いています。

学術分野の一般的な分類を考える場合、**科学研究費助成事業（科研費）**の審査区分を用いるのが一般的です。最新の審査区分では、学術的な厳密さを重視し、緩やかな分類がベースになっていますが、2017 年までの審査区分では、より踏みこんだ学術分野の区分が行われていましたので、そちらを参照することにしましょう。そこでの人文学と社会科学の区別は次のとおりです。

科研費の審査区分に見る人文学と社会科学の区別

①人文学に入るもの：哲学、芸術学、文学、言語学、史学、人文地理学、文化人類学

②社会科学に入るもの：法学、政治学、経済学、経営学、社会学、心理学、教育学

人文学とは何か、社会科学とは何か、定義するだけの準備は私にはありませんが、**人文学は個としての人間の内的な営みを明らかにするもの**で、哲学のような人間の認識・思想を扱うものや、言語・芸術・文学など人間の内的活動が生みだす所産を研究するものです。これにたいし、**社会科学は多数の人間の外的な関わりを明らかにするもの**で、人間の行動とその背後にある法・政治・経済といった社会の仕組みを研究するものです。

このため、人文学の場合は、人間の内的活動の所産となる文献（言葉）を対象として研究するものが多く、言葉は量（数値）よりも質（内容）が重視されるため、**質的調査（定性的研究）**に向いています。一方、社会科学の場合は、人間の外的活動の所産となる資料（数値）を対象として研究することが多くなるため、**量的調査（定量的研究）**に向いています。

人文学は人間の本質を看取することを目指し、内省や洞察をつうじた質的研究方法を好む「感性」の学問です。これにたいし、社会科学は動的構成を分析することを目指し、統計的・実験的手法を用いた量的な研究方法を好む「論理」の学問であるといえるでしょう。

もちろん、人文学や社会科学をこのように考えるのは単純化しすぎであり、どのような学術分野にも質的な側面と量的な側面の二面があると考えておいたほうが現実的です。科研費の明確な審査区分が修正されたのも、審査区分が実態に合わなくなってきたからでしょう。上述の分類で、言語学は人文学に、心理学は社会科学に分類されていますが、実際には言語学も心理学も人文学的側面、社会科学的側面の両面を有する学問です。質的なアプローチは深く掘り下げる分析を得意とし、量的なアプローチは広く全体像を明らかにする分析を得意としています。社会科学における法学にしても、論理を重視することは間違いないのですが、数値ではなく言葉を対象とし、リーガルマインドと呼ばれる独特の法学的思考を理解する感性を必要とする点で（森村 1993）、同じ社会科学

の経済学よりは、ずっと人文学寄りと言えそうです。

大事なことは、学術研究には、深く知るアプローチと広く知るアプローチの二つがあり、そのどちらを選択して研究をしているのかに自覚的になることです。質的なアプローチでは、意味を大事にした、データを丹念に読みこむ技術が要求され、量的なアプローチでは、数値を大事にした、データを統計的に扱う技術が要求されます。このいずれかの技術を手に入れて初めて、私たちは優れた研究の遂行が可能になるのです。

質的なアプローチと量的なアプローチ

①質的（定性的）なアプローチ：データを狭く深く探る。一つひとつの意味を大事にした、データを丹念に読みこむ技術が要求される。

②量的（定量的）なアプローチ：データを広く浅く探る。一つひとつの数値を大事にした、データを統計的に扱う技術が要求される。

4.2　質的調査

4.2.1　質的調査とは何か

Q　質的調査とは何ですか。

A　文字や音声、映像など、数値化しにくい資料を収集・解釈し、その意味や内実を問う調査です。

質的調査は内容重視の調査であり、「量より質」を重視するアプローチです。**言語資料や歴史資料、写真や映像、インタビューや観察記録などが、質的調査の収集対象**となります。こうした資料群は**意味を持つ**点で共通しています。意味というのは、資料群の表層に露出しているものでなく、多面的・多角的な解釈によって探り当てられる深層にあるものです。

たとえば、数奇な人生を歩んだ一人の人物を研究対象とする場合、その人物に関わるこうした資料群からその人物像を復元しなければなりません。その人物像は、研究者自身がその人物に視点を重ねて、その人物の人生を追体験することで立ち現れてくるものです。一次資料に依拠して資料群を読みこみ、全体として整合性を持つように解釈した人物像でなければ説得力を持ちません。

質的調査は、表層に出てくる事象をつなぎ合わせ、その背後にあるその人物の深層的・根源的な把握を可能にすると同時に、時間軸に沿ってその人物の言動の変遷を辿ることによって、その人物の多面的・全体的な把握を可能にします。そうした手続きを丹念に行うのが質的研究であり、アンケートのような表面的な調査からは見えない総合的な把握を可能にするわけです。このため、質的研究では、図表を用いて数値として示すことは困難で、最終的には言葉を尽くして説明し、説得することになります。

4.2.2 質問の良し悪し

Q 質的調査を行うさいのコツは何ですか。

A 調査対象者が答えるのに困らない良い質問をすることです。

質的調査を効果的に行う場合、その長所を最大限に引きだすことが大事です。質的調査の長所は、ある現象を表層的・部分的にではなく、深層的・全体的に理解できることです。たとえば、人を対象とした量的調査の場合、アンケートを使うのが一般的ですが、アンケートでは決まったことしか聞けません。自由記述の欄を設けることは可能ですが、調査者が意図したことを書いてくれるとはかぎりませんし、面倒くさがって書いてくれない人も多いでしょう。

一方、質的調査の場合、インタビューという手法が使えますので、調査者が予想していなかったことを聞きだせたり、気になった点について背景を含めてより深く尋ねたりできます。インタビューの場合、うまくいくかどうかは質問の良し悪しにかかっています。したがって、質的調査においては、**何を知りたいのかという調査者自身の目的を明確にし、その目的に合った質問になっているかを確認する**ことが重要です。

インタビューで、うまくいかなくなる典型的な質問は次のとおりです。

インタビュー相手を苦しめる質問

①質問の数が多い

②質問のつながりがわかりにくい

③質問の意図があいまい

①**「質問の数が多い」**と調査協力者は疲弊します。次から次へと質問が飛んできて、調査者が何のために質問しているのか、自分が何を答えているのかわからなくなり、次第に混乱してくるからです。

②**「質問のつながりがわかりにくい」**というのも調査協力者にとってしんどいものです。質問が明確な目的に沿って、ストーリーを持って行われると、調査協力者も答えやすいのですが、質問のストーリーがわからないと、回答が場当たり的になってしまい、一貫した回答がしづらくなるからです。

③**「質問の意図があいまい」**なのも調査協力者泣かせです。どのように答えたらよいか、その方向性が見えないと、回答も揺れてしまい、調査者も回答の分析に苦労することになるでしょう。

そのため、質問を立てるさいの心がけとして、次の三つが重要です。

インタビュー相手が答えやすい質問

④質問の数を少なく

⑤質問にストーリーを持たせて

⑥質問の意図を明確に

つまり、**調査者が何のために何を聞いているのかを明確にし、調査協力者が質問に答えやすくなる**ことが大事です。この④〜⑥を満たしているかどうかを判断するのは簡単です。調査者が質問項目を考えた紙を見ないで質問できれば、質問としてはうまくいっています。質問の意図が明確な、目的に沿った、数の限られた質問であれば、調査者のなかで質問を再生するのが容易だからです。シンプルに勝る質問はありません。

4.2.3 インタビューの種類

Q インタビューにはどのような種類がありますか。

A 構造化インタビュー、半構造化インタビュー、非構造化インタビュー、グループ・インタビューの四つが代表的です。

インタビューの質問を考える場合、そもそもインタビューの手法にはどのようなものがあるかを知っておくことが必要です。インタビューは、一般に次の四つの手法に分けられます。

インタビューの種類

①構造化インタビュー
②半構造化インタビュー
③非構造化インタビュー
④グループ・インタビュー

①**構造化インタビュー**は、事前に準備した質問に**一問一答形式**で答えていくものです。アンケートのようなインタビューで、回答を集計するのは楽ですが、回答を深堀りできないのが難点です。

②**半構造化インタビュー**は、**テーマに沿った大きな質問に自由に答えてもらい、必要に応じて詳細な質問も加える**インタビューです。インタビューのなかで、もっとも一般的な手法で、目的に応じた調査や分析がしやすいインタビュー手法です。

③**非構造化インタビュー**は、テーマだけを決めておき、**そのテーマをめぐって自由に話してもらう**インタビューです。質問はその場で臨機応変に調整できますが、調査者の資質によるところが大きく、再現性が低い点に難しさがあります。

④**グループ・インタビュー**は、**一対一の個別面接ではなく、グループで行う**インタビューです。調査で有効なのは、**フォーカス・グループ・インタビュー**と呼ばれる座談会形式のインタビューで、グループ・ダイナミクスを利用して、自由な会話から幅広い意見を得ることができます。

どの手法にも長所と短所がありますが、インタビューを行う場合、自分がどのような目的を持って調査に臨んでおり、そのためにどのような手法が有効かという点に自覚的であることが重要です。

4.2.4　研究倫理の問題

Q　人を対象にした質的調査において、注意すべき点は何ですか。

A　相手の負担を最小限に留めることと、研究倫理上の問題に配慮することです。

人を対象にした質的調査の場合、気をつけなければいけないのは倫理上の問題です。調査対象者（インフォーマント）に協力してもらうことは、調査者にとってはありがたいことですが、調査対象者にとっては、メリットはなく、時間を使わされるうえにプライバシー流出のリスクまであります。したがって、研究者には、相手の負担を最小限に留める心がけと、研究倫理上の問題に配慮する心がけが求められます。

現在、大学院生を抱えるほとんどの大学で、研究倫理のガイドラインを設けています。そこに書かれていることは、おおよそ次のようなことです。

研究倫理のガイドライン

①人権尊重：調査協力者の身体的・精神的苦痛を最小限に留めること
②説明責任：調査内容を調査協力者に事前に十分に説明すること
③自己決定：調査協力者の同意を書面で取り、撤回の権利を認めること
④個人情報保護：調査協力者の個人情報を十全に保護すること
⑤倫理審査：人を対象にした調査のさい、研究倫理審査を通すこと

①「人権尊重」では、調査協力者の基本的人権を認め、身体的・精神的苦痛を最小限に留めることが求められます。人間を対象とする医学研究の倫理的原則を定めたヘルシンキ宣言を擁する理系（とくに医学系）とは異なり、文系の場合、身体的な苦痛を与える可能性は比較的低いのですが、**時間的・空間的拘束**

はありますし、**聞かれたくないことを聞く質問**など、精神的な苦痛を与える可能性は存在します。また、**年齢、性別、所属、婚姻歴**を書かされるだけでも、人によっては大きな苦痛を伴い、そうした点にも配慮が必要です。

②「説明責任」も、人を対象にした調査では重要です。個人情報やデータを収集する場合は、**目的や方法も事前に説明する**のが原則です。調査の性格上、事前に説明できないことであっても、事後に速やかに説明することが求められます。

③「自己決定」は、調査への**参加・不参加・途中撤回**は調査協力者の自己決定権に属することであり、参加を強制したり、途中撤回を拒否したりすることがあってはならないということです。**同意はかならず書面で取る**ようにし、**途中撤回の権利を認めることを明記**する必要があります。

④「個人情報保護」は、個人の特定につながる情報を十全に保護することです。研究成果の公開によって個人が特定され、調査協力者に迷惑がかかるようなことはあってはなりません。そのため、研究成果の公開のさいに、**どのような形で個人情報を取り扱うのか、また、個人情報が記されたデータをどのようにどのぐらいの期間保管するのか**を示す必要があります。

⑤「倫理審査」は、人を対象にした調査のさい、**大学等の研究機関の研究倫理委員会の審査・承認が求められる**ということです。調査は、思い立ったらすぐに始められるというものではありません。パイロット調査を行い、研究倫理委員会の審査・承認を得て初めて本格的な調査に着手できます。人を対象にした調査を伴う研究を遂行する場合、そうした**手続きにかかる期間も計算して、余裕を持って研究計画を立てる**必要があります。

なお、以下に私自身が用いた調査協力者向けの説明文書と同意書を簡略化して紹介しますので、参考になさってください。

調査参加者の方への説明文書

1. 研究課題の名称

・海外縦断作文コーパスの構築に基づく日本語学習者の文章産出能力の発達過程の解明

2. 研究の目的・意義

・本研究は、日本語をゼロから学びはじめた日本語学習者がどのようにして文章産出能力を獲得し、自然な日本語で長い文章が書けるようになるかを解明することを目的としています。

・4年間にわたるデータを世界各地で収集し、多様な観点から分析を行い、日本語学習者の文章産出能力の発達過程の解明を目指します。

3. 研究の方法

・調査に参加される方には、作文執筆プロセスを記録できるアプリをダウンロードしていただき、アプリを使って作文を書いていただきます。

・書かれた作文はこちらで評価・コメントして、フィードバックします。

・国立国語研究所と調査参加者の所属する大学が共同して執筆した作文を、AI技術を使って分析します。

・これらのデータに個人の特定につながる情報は加えません。また、データのなかに個人情報に関わる情報が出てきた場合はその部分を削除して公開します。個人情報を含むデータは厳重に管理します。

4. 研究のための調査の期間と場所

・調査の期間は2021年11月から2025年6月までで、1年に3回、4年間で合計12回の調査実施を予定しています。

・場所は、中国、韓国、台湾、ベトナムの各大学です。

5. 調査を実施する者

・研究責任者は、石黒圭(国立国語研究所教授)です。

・その他の研究従事者は、○○、○○、○○(いずれも、国立国語研究所プロジェクト非常勤研究員)です。

6. 研究にかんする資料の開示

・ご希望があれば、他の参加者の個人情報保護や研究の独創性確保に支障がない範囲で、研究計画および研究方法の資料を開示いたします。

・この研究にかんするご質問は、いつでも担当者にお尋ねください。

7. 調査への参加の自己決定権

・この調査への参加については、自由な意思が尊重されます。

・調査の途中でも、参加をやめることができます。また、調査が終わったあとに、調査への参加の同意を取り消すこともできます。その場合、この説明書の最後に添付してある「同意撤回書」に署名して、下記までお申し出ください。

同意を撤回する場合の連絡先

　調査実施代表者：石黒圭

　　住所　〒190–8561　東京都立川市緑町10–2　国立国語研究所

電話　042–540–XXXX
メールアドレス　XXXXXX@ninjal.ac.jp

8.　この調査への参加をお願いする理由

・本研究の研究対象大学の学生である調査参加者の作文能力の成長過程を研究することで、世界の日本語作文教育の質的向上に結びつくと考えるからです。

9.　この調査への参加に伴う危害の可能性

・この調査に参加することで、健康被害等の危険や、痛み等の不快な状態などが生じる可能性はありません。
・調査研究を断ったり、途中で同意を取り消したりしても、その後何らかの不利益が生じることはありません。

10.　個人情報の取り扱い

・調査参加者の個人情報やデータが記された資料は、国立国語研究所とあなたが所属する大学において鍵をかけて厳重に保管します。
・調査参加者のデータを PC に入力する場合は、情報漏れのない対策を十分に施した PC を用いて、紛失、盗難などのないように管理します。

11.　研究終了後の対応と研究成果の公表

・この研究の終了後、調査参加者のデータは、個人情報を厳重に管理したうえで保存します。
・この研究で得られた成果を専門の学会や学術雑誌などに発表する可能性がありますが、その場合は調査参加者のプライバシーに十分に配慮しますので、個人を特定できる情報は公表されません。

12.　研究に伴う参加者の方へのフィードバック

・調査に協力してくださった方には、作文に対して、文章力を向上させるコメントを毎回お送りします。

13.　作文の著作権の譲渡について

・調査参加者が執筆した作文は著作物と見なされ、基本的に調査参加者に著作権が発生しますが、今回は広く研究を行えるようにするため、著作者人格権を除く著作権を当方に譲渡していただく形をとらせていただきます。
・この点にかんするご質問は、いつでも担当者にお問い合わせください。

問い合わせ先・苦情等の連絡先
調査実施代表者：石黒圭
住所　〒190–8561　東京都立川市緑町 10–2　国立国語研究所
電話　042–540–XXXX
メールアドレス　XXXXXX@ninjal.ac.jp

代表者に直接に言いにくい場合は、以下にご連絡ください。
国立国語研究所：研究推進課
電話 042–540–XXXX
メールアドレス XXXXXX@ninjal.ac.jp

以上の内容をよくお読みいただき、この研究に参加することに同意していただける場合は、別紙の「調査研究への参加の同意書」に署名し、日付を記入して担当者にお渡しください。

調査研究への参加の同意書

国立国語研究所・教授 石黒 圭 殿

私は、研究課題名「海外縦断作文コーパスの構築に基づく日本語学習者の文章産出能力の発達過程の解明」にかんする説明を受け、この調査に参加することに同意します。
また、執筆した作文の公開については、以下のようにお願いします。

□研究発表の場、およびウェブ上で公開してもよい
□研究発表の場に限って、公開してもよい
□公開に同意しない

年 月 日

参加者署名 ____________________

調査研究への参加の同意を取り消す場合には、以下の書面にチェックを入れ、署名した上で担当者にお渡し下さい。

同意の取り消し

国立国語研究所・教授 石黒 圭 殿

私は、「海外縦断作文コーパスの構築に基づく日本語学習者の文章産出能力の発達過程の解明」の研究に参加することに同意し、同意書に署名しましたが、その同意を取り消します。

同意の取り消し前のデータについては、
□利用してもかまいません
□利用せずに破棄してください

年　　　月　　　日

署名

コラム4

質的調査法の種類

質的調査法は、調査者の解釈に依存します。調査者には研究の目的や仮説があり、それが先入観として働き、手元にある資料を自分の先入観に合わせて解釈しがちです。また、インタビューでも自分の先入観を語ってもらうように誘導しがちです。しかし、質的調査法でもっともやってはいけないのが、この先入観に合わせた解釈や誘導です。なぜなら、質的調査法は、資料やインタビュー・データを深く多面的に読みこむことで、先入観では気づかなかったことを発見するための調査方法だからです。

質的調査法の種類は多岐にわたるので、本書のなかで方法を網羅することは困難です。そこで、まずは質的調査法にたいする基本的な考え方をまとめた教科書（佐藤（2008）など）で学び、そのうえで自分の分野でよく用いられている方法を比較検討することをお勧めします。たとえば、私自身が関わりの深い日本語教育学という分野においては、教師や学習者という人間を対象にして研究が行われる場合、次のような方法があります。日本語教育学は学際的な学問であるため、社会学や心理学、文化人類学等で用いられている方法を援用することが多い傾向があります。

▶日本語教育で用いられる質的研究法

［現地調査系：フィールドワーク］

⇨言語化できない実態や行動を知るのに適する

①**参与観察法**：調査者がある集団のなかに一定期間メンバーとして活動に参加し、見聞きしたことを記録に取る方法。対象の行動を間近で観察でき、自己

の実体験も含めて分析できるのが最大の利点である。方法の自由度も高い。

②**エスノグラフィー：**もとは文化人類学の手法で、調査者が異なる民族集団のなかで長期間ともに生活し、共通体験を重ね、それを文化の観点から民族誌（エスノグラフィー）として編集する方法であった。現在では、行動観察調査として参与観察法に近い面を有する。

③**KJ法：**現地で収集したデータから多数のラベルを作り、そのラベルをグループ化してタイトルをつけ、それを図式化・テキスト化する方法。ラベル整理の過程はブレインストーミングの方法に類似する。創案者の民族地理学者・川喜田二郎氏の頭文字を取ってKJ法と呼ぶ。

［対面調査系：インタビュー］

⇨言語化できる意識や価値観を知るのに適する

④**ナラティブ・アプローチ：**調査対象者が体験を順序立てて語る「行為＝語り」と、語った「内容＝物語」（両者を合わせてナラティブ）をとおして、現場で生きる人々の経験の、当事者にとっての意味を扱う研究法。患者の支援を志す看護師、学生の支援を志す教師などに適した手法。

⑤**ライフストーリー研究：**調査対象者の聞き書きをもとに人生物語（ライフストーリー）を紡ぎだし、当事者の生活と、それを取り巻く文化・社会の変動を読み解く研究。言語はその人の思考の写像であるという前提のもと、思想分析に言語分析を用いる言語論的転回以降、盛んになった。

⑥**PAC分析：**心理学者の内藤哲雄氏が開発した分析手法で、中心的概念への個人の姿勢を分析するのに向く。調査対象者があるテーマをめぐって自由連想を行い、その連想項目間の類似性を評定、さらにクラスター分析の結果できたまとまりにたいしイメージや解釈を語るという手法を取る。

⑦**M-GTA：**データとの対話に基づく理論構築を目指した米国発理論GTAを分析しやすい形にしたものが、木下康仁氏のM-GTAである。データをコード化する緻密な枠組みに特徴があり、医療・福祉・教育現場等における個の変容プロセスに共通して見られる傾向を捉えるのに力を発揮する。

⑧**SCAT：**M-GTAは本家GTAよりも分析しやすいとはいえ、それでも初学者には扱いにくい。SCATは切片化されたテキストにたいし、エクセルの表を埋めるように4ステップでコーディングを行い、そこからストーリーライン

を生成する方法なので、簡便で扱いやすい特徴がある。

⑨**TEA**：TEAは複線径路・等至性アプローチと訳される。人は人生を歩むなかで、分岐点で異なる選択をし、異なる経路を歩みながらも、似たような結果（等至点）に合流する。TEAは、人生の分岐点と等至点、両者を結ぶ複線径路を社会的文脈との関連で描きだすアプローチである。

なお、ここで示したのはあくまで入門的理解ですので、詳しいことは専門の文献を参考にしてください。

質的研究法にこれだけ多くの種類があるのは、何を明らかにしたいのかという目的、何を分析したいのかという対象（データの種類）、どうすれば客観的に分析できるのかという方法（アプローチ）に違いがあるからです。

質的研究の最大の弱点は、意味を読みこむ研究であるため、研究者によって解釈が異なるという恣意性が入りこみやすい点にあります。つまり、研究者が誰であるかによって結果が異なってくるため、誰がやっても結果が同じにならなければならないという科学の原則に反しやすいのです。これだけの多様な研究方法が開発されている背景には、目的に合った成果を出すために、解釈の手続きに客観性を保障することが困難であるという事情があるのでしょう。だからこそ、やりがいがあると見ることもできます。

質的研究法開発の歴史は、データ解釈の工夫の歴史です。人によって解釈が異なるインタビューやテキスト等の言葉を、いかに先入観を排除して客観的妥当性を高めるかという工夫の積み重ねです。既存の方法に頼らなくても、データ解釈の手続きの透明性が高く、論文を読んだ読者が客観的妥当性の高さを感じれば、それで研究として成立します。しかし、それを実現するには、とりわけ丁寧で緻密な記述が求められることになるでしょう。

こうした研究方法のいずれかを採用する場合に重要なことは、調査の時点でこうした研究方法に合ったデータの収集をしておくことです。手巻き寿司を食べたいときにタラを買ってきたり、寄せ鍋を食べたいときにマグロを買ってきたりはしないでしょう。手巻き寿司にはマグロを、寄せ鍋にはタラを準備すべきです。同じように、食べたい料理（成果）と調理法（分析方法）を考え、その調理法にあった食材（調査方法）を選択することが大事です。

4.3　量的調査

4.3.1　量的調査とは何か

Q　量的調査とは何ですか。

A　アンケートなど、数値化しやすいデータを収集・分析し、その現象の実態を客観的に把握する調査です。

自然科学、とくに物理・化学・天文学といった無生物を対象にした物理科学は、自然界の法則について数式を用いて理論的に説明できるモデルを求めます。一方、生物学・医学・農学といった生物を対象にした生命科学は、統計学をベースにして現象を定量的に説明する手法が用いられます。人文学・社会科学でも、とくに大量のデータを扱う場合、後者、すなわち**統計学**をベースに現象を説明する手法が好まれます。

その場合、単位としてもっとも多く使われるのは人間です。もちろん、計量経済学では金額が、計量言語学では語数が単位となることもあるでしょうが、人文学・社会科学における単位が個人である以上、人数が量の単位となりやすいのは頷けることです。事実、**社会調査におけるアンケートは人数をもとに分析を行うのが基本**です。このように、人を単位として量的な調査を行うと、人文学の領域を超えて社会科学の領域に接近していくことになります。

近年、**Google フォームを用いたアンケート**が普及し、以前のような手書きのアンケートに比べて調査協力者も格段にアンケート調査にアクセスしやすい状況が生まれています。Google フォームが使えない中国でも、問巻星(Wen Juan Xing)というサービスが普及しており、調査可能です。こうしたフォームを使うことで、調査者自身の集計の負担も軽くなり、今後、こうした調査の可能性が飛躍的に高まりそうです。事実、日本学術会議(2020a)が公表している提言「Web 調査の有効な学術的活用を目指して」でも、Web 調査の長所と短所を詳細に検討したうえで、その将来的可能性が打ちだされています。

4.3.2　統計は必要か

Q 量的調査には統計処理を使わなければなりませんか。

A 量的調査に統計処理は避けて通れません。

量的調査は、対象の特徴を明らかにするのに向いています。30代独身男性が好むファッションの特徴、タイ人留学生が話す日本語の発音の特徴、いきものがかりの歌詞の文体的特徴のように、**ある属性を持つ対象が他と比べて際立った特徴を有することを証明する**場合に量的調査は力を発揮します。そこで欠かせないのが**統計**を使った処理です。しかし、統計処理は複雑な数学的手続きを伴うので、多くの文系研究者にとって苦手分野です。できれば避けて通りたいというのが本音でしょう。数値を表にまとめ、百分率(%)を添えて示し、「多い」「少ない」で議論するのでよければ、統計を使わなくて済むのでありがたい。そう思いませんか。

しかし、量的調査に統計処理をせずに済むかと聞かれたら、答えはノーです。統計を使わなければ論文になりません。なぜなら、「多い」「少ない」というのは調査者の主観であり、論文では調査者の主観のみで語ることは禁じられているからです。調査者の主観的判断は、調査者が変わればその判断が変わる可能性があることを意味します。何が多くて何が少ないのかは、人によって判断が異なります。それでは学問にはなりません。学問には、同じ手続きを踏めば誰がやっても同じ結果にならなければならないというルールがあります。コラム4「質的調査法の種類」で見たように、質的調査には多様な方法があり、そのどれもが、調査者の先入観を排除するためにさまざまな工夫が凝らされていたことを思いだしてください。それと同様に、量的調査においても、統計という方法を採用することで初めて、調査者の先入観を排除することが可能になるのです。

統計処理は**複数のグループに傾向や差が見られるかどうかを明らかにするもの**で、誰がやっても同じ結果になります。それが統計を使う最大の利点です。統計は知識さえあれば、誰もが同じ手続きを経て同じ結果を導けるので、じつは質的調査法よりもデータ処理自体は楽だと考えられます。もちろん、高度な統計的手法を用いるには、SPSSやRという統計分析ソフトが使えたり、Python

やR言語といったプログラミング言語に精通したりする必要がありますが、基本的な統計処理ならば、そこまでの知識がなくても何とかなります。また、もし高度な統計処理が必要になった場合は、その方面に詳しい人に教えてもらったり、対価を支払って統計処理を肩代わりしてもらったりすればよいのです。統計を過度に恐れる必要はないでしょう。

しかし、統計は万能ではないということも知っておく必要があります。もっともよく言われるのが**標本の偏りの問題**です。対象とする母集団すべてを対象にした全数調査は通常不可能なので、母集団のなかから一部を抜きだして分析するという**サンプリング**が行われます。しかし、サンプリングの人数や、サンプリングの偏りによって、適切な結果が得られないことがあります。母集団全体の傾向を踏まえ、代表性の高いものをバランスよく抜きだすサンプリングはじつはかなり難しいので、世の中にあるデータの多くはある種の偏りを持っていると考えてよく、そうした偏りを理解したうえで使わないと、統計的手法を使って得られた結果の解釈が誤ったものになってしまう可能性があります。統計的手法を使って得られるのは、あくまでデータの傾向なので、それをどう解釈するかは結局調査者の理解の深さにかかっているわけです。

また、統計にかんする調査者の知識が不足していて、対象とするデータや明らかにしたい目的にたいして適切な統計分析手法が選択できないという問題も起こりがちです。もし不適切な統計分析手法を適用してしまったら、その結果は当然無意味です。いくら統計を使ったとしても、データと分析手法のミスマッチが起きていれば、その結果は信頼できるものにはなりません。こうした点については次項でさらに詳しく検討します。

4.3.3　サンプリング手法

Q　全数調査をするのが困難な場合、どのようにサンプル（標本）を抜きだせばよいですか。

A　調査対象となる母集団を意識して、母集団の構成に近くなるようにサンプリングを行うことです。

量的調査を行う場合に大事なのは、**サンプリング手法**と**統計手法**です。最初にサンプリング手法から説明します。

量的調査を用いてある調査対象の実態を知りたい場合、理想は、調査対象となる母集団すべての構成員を調べる**全数調査**です。しかし、全数調査は現実問題として不可能なことがほとんどで、全数のなかから一部を取りだして調べる**標本調査**が一般的です。たとえば、政党支持率を調べる世論調査が標本調査なのは、国民すべてに支持政党を尋ねて回ったりするのは現実的ではないからです。国勢調査のように政府が力を入れて行う全数調査でさえ、5年に1回の実施が限界です。

全数調査ができない場合、標本調査になるわけですが、そこで大事なのが、サンプル（標本）を抜きだすサンプリング手法です。母集団のサンプリングを行う場合、よく質問に挙がるのは次の二つです。

サンプリングのよくある質問

①何人ぐらい選べばよいですか

②どんな選び方をすればよいですか

まず、①「何人ぐらい選べばよいですか」、いわゆるサンプルサイズについて考えるさいに重要なのは、**何人選べばよいかは母集団による**ということです。「15人だと少ないかな」「100人いれば大丈夫かな」というのは、じつは無責任な発言です。統計的な処理を予定している場合、必要な人数は母集団から割りだすことが前提となります。私たちが知りたいのは標本集団の情報ではなく、標本集団から推定される母集団の情報だからです。その計算式については、簡便なものとしてはインターネット上の早見表で、理屈も含めて知りたいときは専門の書籍で調べることをお勧めします。たとえば、世論調査を行う場合。統計的には、1億2000万人を超える日本の人口にたいして、1,537人に聞けばその実態が十分把握できると考えられています（高橋 2016）。実際には厳密なランダム・サンプリングは困難ですし、回収率によっても左右されますので、実際にはこの数倍の人に聞かないと確かなデータにはなりませんが、案外少ないと見ることはできるでしょう。しかし、日本の人口が10分の1だったとしても、やはり同じ人数に聞く必要があります。母集団の人数が少なければ少ないほど、全数調査か、それに近い標本調査を求められることになる点、注意が必要です。

また、有効回答数の問題もありますので、有効回答数が低い場合に備え、若干多めに収集しておくほうが安全です。マスメディアの世論調査ではだいたい 2,000 人に聞くのが一般的です。

一方、母集団がはっきりせず、母集団からサンプルサイズを割りだすのが困難な場合はどうすればよいでしょうか。そのときに役立つのが**分散**です。分散というのは**データの散らばり具合**のことです。そもそもたくさんの人数からデータを取らなければいけないのは、一人ひとりに個性があるからです。もし個性による差が小さければ、多人数のデータを取る必要はありません。多人数のデータを取るのは、個性による差を問題にせずに済ますためです。個性による差が小さい集団では小さいサンプルサイズで十分ですが、大きい集団ではサンプルサイズを大きくする必要があります。

そのような個性による差を測るのが分散です。分散は個々のデータが平均値からどのぐらい離れているかで測られ、平均値と個々のデータの差の 2 乗の平均を求めることで計算されます。分散に**平方根（ルート）**をつけたものが**標準偏差**です。サンプルサイズが十分に大きければ、標本平均の分布は正規分布に従うとされています（中心極限定理）ので、分散を基準にして、十分に大きいと言えるサンプルサイズの推定が可能です。

推定とは、標本集団の平均値や分散がどのぐらいの確率（95% がよく使われ、5% の有意水準と呼ばれます。後述）で、どのぐらいの範囲（標準誤差という誤差の幅を考慮したもので、信頼区間と呼ばれます）に収まるかを予測するものです。有意水準の計算に必要なのが、平均値、分散、サンプルサイズとなります。そこで、調査をある一定の信頼区間に収めたいと考えた場合、どのぐらいのサンプルサイズが必要であるかを逆算することが可能です。よくサンプルサイズとして 30 名、あるいは 100 名いれば大丈夫などと言われますが、それを鵜呑みにしないのが賢明です。サンプルサイズを設定した根拠を聞かれたとき、きちんと説明できないと、研究者としての信頼を損ねてしまいます。

多人数のデータを取らなければいけないのは、一人ひとりに個性があるからだと申しました。そこで気をつけたいのが**外れ値**です。極端に個性の強い人が一人でもいると、データ全体をゆがめてしまうおそれがあるからです。ある一人のデータがほかと比べて極端に大きい／小さいと言える場合を外れ値と言い、測定ミスや記録ミスによるものをとくに**異常値**と呼ぶことがあります。

外れ値かどうかを判断するためには、データが正規分布に従っているかどうかわからないときは**箱ひげ図**を用い、正規分布に従うことがわかっているときは、**スミルノフ・グラブス検定**を用いて分析するのが一般的です。外れ値が異常値であれば無条件で取り除く一方、外れ値の理由を推測できないときは安易に除外せず、平均値の代わりに中央値を用いたり、検定ならノンパラメトリック検定を用いたりすることが考えられます。いずれの方法も、外れ値が分析結果に影響を及ぼしにくくする工夫です。

②「どんな選び方をすればよいですか」については、取りだしたサンプルが母集団の全体像を反映したものになる必要があります。そのため、**サンプルが代表性を持つ**必要があります。よく自分の身近にいる関係者だけのアンケートで済ます人がいますが、それは危険です。たとえば、支持政党の調査をする場合、ある政党の支持者のまわりには、その政党の支持者が多いことは容易に想像がつくでしょう。そこで、マスメディアの世論調査には**ランダム・サンプリング**が用いられます。ランダムというのはでたらめという意味で、ランダムに抽出できれば、母集団のなかの人を同じ確率で選ぶことができます。具体的には、電話番号をランダムに発生させ、その電話番号に電話をかけて支持政党を聞く方法が用いられています。

もちろん、ランダム・サンプリングは調査の負担が大きく、人を対象にした研究の場合、研究者個人によるランダム・サンプリングで調査が可能なケースはほとんどありません。しかし、そうであっても、母集団の年齢、性別、職業、地域などを考慮し、できるだけ全体のバランスがよくなるような均衡性に配慮してサンプリングを行う心がけをすることで、得られたデータの価値は高まると考えられます。

したがって、①「何人ぐらい選べばよいですか」と②「どんな選び方をすればよいですか」には、いずれも**母集団を想定し、母集団に近い姿を再現しうるサンプリングができるよう工夫する**というのが適切な回答になります。とくに、②については、完全なランダム・サンプリングができないとしても、**代表性と均衡性に配慮すること**が必要になるでしょう。

こうした量的調査については、歴史的にも多くの苦労が積み重ねられてきました。政府関係では、総務省統計局のウェブサイトに行くと、統計手法がどのように用いられているかがわかりますし、NHKの調査でも、小野寺(2017)が、

NHKがこれまで行ってきた統計的調査方法の概要を歴史的にまとめており、そこから学べることも多そうです。

4.3.4　統計の種類

Q　量的調査に使う統計にはどんな種類がありますか。

A　いろいろありますが、まずパラメトリック検定とノンパラメトリック検定の区別を知ることが重要です。

統計には、パラメトリック検定とノンパラメトリック検定の区別があります。**パラメトリック検定は、母集団のデータが正規分布していると仮定して行う検定**です。平均値や分散などのパラメータを使うことから「パラメトリック」と呼ばれ、有名なものとしては、**t検定**や**分散分析**があります。二つのグループの平均値の相違を検討する場合にはt検定を、三つ以上のグループの平均値の相違を検討する場合には分散分析をそれぞれ用います。たとえば、留学生において、日本語の学習歴の長さと、日本語の試験の点数の相関関係の有無を調べる場合、t検定が使えます。一方、日本語の試験の点数に漢字の能力との関係が深いと考えた場合、日本語の学習歴の長さ、出身地（中国などの漢字圏出身か欧米などの非漢字圏出身か）、日本語の試験の点数の相関関係の有無を調べるのに、分散分析が使えます。

一方、**ノンパラメトリック検定は、母集団が正規分布に従っていると仮定もせず、平均値や分散などのパラメータも使用しない検定**です。ノンパラメトリック検定には、**ウィルコクソンの順位和検定**や**クラスカル・ウォリス検定**も使われますが、文系になじみがあるのは**カイ二乗（χ^2）検定**です。カイ二乗検定は二つの項目の比較も三つ以上の項目の比較もできます。生物学的な性別なら男性・女性の二つの比較になりますが、血液型ならばA型、B型、AB型、O型の四つの比較になります。三つ以上の項目の場合、何と何の関連性が深いかを調べるときは**残差分析**を行います。たとえば、日本人、中国人、インド人の血液型を比較した場合、カイ二乗検定だけでは、民族によって血液型に差があることしかわかりませんが、残差分析を使えば、日本人にA型、中国人にO型、インド人にB型が多いことがわかります。インド人にもっとも多いのはO型ですが、O型は約35%、B型は約30%です。O型が5割、A型が3割、B型が2割弱の中国や、A型が4割、O型が3割、B型が2割の日本に比べ、インドは相対的にB型が多いことは、残差分析を行えば確かめることが可能です。

パラメトリック検定に向くか、ノンパラメトリック検定に向くかの判断は、統計の専門家でない者には難しく感じられます。一般的には、パラメトリック検定は、母集団の分布が正規分布に従うことが求められ、**データの尺度水準**が、**間隔尺度**または**比例尺度**であることが必要とされます（下記参照）。正規分布はベルの形をしていることから**ベルカーブ**と呼ばれます。典型的には、試験の得点分布のイメージで考えればよいでしょう。極端に難しい試験や極端に易しい試験ではなく、ほどよく難しい試験では、満点に近くなればなるほど、また、ゼロ点に近くなればなるほど人数が減り、平均点に近い層がピークになる富士山に似た形になります。あれが正規分布です。

一方、ノンパラメトリック検定は正規分布に従うことが仮定されませんので汎用性は高いのですが、一般にパラメトリック検定よりも検出力が低いと考えられています。言い換えると、ノンパラメトリック検定よりもパラメトリック検定のほうが、差があるときにきちんと差があることを示しやすいのです。そのため、正規分布に従い、パラメトリック検定を使える場合はパラメトリック検定の使用を選択し、正規分布に従わなかったり、サンプルサイズ（標本数）が少なかったりする場合、あるいは外れ値が大きな影響を与えるおそれがある場合は、ノンパラメトリック検定を選択すると考えておけばよいでしょう。もちろん、ここで述べているのはあくまで目安にすぎません。厳密な選定基準は統計の教科書で確認し、分析方法を選択するように心がけてください。

データの尺度水準

名義尺度：順序はなく、違いしかない（性別、血液型など）
順序尺度：順序はあるが、間隔に意味はない（順位など）
間隔尺度：原点を前提とせず、間隔が等しい（温度、偏差値など）
比例尺度：原点がゼロであり、間隔が等しい（身長、速度など）

4.3.5　統計的手法選択のコツ

Q　量的調査を行うさいのコツは何ですか。

A　多様な統計的手法を頭に入れ、その長所と短所を比較し、適切な手法を選択することです。

統計を使うときにはいくつか押さえておくべき注意点があります。以下、それを列挙します。

パラメトリック検定では、尺度水準が間隔尺度か比例尺度の場合しか使えないと申しましたが、現実には**順序尺度**も順位の間隔が等しいものとして、パラメトリック検定が用いられることが少なくありません。とくに、心理学のアンケートを使ったものではそうした傾向が見られます。「そう思う」「ややそう思う」「どちらとも言えない」「ややそう思わない」「そう思わない」という５件法では、この五つの順位が等間隔だと考えるわけです。それが統計的に厳密かどうかは議論がありますが、少なくとも心理学等の分野で５件法を使うときは、五つの順位ができるだけ等間隔に見えるような表現を用いることが大事でしょう。

また、**５件法のような奇数にするか、４件法のような偶数にするか**も微妙な問題です（増田・坂上 2014）。５件法にした場合、「どちらとも言えない」という中央にくるものがアンケートでは選ばれやすくなり、日本を含む東アジアではとくにその傾向が強いとされています。また、７件法、９件法と数を増やすほど、中央のものが選ばれやすくなります。それを問題だと考えると、偶数にしたくなります。しかし、偶数にしてしまうと、どちらかに偏った回答が要求されるため、結果にバイアスが含まれるおそれもあります。また、「どちらとも言えない」という選択肢は中間的な評価だけでなく、「考えたことがない」「わからない」「ケースバイケースである」など多様な回答を含んでいる点で、実態に合っており、奇数のほうが適切だとする意見もあります。このように統計的な手法は一長一短というケースが多いため、調査者はどれかが正しいと信じこむのではなく、どれを選ぶことが自分の調査の目的に叶うのか、根拠を示して自分なりに説明ができるように選ぶことが大事になってきます。

一方、ノンパラメトリック検定で、カイ二乗検定を使う場合、データ数に注意が必要です。セルのうち一つでも５以下になるものがある場合はカイ二乗検定を使うのは危険とされ、その場合は**フィッシャーの正確確率検定**を用いることが推奨されており、どうしてもカイ二乗検定を使いたい場合には、**イェーツの補正**をかけることになります。詳しいことは統計の専門書をご覧いただきたいのですが、そうした操作が必要になることを知っているか知らないかは重要です。

また、統計を用いる場合、**有意水準**が重要になります。有意水準は、**検定において帰無仮説を設定したとき、その帰無仮説を棄却し、対立仮説を採用する基準となる確率のこと**です。「帰無仮説」「対立仮説」というのはわかりにくい用語ですが、こうした仮説は統計学的な論法に基づくものです。統計学では「差がある」ということを積極的には言いません。「差がない」ということを仮定してそれを否定する、すなわち「差がないことはない」という論法で「差がある」ということを言うわけです。「差がない」という仮定は「帰無仮説」、「差がある」という仮定は「対立仮説」と呼ばれ、検定では「帰無仮説」を否定して「対立仮説」を採用するという手続きを踏みます。この手続きを踏むさい、「差がない（帰無仮説が正しい）」のに「差がある（対立仮説が正しい）」と言ってしまう確率、すなわち有意水準を考え、その確率が低ければ「差がある」（厳密には「差がないことはない」）と判断してもよいと考えるわけです。その確率、すなわち有意水準（p 値と呼ばれ、イタリック体の小文字の p や大文字の P で示されます）は、5% 未満（$p < 0.05$）、あるいは 1% 未満（$p < 0.01$）であることが条件です。10% 未満（$p < 0.1$）は**有意傾向**と呼ばれますが、統計的には有意ではありませんので、注意が必要です。

量的調査の場合、サンプルサイズが小さいと、母集団の傾向を反映しているとは言えないので、一定以上の大きさのサンプルサイズが必要だということを申しました。サンプルサイズを大きくすれば、検出力が高くなって p 値が 5% を下回り、有意であると言えるようになる傾向があります。つまり、**サンプルサイズを大きくすれば、微差に過ぎないものでも差があると抗弁できてしまう**わけです。したがって、最近の統計的手法では、p 値のみならず、**効果量**を合わせて示すことが求められるようになってきています。効果量はサンプルサイズによらずに要因の効果を測ることができる指標です。つまり、差の有無を論じていた時代から、どのぐらいの差があるかという差の大小も論じる必要がある時代へと変わってきているわけです。このように、サンプルサイズは小さすぎても大きすぎても結果をねじ曲げるという副作用がありますので、その点にも注意を払う必要があるでしょう。

そもそもこうした問題が生じる背景には、**統計的手法の多くは変数間の影響の有無を問題にしており、影響の大きさを問題にしていない**ことがあります。影響の大きさを問題にしたい場合、有効なのが**相関係数**です。相関係数を使えば、正の相関、負の相関も、相関の大きさも出すことが可能です。ただし、相関は相関であり、二つの変数に関係があり、何らかの連動をすると言っているにすぎません。一方が原因で、もう一方が結果である**因果関係**までは主張していませんので、その点には気をつける必要があるでしょう。

統計的な手法では、目に見える変数を問題にするのがふつうですが、変数が多い場合、データの解釈をするのが大変です。**多変量解析**と呼ばれる手法を用いて、**似た変数をまとめてデータの数を減らす作業**を行います。文系でもよく用いられるものには、次の四つがあります。いずれも、多量の変数を整理・把握するのに優れた手法です。

多変量解析の種類

①主成分分析：相関の高い変数を合成して上位の合成変数を作成し、変数の次元を高めてデータを縮約する手法

②因子分析：目に見える変数の背後に潜在する目に見えない共通因子を取りだし、カテゴリのグループ分けを行う手法

③コレスポンデンス分析（対応分析）：散布図と呼ばれる二次元平面に距離の近い変数を並べ、カテゴリの類似度を視覚的に把握する手法

④クラスター分析：デンドログラムと呼ばれるトーナメント表のような表を作り、類似する変数をクラスターにまとめる手法

さらには、最近、統計的手法によってデータの内容を明らかにしようというアプローチも見られるようになりました。統計的手法は本来、**数値に強く、意味に弱いという性格**を持っています。数値に置き換えられる情報であれば計算できるのですが、言葉という数値に置き換えがたいものは計算しにくいので、言葉で書かれたテキストの解釈は質的研究の牙城でした。ところが、**テキストマイニング**と呼ばれる自然言語処理の手法が開発されたことで、大量のテキス

トデータの意味的傾向を知ることができるようになりました。テキストマイニングは「テキスト」すなわち文章のなかから、「マイニング」すなわち採掘する技術のことであり、**テキストを語（形態素）に分割し、そのテキストに見られる頻出語や特徴語の傾向を分析する**ものです。また、単に語を取りだすだけでなく、どのような語同士が一緒によく使われるのかを分析する**共起分析**や、語の意味がプラスかマイナスかという情報が記された**極性辞書**を用いてテキストのネガポジ分析を行う**感情分析（センチメント分析）**などが試みられるようになり、SNSや口コミサイト等の分析に活用されています。現在、語の意味を**ベクトル表示**する手法が加速度的に発達していますので、将来的には、語の意味を統計的にかなり正確に把握することが可能になると思われます。それでも、そこで提供されるのはあくまで研究の材料であってヒントにすぎず、そうした道具をどう用いて答えを出すのかは、一人ひとりの研究者の判断に委ねられていることには変わりありません。

4.4　調査の実際

4.4.1　パイロット調査とリハーサル

Q 調査をするにあたって、どんな準備をすればよいですか。

A パイロット調査とリハーサルです。

本格的な調査をするにあたり、事前準備として欠かせないのが**パイロット調査**です。パイロット調査は予備調査とも呼ばれ、**本調査に入るまえに行う試験的な調査**です。質的調査は調査協力者の手を煩わせますので、調査がうまくいかなかったからやり直すということは許されず、一度でかならず成功させることが必要です。このため、パイロット調査を事前に行い、あらかじめうまくいかない可能性のある芽を潰しておき、調査のさいに問題になりそうな点を手直しする必要があります。パイロット調査は少人数でかまいませんが、うまくいく見通しが立ってから本調査に臨む必要があります。**ぶっつけ本番は厳禁**です。自分が望む成果が出る調査設計になっているか、パイロット調査を繰り返し行い、納得がいくまで確かめてください。

　また、機材を使った調査の場合、**リハーサル**も欠かせません。収録したはずの音声や動画が記録されていなかった、雑音がひどかったり音が小さかったりして分析に耐えるデータではなかったということに気づいても、後の祭りです。もう一度データを取り直すことになると、調査協力者に二重の負担となり、たがいの信頼関係も損ねます。そのため、**調査の手順を示したマニュアル**の作成と、それに沿って調査自体がうまくいくかどうか**実際に試行するリハーサル**が、調査を失敗させないポイントです。十分な準備が調査を成功させるカギとなります。

4.4.2　パイロット調査をする

Q　パイロット調査は何のためにするのですか。

A　本調査を確実に成功させるためです。

　パイロット調査は、本調査を確実に成功させるために試験的に行う予備調査です。調査をした経験が何度もある人はご存じのように、調査というのは失敗がつきものです。失敗は大きく次の三つに分かれます。

調査につきものの失敗

①必要なデータが集まらない
②データが集まりすぎてしまう
③集まったデータが使いものにならない

　一つ目の「必要なデータが集まらない」という失敗は、たとえば、次のようなケースです。

必要なデータが集まらないケース

・対象とした資料を見たら、自分が予想した現象がほとんど含まれていなかった。
・準備したアンケートをやってもらったら、調査協力者は答え方がわからず、質問が相次いだ。
- 調査協力者に課題を与えたところ、その課題が難しすぎ、軒並み低得点で差が出なかった。
- 外国人に日本語でインタビューしたところ、うまく答えられず、母語の通訳が必要になった。

とくに、人間を相手にする調査の場合、調査協力者の能力や背景に十分な配慮ができておらず、やってみたらうまくいかなかったということがしばしば起こります。

二つ目の「データが集まりすぎてしまう」という失敗では、たとえば、次のようなケースが考えられます。

データが集まりすぎてしまうケース
- 対象とする現象が頻発しており、機械的にデータを集めたら、似たようなデータが大量に集まってしまった。
- アンケートの分量が膨大で、調査協力者の負担があまりに大きく、集まったデータの信頼性も下がってしまった。
- 収集したインタビュー・データの文字起こしに時間がかかり、予定のデータ量に達しないことが判明した。
- データの分類に時間がかかり、大量のデータを収集しても分析が不可能であることがわかった。

データが集まらないのも問題ですが、集まりすぎて困ることもあります。データの分析には時間がかかるもので、論文提出という締切に間に合わなくなってしまうからです。人生の時間は有限ですし、データというものは、ある一定の量を超えて分析しても結果は変わらないものですので、適度なデータ量を意識し、効率的に研究を進める必要があります。

三つ目の「集まったデータが使いものにならない」という失敗では、たとえば、次のようなケースが考えられるでしょう。

集まったデータが使いものにならないケース

- 対象とした資料をコーディングしたところ、データが複雑すぎて安定した分析作業ができなかった。
- 調査協力者に同じ映像を見せたが、人によって解釈が異なり、同一条件での比較ができなかった。
- 調査協力者にアンケートの自由記述をさせたところ、その分量も内容もまちまちで、分析に耐えなかった。
- ロールプレイによる実験を行ったが、指示が不明確で、調査協力者の行動に戸惑いが見られた。
- 調査結果を分析したところ、前提となる別の調査が必要なことが後からわかった。

データを集めるということは研究者自身にとっても膨大な手間ですし、調査協力者の手も煩わせてしまいます。にもかかわらず、収集したデータが使えなかったのでは目も当てられません。問題点をはらんでいる調査の多くは、試験的な予備調査をやってみればその問題点はすぐに露呈していたはずです。

そのほかにも、調査をしたあとに気づきがちな問題点は、**調査の順序**です。調査や実験を行う場合、測定する対象を調査協力者に提示する順序が測定結果に影響を及ぼすことがあります。これは**順序効果**と呼ばれ、調査に偏った影響を及ぼします。

順序効果を減らす方法としてまず考えられるのは、**調査協力者への測定対象の提示をランダムにすること**です。私自身も日本語学習者の調査協力者として語彙調査を行ったとき、パワーポイントで作成したスライドを見せましたが、順序効果が生じないよう、スライドの提示がランダムになるようなマクロを組みこんでおきました。また、海外で行った調査でしたので、スライドを紙に印刷したものを持参しました。パソコンのトラブルなど、不測の事態に備えるためです。紙であれば、トランプをシャッフルするように混ぜてしまえば、ランダムに提示することが可能です。

また、たとえば、同じ映像を見て、日本語学習者自身の母語と、外国語である日本語、二つの言語で説明してもらうときは、調査協力者の半分には母語を先に日本語を後に、残りの半分には日本語を先に母語を後に説明してもらうようにしました。こうした手法は**カウンターバランス**と呼ばれ、順序効果を相殺するのに必要な手続きです。

以上、調査の失敗あるあるについてここまで紹介してきました。多様な調査を積み重ねてきた人は、こうした失敗を積み重ねてきた人です。そうした人であれば、事前の予備調査なしに調査を行っても、過去の失敗を糧に、大過なく調査を遂行できるでしょう。しかし、調査に初めて臨む人、調査経験の浅い人は、きちんと**パイロット調査をして、問題点を洗いだしてから本調査に臨む**ことが求められます。パイロット調査はできれば複数回、繰り返し行って「これならいける」という手応えをつかんでから本調査に入りましょう。もちろん、パイロット調査の結果は**指導教員やゼミの先輩など、経験豊かな研究者に確認してもらう**ほうが確実です。**ゼミで発表して参加者に問題点を検討してもらう**のも一つの方法です。そこまでしても、本調査をやったあとに、「ああすればよかった」という後悔が出てきてしまうのが調査の難しいところです。

4.4.3　リハーサルをする

Q　本調査の準備としては、パイロット調査だけで十分ですか。

A　十分ではありません。機材を使った調査の場合、リハーサルが欠かせません。また、複数人で行う調査の場合、調査の台本であるマニュアルを整備・共有する必要があります。

機材を使い、実験室、教室、さらにはフィールドに出て行う調査の場合、リハーサルが欠かせません。本調査はコンサートで言えば本番、晴れの舞台に上がることです。コンサートの本番直前にはリハーサルという最終調整の場があるように、私たちが大事な調査を実施するまえにはリハーサルをしておくことが必須です。

リハーサルをしなかった結果、失敗するパターンには、次のようなものが考えられます。

機材を使った調査の失敗

・録音データの音声があまりにも小さかったり不明瞭だったりしたため、データとして使えなかった。

・録音データの音声を聞き直しても、誰の声か判別が困難であり、映像データを合わせて撮る必要があった。

・調査場所では予想外に騒音が多く、防音設備も不十分であったため、ところどころに異音が入ってしまった。

・カメラの向き、角度、光の加減に問題があり、必要な映像が映っていなかった。

・録音・録画ボタンを押し忘れてしまい、肝腎の録音・録画内容が入っていなかった。

・持参した機材に故障があることに気づかず、当日の調査をキャンセルせざるをえなかった。

・調査場所が予想よりも広すぎたり狭すぎたりしたため、機材の設置場所を決めるのに難儀した。

・調査場所に備えられていると思いこんでいた電源やネット環境がなく、当日の調査が困難を極めた。

いずれもリハーサルをしておけば、気づけたはずの失敗です。このように、調査で失敗しないよう、万全な準備が求められます。こうした調査の準備に欠かせないのが**マニュアル**です。とくに、いろいろな人が関わる調査では、調査の手順書であるマニュアルを整えておく必要があります。マニュアルは調査の台本であり、パイロット調査をするなかで手直しし、リハーサルで最終チェックを行うものです。マニュアルがあれば、調査の進行も確実ですし、のちに論文を書くときの記録としても重宝します。

4.4.4　フェイスシートを作成する

Q 調査にさいし、そのほかに必要な準備はありますか。

A 人を対象にした調査の場合、調査協力者の個人の属性についてフェイスシートに記入しておいてもらう必要があります。

人を対象にした調査の場合、研究倫理上の問題として同意書による同意を取りつけることの重要性は4.2.4で述べました。同意書と同時に、調査協力者から得ておきたいものがフェイスシートです。**個人の特定につながらない範囲で、調査協力者の属性を聞いておく**と、後の分析でかならず役に立ちます。調査の場ではまとめて聞きやすいことでも、後から聞こうとすると煩わしいですし、調査協力者と連絡がつかないこともしばしば起こりえます。そのため、分析のさいに必要となりそうな情報は、フェイスシートとしてまとめて調査時に調査協力者に記入してもらうのがよいでしょう。もし必要ならば、調査協力者に負担にならない程度のアンケートもセットにしておくと、分析に役立つ情報を得ることも期待できます。

ただ、最近では、個人情報の保護にたいする配慮が一層求められる時代になってきています。役立ちそうなことは何でも聞くという姿勢ではなく、**分析にどうしても必要なことだけを厳選して聞く**という姿勢が必要です。私自身が調査をするときも、**年齢**を聞くことはできるだけ控えますし、聞くとしても、○○歳代のようにぼかして聞くように心がけています。**性別**も性的少数者（LGBT）への配慮が必要であり、できるだけ聞かないようにするか、男女以外に「その他」「無回答」といった欄を設けるようにしています。

4.4.5　失敗したときの保険をかける

Q 調査を失敗しない方法はありませんか。

A どんなに準備を重ねても、期待したとおりの結果が得られるとは限りませんが、複数の方法を併用することで、そうしたリスクを下げることは可能です。

調査の準備をするということは、**調査の結果を予測し、そこから逆算すること**になります。これが調査の成果を確実に得るための方法です。

しかし、現実には、調査というのはやってみなければわからない面があります。調査データと向きあった結果、当初は予期しなかったようなすばらしい発見に出会うこともある一方、期待外れの結果しか得られないこともあります。このように、調査は人事を尽くして天命を待つようなところがあります。つまり、結果は運に左右されるわけです。

そうは言っても、運が悪くて結果が出ず、予定の期間内に終了できなかった場合、取り返しのつかないことになります。何としてもそれは避けなければいけません。それを避ける方法はあります。失敗したときに備えて保険を掛けるという方法です。

調査には失敗がつきものです。調査データを収集しても、それ自体には大きな発見がなく、低い価値しかなかったということがありえます。それを避けるためには、**複数の方法でデータを収集しておく併用という発想**が大事です。

多数の調査協力者を相手にアンケートを収集するときは、一部の協力者にはインタビューも合わせて依頼しておくとか、選択式アンケートによる調査の場合には、自由記述式の内容を適度に混ぜておくといった工夫をしておくと、どちらかの調査で芳しくない結果しか得られなくても、もう一つの調査でカバーすることが可能です。かりに両方の調査とも物足りなかったとしても、二つの調査を合わせれば、ある程度の説得力のある主張がひねりだせることもあります。私自身は不安なので、三つの調査を併用するように心がけています。三つあれば、すべてが箸にも棒にもかからない確率はかなり低いですし、かりに一つがだめでも、残りの二つで十分元が取れるでしょう。大規模な調査を一つ行うよりも、中規模の調査を二つ、あるいは中規模な調査一つと小規模の調査二つを組み合わせたほうが成果は確実に得られます。もちろん、調査の規模を小さくすると、内容自体も小粒になり、インパクトに欠けるきらいはあるのですが、一つだけの柱の調査は、その柱が倒れてしまったらおしまいですので、リスクは下げる必要があるでしょう。

前項で述べたように、フェイスシートによる情報収集も分析のさいの武器になりますが、もう一つ、**フォローアップ・インタビュー**も分析のさいの観点として、また、論述のさいの補強材料として役立ちます。たとえば、私が日本語学習者を対象にした言語調査を行う場合、誰かと会話をしてもらったときには、その様子をビデオで録画して、本調査終了後に見てもらい、ある発話をしているときに何を考えていたのか、なぜそうした発話を選んだのかをモニタリングしてもらいます。作文を書いてもらったときでも、その表現を選んだ意図は何か、他に比較検討した表現はなかったのかなどをメタ認知してもらいます。話したり書いたりしてもらったデータ自体は目に見えるものですが、目に見えるものが生みだされた背後には目に見えない頭の働きがあるわけで、その点を振り返ってもらって記録することは、分析の材料としてたいへん役立ちます。フォローアップ・インタビューもまた、有効な保険として機能するものです。

もちろん、フォローアップ・インタビューは調査協力者に負担のかかることですので、本調査で疲れた相手に無理強いすることはできません。その点で、もし可能であれば、すでに信頼関係が構築できている調査協力者に依頼できたほうがよいでしょうし、そうでない場合は、その調査協力者と親しい人に協力してもらい、和やかな雰囲気のなかでインタビューができる環境を整えることが重要です。

4.5　既存のデータの収集

4.5.1　デジタル・アーカイブのサイト

Q　既存のデータを調べるにはどうしたらよいですか。

A　既存のデータがデータベース化されているデジタル・アーカイブのサイトにアクセスすることです。

4.1.2「調査の方法」で、分析のためのデータの収集方法は二つに分かれると述べました。ここまではそのうちの一つ、データを独力で収集する方法について述べてきましたので、ここではもう一つ、既存の文献や資料、データベースを活用する方法について触れておきたいと思います。

デジタル・ヒューマニティーズ（Digital Humanities、略称：DH）、すなわち**デジタル人文学**が現在注目を集めています。デジタル・ヒューマニティーズは定義が多様であり、説明が困難なのですが、簡単に言うと、文学・歴史・芸術をはじめとする多様な人文学資料（テキスト・音声・画像等）をデジタル化して共有し、ICTを用いて協働で学際的な研究を行う、人文学と情報学の複合領域です。人文系の研究諸課題を情報学的なアプローチを用いて解くことが期待され、欧米圏を中心にさまざまな取り組みが試みられています（小風ほか編 2021）。

デジタル・ヒューマニティーズで重要な役割を担うのが、**デジタル・アーカイブ（Digital Archive、略称：DA）**です。アーカイブとは、後の時代の人が活用できるよう、重要なデータを保存・管理しておく技術のことです。アーカイブ自体は、保存する技術よりも、保存する場所という意味合いが強くなっているため、保管庫と訳されることも多いでしょう。日本でも近年ようやくアーカイブの重要性が認められるようになり、アーカイブを専門に担当する**アーキビスト**の養成が始まっています。

アーキビストが整理・保管する資料は、紙媒体にくわえ、オープンリールやカセットテープなどのアナログ資料と、電子的なデジタル資料に分かれます。現在注目されているのは、言うまでもなくデジタル・アーカイブです。デジタル・アーカイブの特徴は次のとおりです。

デジタル・アーカイブの特徴

①有形・無形の文化財を劣化なく保存できる
②保存のさいに場所を取らない
③資料の加工・編集が容易になる
④いつでもどこでも誰でもデータの閲覧ができる
⑤データベース化することで検索が容易になる

現在では、デジタル・アーカイブ化がかなり進んでおり、言語、音声、画像、映像の形をとった多くの人文系資料をデジタルで見ることができます。ここでは、日本関係のものを中心に、代表的なデジタル・アーカイブのサイトを次のコラムで確認しておきましょう。

コラム 5

知っておきたい人文系デジタル・アーカイブ

ここでは、人文系資料に関わる代表的なデジタル・アーカイブのサイトを12ご紹介します。これ以外にも「東京大学学術資産等アーカイブズポータル」「京都大学貴重資料デジタルアーカイブ」「早稲田大学文化資源データベース」といった、大学所蔵の貴重コレクションや、文化庁が運営する「文化遺産オンライン」のような国宝・重要文化財などの横断的データベースなど、調べれば調べるほど興味深いサイトが出てきます。ぜひご自身でも調べてみてください。

▶代表的なデジタル・アーカイブのサイト

①国立国会図書館デジタルコレクション
　https://dl.ndl.go.jp/

②国立公文書館デジタルアーカイブ
　https://www.digital.archives.go.jp/

③アジア歴史資料センター
　https://www.jacar.go.jp/

④データベースれきはく
　https://www.rekihaku.ac.jp/doc/t-db-index.html

⑤日本古典籍総合目録データベース
　https://base1.nijl.ac.jp

⑥人文学オープンデータ共同利用センター
　http://codh.rois.ac.jp/

⑦青空文庫
　https://www.aozora.gr.jp/

⑧コーパス検索アプリケーション「中納言」
　https://chunagon.ninjal.ac.jp/

⑨情報学研究データリポジトリ
　https://www.nii.ac.jp/dsc/idr/datalist.html

⑩言語資源カタログ
　https://www.gsk.or.jp/catalog/

⑪ NHK アーカイブス

https://www.nhk.or.jp/archives/document/nhk50years/

⑫朝日新聞記事データベース　聞蔵 II

https://database.asahi.com/index.shtml

①「国立国会図書館デジタルコレクション」は国立国会図書館が所蔵する資料のうち、著作権処理が済んでいるものをインターネットで公開しています。著作権が消滅した図書、江戸時代以前の古典籍資料、官報、歴史的音源などに強みを持っています。

②「国立公文書館デジタルアーカイブ」は、公文書の電子博物館です。国立公文書館所蔵の特定歴史公文書の目録情報の検索、公文書や重要文化財のデジタル画像等の閲覧、ダウンロードなどが可能です。

③「アジア歴史資料センター」は、国立公文書館の下部組織で、国立公文書館、外務省外交史料館、防衛省防衛研究所から提供されたアジア歴史資料を、インターネットをつうじて公開しています。

④「データベースれきはく」は、国立歴史民俗博物館の所蔵する資料のデータベースです。日本の歴史・文化研究に資するデータベースを、学術調査・研究を目的とする人に広く提供することを目的としています。

⑤「日本古典籍総合目録データベース」は、日本の古典籍の総合目録であり、運営主体である国文学研究資料館の資料にかぎらず、古典籍の書誌・所在情報を著作および著者の典拠情報とともに広く提供しています。

⑥「人文学オープンデータ共同利用センター」は、国立情報学研究所と統計数理研究所が軸となり、国内外の人文学研究機関と連携して研究・支援活動を進めている活動で、今のところ、国文学研究資料館の資料が中心となっているようです。「日本古典籍データセット」には、『源氏物語』『徒然草』『伊勢物語』をはじめ、誰もが名前を知っている著名な古典籍が含まれます。

⑦「青空文庫」は、著作権が切れた、あるいは著作権者が承諾した文学作品等を、個人のボランティアの尽力によってデジタル化し、収録したインターネット電子図書館です。1997 年から活動しているこの分野のパイオニアです。

⑧コーパス検索アプリケーション「中納言」は、国立国語研究所のコーパス横断検索システムです。4.1.1「調査と分析」ですでにご紹介したとおり、書

籍、教科書、独話、会話、方言、日本語学習者など、多様な言語コーパスを収録しています。

⑨「情報学研究データリポジトリ」は、国立情報学研究所のデータセット共同利用研究開発センターが運営するデータセットの保管庫です。Yahoo! の知恵袋のデータ、楽天市場や楽天トラベルの商品・施設データやレビューデータ、ニコニコ動画のコメントデータ、クックパッドのレシピ・献立データなど、一般の人でも面白そうと思えるデータがそろっています。

⑩「言語資源カタログ」は、言語資源協会という NPO 法人が運営するサイトで、この法人は、個人や機関が開発した音声データ、テキストデータ、辞書データなどの言語資源データについて、提供希望者と利用希望者の橋渡しをする組織です。自然言語処理の研究者を中心に利用されています。

⑪「NHK アーカイブス」は、戦前のラジオ放送開始時、および戦後のテレビ放送開始時から多年にわたって制作されてきた番組・ニュースの検索が可能なサイトで、音声・映像の歴史的資料が豊富です。

⑫「朝日新聞記事データベース　聞蔵 II」は、朝日新聞の明治時代の創刊号から今日までの日本の近現代の記事を縦断的に検索できます。毎日新聞は「毎索」、読売新聞は「ヨミダス歴史館」、日本経済新聞は「日経テレコン」、産経新聞は「産経電子版」、中日新聞・東京新聞も同様の記事データベースを所有しています。

4.5.2　目指すデータにアクセスする方法

Q 目指すデータにアクセスするにはどうしたらよいですか。

A まずは詳しい専門家に聞いてみて、それからジャパンサーチに行ってみましょう。

世の中には無数のデータが存在しています。インターネット時代になり、検索が容易になった反面、そのデータの海の広さと深さを多くの人が実感するようになりました。こんなデータがあるはずと思って検索しても、一度見たはずのデータにアクセスできなかったり、そもそもデータの存在に気づかず、論文を書きおえてから偶然新たなデータと出会い、愕然としたりしたという経験は、多くの人が持っているはずです。

データの存在に気づかせてくれるのは、現代のようなデジタル全盛の時代であっても、じつはアナログな人間です。一人ひとりの人間は、データベースとしてはさほど大きな容量を持っていませんが、相手のほしいものを探しだす能力にかけては、Google や Yahoo! 顔負けの検索機能を備えています。ゼミや学会など、多くの参加者のまえで発表するのは、博識な研究者に意外なデータベースの存在を教えてもらうことも大きな目的の一つです。自分が知らないことを研究仲間が知っていれば、きっと惜しげもなく教えてくれるでしょう。ある分野の入り口となり、検索によって進むべき道を教えてくれるサイトをポータルサイトと呼びますが、**専門家は歩くポータルサイト**です。

一方で、デジタルの世界では**横断検索システム**が急速に発展しています。横断検索というのは、分野を超えて多数のデータベースをまとめて検索できるシステムのことで、研究について書かれた論文などの学術文献だけでなく、研究そのものの対象となる学術資料についてもまとめて検索できるのは便利です。学術文献については **CiNii** が有力な横断検索システムであるのにたいし、学術資料の横断検索システムとしては**ジャパンサーチ（https://jpsearch.go.jp/）**が切り札となることが期待されています。

ジャパンサーチは内閣府の知的財産戦略本部が中心となって推進した、内閣府の肝いりのプロジェクトであり、「ジャパンサーチとは？」（https://jpsearch.go.jp/about#m4kouw162gazg）の説明を読むと、どんなものかがよくわかります。

> ジャパンサーチは、書籍等分野、文化財分野、メディア芸術分野など、さまざまな分野のデジタルアーカイブと連携して、我が国が保有する多様なコンテンツのメタデータをまとめて検索できる「国の分野横断型統合ポータル」です。
>
> また、ジャパンサーチが集約したメタデータを、検索以外にも、利活用しやすい形式で提供し、コンテンツの利活用を促進する基盤（プラットフォーム）としての役割も果たしています。

検索しても必要な情報に到達できないというのは研究者共通の悩みですが、

データを提供する側も必要な研究者が自分の情報にたどり着いてくれないという悩みを抱えています。そのため、検索のための**メタデータ**（**そのデータ自体の内容を簡潔に示すデータのデータ**）や**サムネイルデータ**（**画像や動画の内容を簡潔に示す縮小された見本画像**）をどう付与するかが、見つけてもらうための一つのカギとなります。同時に、横断検索のさいにどうすれば検索対象に含めてもらえるのかも悩みのタネでした。しかし、このジャパンサーチの横断検索の対象になるところに載せておけば、横断検索の問題は解消します。ただし、現状では、ジャパンサーチ自体を知らない人が多いため、そうした巨大なデータベースの存在を広く周知する必要があると思われます。

第5章　話す（発表）

計画は相談しなければ挫折し
多くの助言があれば実現する。
（『聖書 聖書協会共同訳』「箴言」15章22節）

5.1　ゼミ発表

5.1.1　ゼミの目的

Q　ゼミとは何ですか。

A　ゼミとは、研究成果（論文）を出すことを目指して仲間と対話をし、研究の改善を図る場です。

ゼミはドイツ語のゼミナールの略で、英語だとセミナー、日本語だと演習です。大学・大学院の授業は、先生が授業時間中に一方的に話しつづける講義と、先生も学生も一緒になって双方向で話しあうゼミに大きくは分かれます。もちろん、その中間的な形態の授業もあるでしょう。外国語を学ぶ語学の授業、コンピュータを使った情報の授業、自らが体験する実験・実習などがそれに当たります。しかし、人文学・社会科学では講義とゼミが２本柱であることは揺らぎません。とくに、大学院においては、講義も少人数でゼミに近くなりますし、自分の研究が第一の世界ですから、**ゼミがもっとも大事な授業**だと考えて間違いありません。

講義は、大学院生にとって、研究に必要な体系的な知識を得る場です。知識には、専門概念の知識も、論理の組み立てに関わる知識も、分析の方法や技術についての知識も含まれますが、研究を遂行するうえで知っておくべき知識の体系を学ぶのが講義です。

一方、**ゼミは、参加する大学院生が自らの研究内容を発表し、仲間のコメントをとおして研究の改善を図る場**です。知識を増やす「知る」ことよりも、柔軟に思考する「考える」ことが鍛えられます。ゼミは、**その場に参加する大学院生一人ひとりが対話を重ねることをつうじて研究能力を高める**ことを目指します。

研究は論文という形で世に出ます。論文は完成された一つの作品であり、隙のないものに仕上がっています。オーケストラで言えば、コンサート本番の舞台が完成された論文です。聴衆は、コンサート本番での完成された演奏しか耳にしないのですが、そうした完成された演奏に至るまでにオーケストラのメンバーは隠れたところで血のにじむような練習を繰り返しています。その隠れた練習をするところがゼミです。コンサートの本番は練習の結果であり、コンサートの練習は結果に至るプロセスです。ゼミはプロセスですので、そこでは多くの失敗があり、メンバー間の意見の衝突が起きます。しかし、そこでの失敗を克服し、意見の衝突を調整して、論文という一つの完成された作品ができあがるのです。**ゼミはいわば舞台裏であり、研究という一つの作品を生みだす工房**です。

5.1.2　発表者のゼミ発表の効用：準備編

Q　ゼミ発表の準備は、発表者にとってどんな意味がありますか。

A　自らの研究を言葉にし、研究内容が可視化できることに意味があります。

ゼミ発表の準備をすることは、自分の研究内容を言葉にすることです。言葉にすることは、自分の研究内容を可視化することにつながります。

自分の研究内容を可視化すると、思わぬ気づきが得られるものです。自分の頭のなかにあるうちは、かなりよいと思っていた思いつきが、文字にしたとたん、あまりの内容の乏しさに愕然とするのは、よくある経験です。反対に、自分の頭にあることを言葉にしていく過程で、発想がぐんぐん成長し、予想もしない広がりを持つこともまた、よくある経験です。研究内容を言葉にすることで初めて、私たちはその内容を対象として把握し、その意味や価値を正確に判断できるようになるのです。

研究のタネをいきなり論文にするのは、慣れていないと難しいものです。一度、メモ書きでよいので思いついたことを言葉にし、自分の目でそれを確認できる状況にすることが大事です。**発表の段階では、研究内容はかならずしも完成形でなくても問題ないので、自分の頭のなかにあることをとりあえず形にしてみること**です。言葉にしてみることで研究を支える諸概念が操作可能になり、絡みあう諸概念を整理して論文という一つのストーリーに仕立てていけるようになります。論文のアウトラインを作るのにゼミ発表の準備は欠かせません。

また、ゼミには当然のことながら締切があります。締切効果というのも、ゼミの重要な役割です。人間は怠け者ですので、締切という強制力がないと、面倒なことをいくらでも先延ばしにするものです。ゼミ発表が定期的に入ることで、よいペースメーカーになり、私たちを学位論文の完成へと力尽くで引っ張っていってくれます。

ゼミ発表の効用――自分の研究内容の可視化

①研究内容を対象として把握し、その価値を正確に判断できる
②研究内容を操作可能にし、研究のアウトラインが作れるようになる
③定期的な締切が、学位論文の完成へのペースメーカーになる

5.1.3　発表者のゼミ発表の効用：当日編

Q　ゼミ発表の場には、発表者にとってどんな意味がありますか。

A　自分のためだけの、研究改善のヒントが得られることに意味があります。

ゼミで自分の研究内容を発表し、公にすることは、準備段階で可視化した研究内容を他者と共有することです。ゼミという場で研究内容を言葉にすると、自分の目でも確認できると同時に、参加者の目でも見られるようになります。発表内容を自己と他者で共有し、その研究内容をめぐって議論する条件が整います。

発表者の特権は、**ゼミに参加している他のメンバーから改善のためのアドバ**

イスを多様な角度から得られることです。そのアドバイスは自分のためだけのものです。メンバー一人ひとりには興味の違いがあり、立場の違いがあり、発想の違いがあります。そうした多様な個性を持つメンバーからアイデアをどっさり得られるのがゼミという場です。そのアドバイスは、発表者の研究の質的向上につながる内容がぎっしり詰まっていますから、それを生かさない手はありません。

もちろん、参加者から出されるコメントは、すべてが具体的な解決策というわけではありません。疑問だけが示されるときも、違和感だけが表明されるときもあるでしょう。しかし、こうすれば解決するという直接的なアドバイスがもらえなかったとしても、参加者と一緒になって考えることで、解決の道がぼんやりと見えてくることがあります。一つのコメントがヒントになり、これまでになかった解決策が自分の頭のなかにふと思い浮かぶこともあります。

ゼミ発表という場では、発表をするたびに、先生や先輩に厳しく批判され、つらい思いが続く時期もあります。しかし、批判された点を顧み、次の発表でその批判点を改善することで、批判にたいするディフェンス力が自然と身につきます。自分の頭のなかにゼミの○○さんが棲むようになると、このまま研究を進めた場合、○○さんからかならずこの種のツッコミが来るという予想がつくようになります。そこで、そうしたツッコミを受けないように、事前に「○○さん対策」を施すようになるわけです。○○さんのツッコミという批判的視座を自分自身のなかに取りこむことで、発表者の研究能力は確実に向上します。そして、ゼミに出るまでに自己修正が完了し、今度は別の、より高い次元からのツッコミを受け、さらにそれを克服していくという好循環が生まれます。ゼミ内の先生や先輩のコメントが厳しいことは、悪いことではありません。厳しければ厳しいほど、隙のない事前準備ができるようになり、学会等で将来発表しても、さほど苦労することがなくなります。

ゼミ発表の効用――研究内容の他者との共有

④参加者から研究内容改善のアドバイスが得られる

⑤参加者と一緒に考えることで、問題解決へのヒントが得られる

⑥参加者からのツッコミに対処するうちに、ディフェンス力が身につく

5.1.4 参加者のゼミ参加の効用

Q ゼミ発表には、発表を聞く参加者にとってどんな意味がありますか。

A 隣接分野の生きた知識が得られ、自分自身の研究や他者の研究を適切に評価する目が養えます。

アドバイスを受ける側の発表者だけでなく、アドバイスをする側の参加者も、発表者の研究から多くのことを学べます。自分があまりよく知らない分野の研究テーマについての話を詳しく聞き、視野を広げる機会になります。耳学問という言葉があるように、先輩や後輩の発表を何度も聞いているうちにそれが自分の知識となり、そこで学んだことが何年後かに形を変えて役に立つこともしばしばです。

また、アドバイスをする側に立ってツッコミをする訓練ができることで、研究の穴を見つける着眼点が身につきます。他者の発表を聞くなかで、ここは怪しい、ここはごまかしている、ここは説明不足であるといったことに気づける観察眼ができあがると、その観察眼を自分の研究に向ければ、**自分自身の研究の問題点にも気づけます**。つまり、他者の発表を他山の石とし、人の振り見て我が振り直すことができるわけです。

さらに、ゼミの場は、指導教員や優秀な先輩たちが発表者の研究にどのように斬りこみ、料理するのかを目の当たりにするよい機会です。そこでは、**研究の価値を評価する査読者の視点を養う**ことができます。テーマの選定、問いの設定、先行研究の引用、分析方法の選択、分析結果の示し方、研究の独創性、論旨の明快さ、適切な表現選択など、論文の評価を構成する各要素について、実際の研究に基づいて実地に学べます。発表者が将来、大学等の専任教員となり、学部や大学院で研究指導を行ったり、学会誌の査読委員として査読を担当するようになったりしたときに、そうした視点はきっと生かされるでしょう。

ゼミ参加の効用――研究内容の他者との共有

①耳学問の機会が得られ、参加者に隣接分野の生きた知識が増える

②他者の発表に入れるツッコミを、参加者自身の研究にも適用できる

③研究の価値を多様な角度から評価する査読者の視点が身につく

5.1.5 新入生のゼミでの心得

Q 留学生です。大学院に入学し、ゼミに入ったら、聞いたことがない言葉が飛び交って、黙ってその場にいることしかできません。どうすればよいですか。

A 黙ってその場にいることが一番の勉強です。

ゼミに入ると、わけのわからない日本語が飛び交っていて戸惑います。先輩同士のやりとりは早口で、専門語が詰まっており、理解することさえできません。なんでこんなところに入ってしまったのか。うつむいて黙って座っていることがつらく、その場から逃げだしたくなります。自分は留学生だからそうなのだろうか。自分が学んできた日本語はいったい何だったのだろうか。そんな気分にさいなまれるかもしれません。

しかし、それは留学生だけが感じることではありません。日本人学生も大なり小なりゼミで交わされる日本語がわからないと感じています。そして、その話し合いの輪のなかに自分が入りこむことができず、疎外感を感じているのです。

わかったような顔をして議論に参加している先輩たちも、偉そうに指導をしている先生たちも、かつてはみんなうつむいて黙って座っている新入生でした。ですから、**黙ってその場にいて先輩たちのやりとりに耳を傾ける**ことは必要な、そして重要な過程の一つです。インプットはアウトプットに先んじます。**インプットの洪水のなかで人は多くを学ぶ**のです。

ゼミに入って3年も4年も経つのに質問もコメントもできないのは問題でしょうが、大学院に入って1年目で黙ってうつむいて座っていても周囲は不思議に思いません。つまり、アウトプットを考えず、インプットの洪水に浸って理解に集中できるのは、新入生の特権なのです。ですから、**1年目はゼミで交わされる議論の理解に努め、議論の内容が次第にわかってきたら徐々に議論に参加しましょう。**

ゼミの参加者の発言は、大きくは質問とコメントに分かれます。最初は用語の確認や発表への感想など、浅い質問やコメントから始まり、次第に内容に関わる深い質問や発表の本質に関わる深いコメントができるようになります。上級生になれば、自然にそうした深い質問やコメントができるようになりますので、まずは焦らず目の前の議論の理解に集中していて問題ありません。

5.1.6　上級生や指導教員の心得

Q　ゼミのなかで、先輩として、下級生にどのようなコメントをすればよいですか。

A　過去の自分を思いだして、そのときにほしかったコメントをイメージすることです。

上級生になると、質問することやコメントすることに抵抗は下がり、ゼミのなかで自然に発言ができるようになります。しかし、そこに落とし穴があります。コメントがきつい、コメントが理解できない、コメントが役に立たないなどと、後輩に陰で言われるおそれがあるからです。後輩に評価されない痛い先輩というのは、ゼミのなかで浮いた存在になってしまい、立場上つらいものです。

指導教員もじつは同じ状況に置かれています。教員のコメントがわかりにくいのは、教員のレベルが高かったり院生の知識が足りなかったりするからではなく、教員の説明が下手だからだということもあります。また、院生のなかには、一を聞いて十を知るような聡明な院生もいれば、言っても言ってもなかなか理解してくれない院生もいて、聡明な院生を基準にして、つい上から目線の言い方をしてしまって院生を傷つけてしまうこともあります。

こうしたことを避けるには、**理解力がなかった院生当時の自分の姿を思いだし、そこに重ねてみる**ことです。そうすれば、後輩や教え子の院生の気持ちに少しでも歩み寄ることができるでしょう。

修士課程に入りたての院生にコメントをするときに大事なのは、**相手の力量と成長のプロセスを考えて、コメントを厳選する**ことです。体系的な知識を持っていない相手に、一から十までその場で説明して理解してもらうことは不可能です。また、分析の流れを十分に把握していない相手に、分析の細かい注意点を説明しても、その場で頭に入れてもらうことは期待できません。大学院で学ぶ専門的な知識や高度な分析技術は一朝一夕で身につくものではなく、順を追って段階的に徐々に身につけていくものだからです。自分の知っていることをすべて伝えても、修士課程に入りたての院生が消化することはできません。このため、**相手の成長過程と修士論文の執筆スケジュールを考え、今回はどこまで理解してもらえばOKかを見極め、どこまで伝えるかを判断する**のが賢明です。上級生や教員のコメントでは、何を言うのかではなく、どこまで言うのか、あえて言わないのかが重要です。発表者にコメントをすることは、次回までの宿題を出すようなものだと考えるとよいでしょう。多岐にわたる問題点に気づいていても、相手の力量を考えて、「今日の宿題はここまで」として、最低限伝えるべきことを厳選し、一歩一歩段階を踏んでもらうという戦略的なコメント姿勢が肝要です。

コラム6　研究の思考法の育て方

ゼミというのは研究を創りだす場で、参加者との対話が行われる点に特徴があります。

私たちは研究内容を自分一人で考えているとかならず行き詰まります。しかし、研究を言葉にして自分の目にも他者の目にも明らかにすることで、その言葉を起点としたたくさんの声が聞こえるようになります。その声に耳を傾け、その声と対話をしていくうちに、研究が次第に明確な形を取っていくようになります。そして、その声を最終的に自分のうちなる声として吸収していくことで、私たちは研究者として成長することができるのです。

外言が内言に先行すると考えたのが、20世紀の早い時期に活躍したロシアの心理学者ヴィゴツキーです（ヴィゴツキー 2001）。ヴィゴツキーは、思考は言語によって媒介される行為であると考え、子どもの発達段階では「他者と話すための言葉」である外言が先に生じ、その痕跡が「考えるための言葉」である内言に転化すると考えました。幼児は当初、自分の考えていることをすべて他者に話してしまいますが、次第にそれを他者に話すことなく、自分の心のなかで考えられるようになります。言語が司る思考はそのようにして形成されるわけです。つまり、思考とは対話であり、他者との対話のなかで対話の方法を身につけ、それを自己との対話に転化させていきます。

研究における思考も同じ過程をたどります。大学院に入りたての人は、まず、研究をめぐる他者同士の対話のシャワーを浴びます。つぎに、その対話の方法をまねながら自分でも他者と研究の対話ができるようになります。そして、そうした他者との対話の方法を、自分の頭のなかで行う自己との対話の方法へと転化し、研究特有の論理的思考ができるようになるのです。

5.1.7　ゼミ運営の方法

Q　ゼミはどのように行われますか。

A　ゼミによってさまざまです。そのため、それぞれのゼミの流儀を観察し、見よう見まねで学んでいく必要があります。

研究室に所属するメンバーは、研究の家族のような存在です。ゼミは、研究の家族が集う夕食の食卓のような場であり、そこでどんな会話が交わされるかは家族によって異なります。また、自分以外の家庭の食卓で、どのような会話が交わされているかも、他の家族の話を聞かないかぎり、わからないのがふつうです。つまり、**ゼミのやり方はゼミの数だけ存在し**、その中身はいわばブラックボックス化しています。私は、私自身が経験した食卓しか知りませんので、ここでは私自身が関わった食卓をご紹介することにします。

私自身が大学院生だったのは 1993 年から 1999 年まで、修士課程も博士課程も早稲田大学大学院文学研究科日本語日本文化専攻でした。指導教員は中村明という文体・レトリックを専門とされている先生で、井伏鱒二、武者小路実篤、小林秀雄、大岡昇平、吉行淳之介といった文豪の訪問記録である『作家の文体』(筑摩書房) を 1977 年に刊行、2010 年に出版した『日本語語感の辞典』(岩波書店) で一世を風靡した方です (中村 2020)。1935 年の生まれで、私が第 3 期生ですから、50 代も半ばすぎから大学院を担当された計算になります。

しかし、中村先生はその年齢にもかかわらず、たいへんタフな先生で、中村ゼミはエンドレスで続くのが特徴でした。授業時間は 1 時間半が基本だったはずなのですが、3 時間続くのはふつうで、ときには 4 時間、5 時間と続くこともありました。発表者はたしか 2 名だったように記憶していますが、ともかくレジュメの隅から隅まで読み、徹底的に議論するゼミという印象でした。

徹底的に議論すると言っても、中村ゼミには暗黙のルールがありました。それはゼミでの発言の順番と内容です。発言には暗黙のルールがあり、まず、修士課程の新入生や研究生が最初に簡単な質問をし、その後、修士課程の2年生や博士課程に入りたての大学院生がより深い質問や簡単なコメントをする。そして、ゼミの上級生が多様な角度から納得が行くまでコメントやダメ出しをし、最後に中村先生がそれまでの議論を俯瞰し、大局的な見地からコメントをする、という流れになっていました。

また、ゼミの先輩によるコメントの内容はかなり厳しいものもあり、なぜそこまで言われなければならないのか、泣きたくなるときもありました。しかし、批判のための批判はなく、発表者が傷つかないようにする配慮のあるコメントがなされていました。それはおそらく、ゼミを取り仕切っていた中村先生の個性もあったのでしょう。中村先生は物言いがとても柔らかい先生で、コメントの内容は核心を突く厳しいものであっても、できるだけ丁寧にコメントするように心がけていました。その結果、コメントが婉曲的で、わかりにくいこともしばしばで、ゼミのあとに「中村先生の今日の間接表現を検討する会」がひそかに開催されたほどです。中村ゼミには、私自身が就職し、学生でなくなった後も出席を続け、中村先生がご定年になる2006年3月までの13年間参加し、その経験が私自身のゼミ運営にも生かされています。

現在、指導教員としてゼミを仕切っているどんな先生も、大学院に入りたての時代があり、初めてゼミに参加したときはそこで議論されている内容についていけず、大きな戸惑いを感じつつ、肩身を狭くしてその末席を占めていたはずです。

アメリカの社会人類学者J・レイヴと、スイスの教育理論家・実践家E・ウェンガーが90年代に提唱した正統的周辺参加の考え方によれば（レイヴ&ウェンガー 1993）、学習とは、実践共同体において中核的な役割を担う熟練者に成長していくアイデンティティの形成過程であり、その最初の段階に、**正統的周辺参加と呼ばれる見よう見まねの段階**があると考えられています。職人の世界では、新入りがいきなり現場に入り、最初は先輩に怒られながら見よう見まねで基本的な作業を行い、失敗を繰り返しながら先輩のアドバイスをもとに改善を重ね、より重要な作業を任され、一歩一歩職人としての技量を身につけ、一人前の職人になっていきます。それと同様に研究の世界でも、ゼミが実践共同体、すなわち研究の現場であり、研究者の卵である院生が修士課程に入学すると、見よう見まねで先輩たちの発言から研究に必要な考え方やスキルを学び、失敗を繰り返しながら先輩のアドバイスをもとに改善を重ね、より高度な役割を担い、一歩一歩研究者としての階段を上り、一人前の研究者に育っていくわけです。

こうして考えると、大学院における学びとは、研究者の卵がゼミという場に参加し、一人前の研究者になるための考え方やスキルを段階的に身につけていくことと見ることができるでしょうが、さらに一歩進めて、**研究者の卵がゼミという研究の実践共同体に参加し、そこにアイデンティティを置いて中核的な役割を果たすようになる過程それ自体**と見ることもできるでしょう（黄 2016）。

研究という活動は、研究者個人が優れた思考法やスキルを独力で身につけ、それを生かした研究成果を発表し、大学等のしかるべきポストを占めていく個人的な活動と捉えられがちですが、正統的周辺参加の考え方に従えば、研究者が学会に参加し、そこで切磋琢磨するなかで互いに成長してそれぞれの研究成果を洗練させ、実践共同体としての学会の中核的な役割を担い、その分野の研究活動を活性化させていく社会的活動と見ることもできます。

研究という営みが個人プレイか、チームプレイかは人によって考え方が異なるでしょうが、私自身は、**現代的な研究は基本的にチームで行う共同研究が基本**であり、そうした**共同研究の方法を学んでいく場がゼミである**と考えています。その点で、ゼミの役割は一昔前よりもその重要度が増しており、大学院で学ぶことの第一の意義は、ゼミという実践共同体に正統的周辺参加、すなわち正規のメンバーとして見よう見まねの参加が認められ、そこで成長の機会が与えられることなのです。

5.1.8　ゼミの議論の質

Q　ゼミの議論の質を高めるためにはどうしたらよいですか。

A　コメントを増やすこと、個々のコメントの質を高めること、集中力を高めることです。

ここからしばらくはゼミを運営する教師目線で、ゼミの活動を考えていきたいと思います。

私自身が一橋大学大学院言語社会研究科でゼミを担当するようになったのが2005年の4月ですから、そこから2021年3月末まででまる16年間、指導を続けてきたことになります。当初は私を指導教員とする院生は1名だけでしたが、現在では毎年修了生など、外部の関係者も含めて常時20名前後の出席者のあるゼミに成長しています。

私はゼミを**「発表者の研究について参加者全員で対話をしながら考え育てていく場」**と考えています。いわばゼミは発表者の研究について考える一つの大きな頭脳であり、その大きな頭脳は参加者のコメントによって成り立っています。その頭脳の働きを高めることは、ゼミの議論の質を高めることであり、そのためにはメンバーのコメントの働きが重要です。コメントの量は多く、バリエーションは豊富であることが望ましい一方、コメントの質は高く、十分に洗練されたものであることが望まれます。それにくわえて、メンバー一人ひとりの時間は貴重なものですので、拘束時間は短いほうが望ましく、議論自体はできるだけ短時間で効率よく行われることが求められます。まとめると、次のようになります。

石黒ゼミの運営方針

(1) コメントを増やす
(2) コメントの質を高める
(3) 集中力を高める

以降では、(1)「コメントを増やす」、(2)「コメントの質を高める」、(3)「集中力を高める」のそれぞれについて見ていくことにします。

5.1.9　コメントを増やす

Q　コメントを増やすにはどうしたらよいですか。

A　グループのサイズを小さくすること、発表者の説明時間を減らすこと、特定の参加者が話しすぎないようにすることです。

まず、(1)「コメントを増やす」から考えます。参加者からのコメントを増やすために大事なのは、①**「グループを小分けにする」**ことです。私のゼミでは20名前後の出席者がいるので、7名前後の三つのグループに分けています。グループの人数が多いと、コメントをせずに済ます人が出てきてしまいますが、人数が少ないグループでは自然と1人1回は何らかのコメントをするようになります。

発表者は3名で、三つのグループで30〜40分の発表を合計3回行います。つまり、1時間半〜2時間の授業時間のなかで、**発表者は参加者のコメントをもらうために三つのグループを渡り歩く**のです。一つの発表にたいし1人の参加者が平均5分のコメントをしたとすると、発表者は三つのグループの参加者と18名前後×平均5分＝約90分の濃密なコメントのやりとりができるわけです。

つぎに、参加者からのコメントをたくさん集める方法として重要なのが、②**「発表者の説明時間を減らす」**ことです。発表者が発表内容について説明してしまうと、それだけ参加者からのコメントを受ける時間が減ってしまいます。ですから、後述するように、私のゼミでは**発表者が事前に参加者に当日の発表資料を渡し、事前に参加者が目を通してくる**という反転授業のスタイルを取っています。これにより、発表者の説明はきわめて短時間で済み、その貴重な時間を議論に充てられるようになるわけです。

さらに、参加者からのコメントの多様性を保障するには、③**「特定の参加者が話しすぎないようにする」**ことが大事です。ゼミでは上級生になればなるほど長くコメントをしがちです。上級生になれば研究の知識も経験も増えてくるので、コメントが増えるのは自然なことではありますし、当を得たコメントも多いのですが、一人の人ができるコメントの幅には限度がありますので、しばしば毎回同じパターンのコメントになりがちで、結果として参加者の学びを妨げることになります。**多数の参加者の多様な観点からの指摘が得られることが**

ゼミの醍醐味であり、研究改善にもつながりますので、司会者を置き、一人の人ができるだけ長く話さないようにバランスを取らせるのも一つの工夫です。

一人の参加者でもっともコメントが長くなりがちなのは、じつは指導教員です。教員は司会者を超えて発言権を持つことができますし、参加者も教員の言葉には耳を傾けざるをえないので、教員はつい調子に乗って長く話しがちです。しかし、教員の長話がゼミの参加者の自発的な成長の芽を摘んでしまうことへの配慮が必要です。自戒を込めてですが、指導教員が長く話すゼミは建設的なゼミではありません。**理想のゼミは、教員がいなくても先輩が後輩を指導するゼミ**であり、そうした伝統ができるように教員はゼミを育てていく必要があります。その意味で、教員が長く話しすぎるゼミ、教員の発言が絶対化しやすいゼミは、ゼミの運営上、黄色信号が点っていると考えてよいでしょう。

コメントを増やすのに必要なこと

①グループを小分けにする

②発表者の説明時間を減らす

③特定の参加者（教員や先輩）が話しすぎないようにする

5.1.10　コメントの質を高める

Q 個々のコメントの質を高めるにはどうしたらよいですか。

A グループ分けのバランスを取ること、厳しくも温かいコメントを心がけること、発表資料を事前に読みこんでくることです。

つぎに、(2)「コメントの質を高める」を考えます。結論から先に示してしまうと、ゼミでのコメントの質を高めるのに必要なことは次の三つです。

コメントの質を高めるのに必要なこと

④グループ分けのバランスを取る

⑤厳しくも温かいコメントを心がける

⑥事前に発表資料を読みこんでくる

以下では、この④〜⑥の順に見ていきます。まず、コメントの質を高めるうえで重要なことの一つ目、**④「グループ分けのバランスを取る」**ことから考えましょう。すでに述べたとおり、私自身はゼミを三つのグループに分けて運営していますが、そのグループ分けをするさい、「できるだけ異なる属性のメンバーが入るようにする」「できるだけ異なる専門のメンバーが入るようにする」「できるだけ毎回のメンバーが替わるようにする」の三つを心がけています。

「できるだけ異なる属性のメンバーが入るようにする」のは、そのほうがメンバーの役割がかぶらないからです。後輩としての質問、同級生からの励まし、すぐ上の先輩からの体験談、かなり上の先輩からの本質をつくコメント、指導教員からの大所高所からのコメントのように、**それぞれの研究者としてのステージに応じて、発言がそれぞれ異なります。**そうした多様性はグループの話し合いを活性化させるでしょう。

「できるだけ異なる専門のメンバーが入るようにする」というのも、多様性を保障する一つの方策です。発表者と似た専門分野の人だけで議論をすると、議論は深まるのですが、かなり偏った議論になりがちです。これにたいして、発表者と異なる専門分野の人たちだけで議論をすると、議論は広がるのですが、深まりは見せません。しかし、両者が交じると、深まりと広がりが生まれ、参加者同士の学びにもつながります。専門分野が近い者同士の議論から、その分野の最先端の研究状況も学べますし、**専門分野の異なる者同士の議論から、専門家同士では気づきにくい別の角度からの思わぬ指摘が得られる**こともあるでしょう。

「できるだけ毎回のメンバーが替わるようにする」というのも、議論をマンネリ化させない一つの方策です。いつものメンバーでよいこともありますが、**ゼミでの議論は化学反応であり、少しメンバーが替わるだけでも議論はまったく異なる方向に展開していく**ものです。議論に刺激を与える意味でも、授業ごとにメンバーの入れ替えを心がけたほうがよいでしょう。

要は、「コメントの質を高める」には**グループには多様性を持たせることが重要**ということに尽きます。そのための異なる方策として、**ゲストを招く**というのも有効です。私のゼミは、OB・OGの参加も認めていますし、訪問研究者が顔を出すこともあります。他大学の院生が、指導教員の許可を得たうえで参加することもあります。そのような背景の多様性が、議論の多様性をもたらし、研究にたいする新しい着想を外から運んできてくれます。**他者との交流がゼミの醍醐味**です。

グループ分けのバランス

- できるだけ異なる属性のメンバーが入るようにする
- できるだけ異なる専門のメンバーが入るようにする
- できるだけ毎回のメンバーが替わるようにする

つぎに、(2)「コメントの質を高める」うえで重要な二つ目、**⑤「厳しくも温かいコメントを心がける」**ことについて検討します。

ゼミにおける参加者が絶対にやってはいけない行為があります。それは、**「発表者を潰す」**行為です。もちろん、ゼミは仲良しクラブではなく、あくまで発表者の研究を改善する場ですので、批判的なコメントは必要ですし、明らかにレベルの低い発表の場合、「発表を潰す」ことは必要です。指導教員として私自身、だいたい修士の段階でかならず一度は発表者の発表を潰します。研究テーマ、研究計画、データの収集、データの分析、データの解釈のすべての段階で問題なく研究を進められる修士課程の学生はいないからです。

しかし、**「発表を潰す」ことと「発表者を潰す」ことは違います**。「発表を潰す」ことは研究内容の問題点を指摘して改善を要求することなのにたいし、「発表者を潰す」ことは研究内容を生みだした研究者自身を否定することです。それは、先輩はもちろん、指導教員であってもやってはいけない行為です。「あなたは研究に向いていない」ということを学生に向かって言う指導教員がまれにいますが、それは教育倫理違反です。指導教員は研究の神的存在ではなく、一人の研究者にすぎません。もちろん、学生を見ていて、この人は研究に向いていないと感じることはあるでしょうが、それは学生自身が自分で向きあう問題です。指導教員の見方は一面にすぎず、研究という多面的な能力を評価することはできません。研究は日進月歩であり、あるスタイルで一世を風靡した研究者も、10年後には時代遅れになる世界です。したがって、指導教員や先輩が研究内容にたいして厳しい指摘をすることは許されますが、**発表者の研究能力を否定するような言動はアカハラにつながりかねず、厳に慎むべき**でしょう。

とはいえ、「発表を潰す」ことと「発表者を潰す」ことは紙一重です。参加者が研究内容にコメントしたつもりでも、発表者が傷つくことは当然あります。そこで、**否定的なコメントをするときは、できるかぎり傷が浅くなるようにコメントする心構えが必須**です。自分の理解が浅かったり見方が一面的であったりする可能性を断り、なぜダメだと判断したのか明確な根拠を示し、どうすれば改善できるのかという代案も示すこと。この三つを心がければ、建設的なコメントとして発表者に伝わります。

研究内容にダメ出しをするときに必要な心構え

・自分の考えが浅いことを断る
・ダメ出しした根拠を明示する
・改善のための代案を示す

最後に、(2)「コメントの質を高める」うえで重要な三つ目、⑥**「事前に発表資料を読みこんでくる」**ことについて考えてみましょう。私のゼミでは、すでに述べたように反転授業のようなスタイルを取っています。つまり、**ゼミの開催日の3～4日前にはメーリングリストに発表資料を送り、それを読んでゼミに臨む**ことが前提となっています。そうすることで、発表者の説明時間を減らすことができるだけでなく、参加者が発表の内容について事前に調べてきて、事実関係のおかしいところ、引用の不適切なところ、分析方法の甘いところなどを、根拠とともに指摘したり、より適切な改善法を提案したりできるようなしくみにしています。新入生や留学生の場合、発表資料が当日配布されてもそれを追うのに精一杯で、議論に参加できないこともありますので、その意味でも余裕を持って発表資料を入手することは必要だと考えています。

5.1.11　集中力を高める

Q　発表にたいする集中力を高めるにはどうしたらよいですか。

A　時間管理を徹底すること、ゼミに主体的に関わること、事後のケアをしっかり行うことです。

最後に、(3)「集中力を高める」を考えます。発表にたいする集中力を高めるのに必要なことは、次の三つです。

集中力を高めるのに必要なこと

⑦時間管理を徹底する
⑧ゼミに主体的に関わる
⑨事後のケアをしっかり行う

すでにお示ししたように中村明先生のゼミはエンドレスだったのですが、私のほうはそこまで集中力が続かないので、**⑦「時間管理を徹底する」**ように努めています。**発表資料を事前に共有**し、発表者の説明時間を減らしたり参加者のコメントの事前準備を促したりするのも、短時間で密度の濃い議論をするための一つの工夫です。また、司会者を設け、**司会者に時間管理をさせる**のも集中力を高めるのに一役買っています。発表者は緊張しており、必要以上に話しすぎてしまうものです。最初の説明時間を短くするのはもちろん、質問やコメントにたいする応答も短くなるように司会者は心がける必要があります。極論すれば、発表者は質問やコメントに答えなくてもよいのです。論文のなかで答えれば済むことだからです。言い訳のような内容を長々と答える時間があるのなら、そのかわりに質問やコメントをたくさんもらったほうが、発表者の研究内容改善につながります。

時間が限られると、参加者はコメントの優先順位を考え、重要度の高いコメントに限定するようになりますし、要点を端的に伝えられるように発言を調整するようにもなります。また、誰かのコメントが出たとき、「今のコメントに関連した質問ですが」のように、別の参加者のコメントと関連づけて話そうとしますので、議論が有機的に展開します。

⑧「ゼミに主体的に関わる」というのも、集中力を高めるうえで重要な点です。参加者がゼミを休むことは原則として認められません。休むことを安易に認めてしまうと、「休んでもよい」という意識が参加者間で共有され、それがゼミ全体に少しずつ浸透していきます。もちろん、自身の体調や家庭の事情などで休まざるをえないことはありますが、**何よりもゼミを優先する**姿勢がないと、ゼミの空気が緩んできてしまいます。

また、ゼミに参加する以上、そこではお客さんになっては意味がありません。質問やコメントがあれば、どんどん出していこうとする姿勢が必要です。そのさい、大事なのは、**何でも言いあえる雰囲気**です。「こんなこと知らないと思われたくない」「上級生にもなって恥ずかしいコメントはできない」などと参加者が自己抑制をしてしまうと、ゼミの議論が萎縮してしまいます。

この点で参考になるのが、Google 社が労働生産性向上のために 2012 年に始めた調査「アリストテレス・プロジェクト（Project Aristotle）」です（The Google re: Work team 2015）。アリストテレス・プロジェクトにおいて、「Google 社でチームの生産性を高めているものは何か（What makes a team effective at Google?）」を突きつめていったところ、チームが高い成果を上げるのに重要なのは、そのチームに誰がいるかというチームのメンバーではなく、チームが共同して作業をするときのチームワークであることが明らかになりました。なかでももっとも重要なのは、**このメンバーのまえでは何を言っても大丈夫というチームの雰囲気**で、**「心理的安全性」**（psychological safety）と呼ばれます。この「心理的安全性」を備えたチームのなかでは、「誰かがミスを認めたり質問をしたり新しいアイデアを口にしたりすることを、他の誰かが恥ずかしいと思わせたりとがめたりすることはないとメンバーは確信し（They feel confident that no one on the team will embarrass or punish anyone else for admitting a mistake, asking a question, or offering a new idea.）」、安心して自由に発言でき、それによって活発な議論が交わされ、生産性が向上するとされています。

幸い、私の運営するゼミも、「心理的安全性」は高そうです。指導教員である私が知らないことは知らないとはっきり言い、恥ずかしいコメントも平気でするからでしょう。そうすると、ゼミ全体が「指導教員でもこのレベルなんだから、こんなことでも聞いてかまわないんだ」という雰囲気になります。指導教員の勉強不足はけっしてほめられたものではありませんが、これだけ専門が細分化され、情報過多になってきている日進月歩の時代ですから、知らないことはどんどん聞いてよいと思います。その質問にたいし、隣に座っている人が「聞いてくれてありがとう。じつは自分も知らなかった」と思っているかもしれないのです。

すでに述べたように、ゼミのなかでの主役は学生であり、先輩が後輩を指導するゼミが理想だと私は考えていますので、私自身は控えめにコメントし、⑨

「事後のケアをしっかり行う」ことを心がけています。ゼミが終わった直後、発表者は参加者からあまりにもたくさんのコメントをもらい、呆然としていることがあります。もし、すべてのコメントを消化し、自分の研究に反映させようとしたら、発表者が潰れてしまいます。指導教員の役割はさらにコメントを加えることではなく、むしろ**発表者自身にゼミの場でもらったコメントを整理させ、不要なコメントを捨てさせる**ことです。また、採用したコメントについては、限られた時間のなかでどのコメントを優先するかを考えさせることです。上級生になっていけば、発表者は自然とコメントの価値を見る目ができてきますが、修士の段階では指導教員がサポートするほうが確実です。また、学生は、ゼミの場でもらったたくさんのコメントの整理に困っているのであれば、遠慮なく指導教員に相談に行くべきです。

5.1.12　ゼミ運営法の最適解

Q　ゼミ運営の方法に正解はありますか。

A　正解はありません。あるのは最適解だけで、多様な方法が試みられてよいものです。ただし、ゼミである以上、対話の生まれるしかけは必要になります。

ここまで、私自身が担当するゼミの運営方法について述べてきました。ただ、注意していただきたいのは、ここで紹介したゼミのやり方はほんの一例に過ぎないということです。ゼミの進め方は多様であり、優れた方法がほかにもたくさん存在します。

たとえば、私がかつて参加していた中村ゼミのエンドレスの議論は、私のゼミのような時間制限のあるものとは異なる魅力を持っており、とことんまで議論するという過程のなかで、気づかされることがいくつもありました。最終的に体力がある人が勝つということもありましたが、研究を遂行するうえで長時間の議論に負けないぐらいの体力は必要です。

昨今は効率のよい議論が求められ、スムーズな意志決定が尊ばれますが、**ゼミの議論で効率を重視すると、ほんとうに大切なものを見失ってしまいます。それは、異なる立場の人を粘り強く説得しようとする姿勢、異なる立場の人の**

考え方を理解し歩み寄ろうとする姿勢です。対話とは、異なる立場の者どうしが相互に歩み寄り、相互理解を深める議論です。相互の歩み寄りが見られない議論は、もはや対話ではなく、ディベートや単なる情報交換にすぎません。

対話というのは面倒くさいものです。会議に出た経験のある方は、対話の面倒くささに辟易することがあるでしょう。いつも決まった質問をして会議を長引かせる人、いつも同じ意見を述べて譲らない人がいるからです。そうした面倒くさい人が空気を読んで適当に妥協し、早く会議を終わらせてくれないかなと思う人は少なくないはずです。

しかし、**会議というのは意志決定を遅らせる仕組みで、面倒くさいところに意義がある**のです。議論を尽くさずに何でもスムーズに決めてしまう国会が民主主義を劣化させるように、意見を衝突させずに表面的な情報のやりとりだけで進行されるゼミは研究の質を劣化させてしまいます。なかなか理解してくれない人、いちいち反論してくる人がいるから、嫌でも説明や説得の仕方を考える必要が生じ、ゼミの議論が広がり、深まるのです。

したがって、ゼミの議論では、**発表者の発表内容を厳しくチェックし、そのまま進ませないしかけ**が必要になります。たとえば、発表者の発表資料を細かく読んで、そこに書かれている表現を一つひとつ丁寧に吟味し、それが妥当なものかどうか批判的に確認し、それが終わるまでゼミが終わらない、そんなゼミの話を聞いたことがあります。つまり、ゼミには、与党が出してきた法案を通したくない野党のような目が必要で、議論の過程で、野党が「これならこの法案を通しても仕方がない」と思えるぐらいの修正が見こめればよいわけです。そこまで育った研究は、きっとどこに出しても恥ずかしくない研究になっているにちがいありません。

ゼミ運営法に正解はないと申しました。しかし、不正解は存在します。ここまでお読みいただければわかるように、それは対話のないゼミです。発言がほとんどなく、無言の時間が続くゼミ、指導教員がひたすら話しつづける一方通行のゼミ、思いやりに欠けるコメントが飛び交うゼミ、そもそも人数が少なくて対話が難しいゼミなど、自分の所属ゼミを顧みて現実は厳しいと感じる読者もきっといることでしょう。しかし、そうしたゼミの雰囲気を変えることもまた対話から始まります。

ゼミには正解はなく、構成員の個性の調和によって生まれる最適解しかありません。最適解を実現するには、粘り強い対話が不可欠で、そのためにも対話が生まれるしかけが重要になるのです。

5.1.13　もらったコメントの取捨選択

Q　ゼミ発表時にもらったコメントは、どのように取捨選択をすればよいですか。

A　不勉強や誤解に基づくコメント、思慮不足で評論家然としたコメントは切り捨てる一方、豊富な知識や正確な理解に基づく、思慮深い、代案を伴うコメントは積極的に採用する必要があります。

山のようにもらったコメントは、指導教員に相談しながら整理するのがよいと書きましたが、自分でできるにこしたことはありません。ここでは、**ゼミでもらったコメントの価値を見極める方法**を考えてみましょう。

コメントをもらった場合、第一に考えるのは取捨選択です。そのさいの重要な判断基準は、そのコメントが適切かどうかです。適切なコメントは、それに基づいて修正すると研究の改善に結びつくコメント、不適切なコメントは、その反対に、修正すると研究の価値をかえって損ねるコメントです。ここではまず、**不適切なコメントを見抜き、それを切り捨てる方法**を考えます。

不適切なコメントで目立つのは、**不勉強に由来するコメント**です。発表者が使っている適切な専門語や適切な研究方法を、コメント者がよく知らずに常識的な感覚で否定してしまうケース、発表者が適切な調査の結果指摘した現象を、コメント者の想像力不足で否定してしまうケースをしばしば見受けます。コメントはその当否を確かめてからする慎重さが必要であり、そうした慎重さを欠いたコメントに耳を貸す必要はありません。

また、不適切なコメントでありがちなのは、**誤解によるコメント**です。注意深く読めば理解できることでも、コメント者の思いこみが勝って否定してしまったり、注意深く読めば気づくことでも、書いてあることを読み落としたりして正確な理解にたどり着けず、不適切なコメントになることがあります。誤解によるコメントを真に受けてしまうと、適切に行った発表者自身の調査を否定することになりかねませんので、コメント者の誤解をつねに疑い、誤解によるコメントであると判明すれば、ばっさり切り捨ててかまいません。もちろん、**発表者の説明不足や不適当な記述が誤解を招いた可能性もあります**ので、自分自身の記述も合わせて疑い、発表内容を再考する必要が生じる場合もあるでしょう。

さらに、不適切なコメントでありがちなのは、**思慮不足のコメント**です。コメント者はしばしば深く考えることなく、その場の思いつきを口にします。しかし、その場の思いつきは先を見通して考えたコメントではありませんので、それに振り回されると、すぐに行き詰まります。また、一面的な見方のコメントにも注意が必要です。一面的な見方は、ある学問的な立場からすればかならずしも間違ってはいないのですが、その一面的なコメントを信用すると、バランスを欠いた判断に至ります。ある立場では認められないことでも、別の立場では認められることがあるのです。慎重なコメント者は、そうした一面的な判断に至らないよう、複数の学問的な立場を考慮し、比較検討して穏当な提案をします。また、ある立場ではOKでも別の立場ではNGになる可能性があると場合分けを示すこともあります。こうしたコメント者のコメントは傾聴に値します。

もう一つだけ、不適切なコメントの特徴を挙げるならば、**評論家然としたコメント**です。指摘自体はたしかに間違っていないのですが、単なるダメ出しに留まっており、**ではどう改善すればよいのかという代案が示されていないコメント**は対応しようがありません。もちろん、自分で代案が考えられるのであれば、切り捨てず、そのコメントを生かせばよいのですが、多くの場合、原理的な指摘のもと、あるべき姿が語られるだけで、実質的な解決策を伴いません。そうしたコメントは心に留めつつも、スルーするしかありません。

以上の不適切なコメントを反面教師とし、**豊富な知識を持ち、正確な理解に基づく、思慮深い、代案を伴うコメント**であれば、適切なコメントですので、採用の候補になるでしょう。

価値の低いコメント

- 不勉強に基づくコメント…常識的感覚や想像力不足
- 誤解に基づくコメント…思いこみや読み落とし
- 思慮不足のコメント…その場の思いつきや一面的な見方
- 評論家然としたコメント…代案のない原理的なコメント

なお、一つ注意しておきたいのは、コメントの価値を判断する場合に大事なことは、**「誰が」言ったかではなく、「何を」言ったか**です。指導教員や経験豊富な先輩のコメントが優れたものであることが多いのは事実ですが、そうした目上の人たちのコメントがつねに的を射ていて、同級生や後輩のコメントがつねに的外れなわけではありません。いつもは鋭い先輩がよく考えずにコメントすることもあれば、ふだんは冴えない後輩がその日に限って鋭いコメントをすることもあります。私たちは情報を取り入れる場合、何を言ったかよりも誰が言ったかを重視してしまいがちですが、研究という営みにおいて大事なのは、「誰が」ではなく「何を」です。**そのコメントが自分の研究の問題点を鋭く突いているかどうか、また、その問題点を大きく改善する可能性を秘めているかどうか、属人的に判断せず、内容に基づいて判断する**姿勢が必要です。

5.1.14　もらったコメントの優先順位

Q　ゼミ発表時にもらったコメントは、どのような優先順位をつければよいですか。

A　修正負担の軽いものは高く、修正負担の重いものは低くなりますが、修正負担の重いものでも、緊急度の高いものは優先順位を高くして対応します。

適切なコメントか、不適切なコメントかで取捨選択が済んだら、次は優先順位を考えます。発表者には、時間的制約、状況的制約、能力的制約等があり、コメントの内容を自分自身の研究にすべて反映できるわけではありません。そのため、**実現可能性**の観点からコメントを仕分け、現時点でどのコメントを自分の研究に反映させるかを考えます。

まず、表現上の修正や数値の誤りなど、表面的なコメントは修正の負担が少ないので、すぐに反映させられます。レイアウトや引用文献の示し方など、見せ方に関わるコメントも対応可能でしょう。

一方、研究の根幹に関わる大きな修正を求めるコメントは、そのコメントの**緊急度と残された時間の計算で考える**しかありません。一般論で言えば、修士1年や博士1年のとくに前半には、大きな修正にも対応可能ですし、対応したほうがよいと思います。研究テーマ、研究課題、調査方法といった研究設計に関わる大きな修正を行っても、十分な時間があり、リカバリーが可能だからです。また、その段階では、自分自身の研究内容について十分な検討が済んでおらず、研究設計自体に検討を要する場合が多いということもあります。かけ違ったボタンは、一つ目であれば外して、正しい位置にはめ直すことはさほど難しくなく、**大きな修正は傷が浅い段階で手を入れたほうがよい**でしょう。

これにたいし、修士２年や博士３年など、学年が進んでくると、その時点で大きな修正をかけると、学位論文の提出が期限に間に合わないという深刻な問題が出てきます。そうした場合は、**大きな修正は今後の課題として後回しにし、小幅な修正に留める**のが基本です。かけ違ったボタンは、最後の一つになってから直すと、そこから一旦すべてのボタンを外し、最初からはめ直さなければならず、労力が甚大だからです。ボタンを外さないで済むなら、おしゃれに着くずしてボタンのかけ違いを目立たないようにしたり、上に別の服を着てかけ違った部分を隠したりするなどして、上手にごまかしてしまうほうが賢明でしょう。

しかし、たとえ時間がかかっても、提出期限を先送りしてでも、ボタンをすべて外して、ゼロから修正したほうがよい場合もあります。それは、**研究設計に致命的な問題があり、学位取得ができないと見こまれる場合**です。どんな研究にもかならず小さな問題はいくつも隠れているもので、問題点をすべて直そうなどと思う必要はありません。しかし、致命的な問題の場合、ごまかしきれるものでもありませんし、ごまかしてよいものでもありません。残念ながら、ボタンのかけ違いは最後の一つになってから気づくことが多いものです。致命的な問題の所在が明らかになった場合は、修業年限を延ばす覚悟を決める必要があります。

逆に言えば、そうなるまえに早めに気づけば、傷の浅い段階で修正ができるはずです。研究を進める発表者本人も、自分の研究設計に致命的な問題がないか、つねに確認しながら慎重に研究を進める必要がある一方、研究をサポートする指導教員やゼミの仲間も、早い段階でその発表者の致命的な問題にできるだけ早く気づいて指摘ができるよう、ゼミ全体で注意して見守ってあげる心がけが大切です。

以上のように、適切なコメントを自分の研究に反映させる優先順位は、修正負担の軽いものは高く、修正負担の重いものは低くなりますが、修正負担の重いものでも、**学位取得に影響を与える緊急度の高いものは優先順位を高くせざるをえません。**負担の重い修正に着手する場合、修士課程・博士課程の学年の若いうちは積極的に着手したほうがよく、修士課程・博士課程の高学年に至った段階ではなるべく避けたほうが賢明ですが、修正の緊急度が高い場合は学位取得に関わりますので、修業年限を延ばしてでも手を入れざるをえません。そのあたりの判断は微妙ですので、指導教員に進め方を相談したほうがよいと思われます。

5.1.15　発表資料の作り方（研究生・新入生）

Q　修士課程に入学して初めてのゼミでの発表です。発表資料はどのように作ったらよいですか。

A　箇条書きにし、研究計画のポイントだけを書くとよいでしょう。

修士課程に入って初めての発表は緊張するものです。人によっては研究生を経験していますが、修士課程に入るまえの発表も同じように緊張するでしょう。

研究生や新入生はそもそも研究テーマを選ぶ時点で迷っていますから、どのような研究テーマを選ぶか、また、その研究テーマを選んだ場合、どのような研究計画で臨むのかを参加者に確認してもらうことになります。

修士課程の入試では研究計画書を作り、それに基づいて研究計画の説明をし、入学していますが、**入学後、自分がもともと持っていた研究テーマで予定どおり研究を進める学生はほとんどいません。**まったく別のテーマに変える学生もいますし、そこまで大きく変えなくても、研究テーマを微調整するのがふつうです。変わることを恥ずかしがる必要はありません。もし変わらなくて済むのであれば、自分一人で研究が進められたはずで、そもそも大学院で学ぶ必要はなかったはずです。研究経験豊富な人が集うゼミという場で学ぶ以上、そこで影響を受けて変わるのは必然であり、大切なのは変わるかどうかではなく、どう変わるかです。

この段階での発表資料は、指導教員によって考え方は異なるでしょうが、**メモ程度で十分**だと私は考えています。**「何を対象にした研究か」**という研究テーマ、**「何を明らかにしたいのか」**という研究課題（リサーチ・クエスチョン）、**「どんなデータを収集するのか」**という調査データ、**「データをどう分析するのか」**という分析方法、**「どんな結果が予想されるのか」**という分析結果の五つを盛りこみます。A4 版に 2 ページで収まるぐらいの分量で、箇条書きで済ませてかまいません。詳しく書きこむと、ポイントがぼやけてしまいます。研究計画だからといって、何年の何月に何をするという細かいスケジュールを立てる必要はありません。スケジュールどおりに進むことはなく、立てても無駄になるだけです。入学した直後の最初の数回の発表では、研究の方向性が固まればそれで十分です。

5.1.16　発表資料の作り方（修士課程）

Q　修士課程に入学して研究の方向性が固まってきました。発表資料はどのようにに作ったらよいですか。

A　調査データ収集の方法、分析の方法、分析結果などを、議論が活発になるように見やすく提示することが大切です。

順調な人で修士 1 年の後半から、遅い人でも修士 2 年になってから、研究の方向性が固まり、いよいよ研究の実践に入っていきます。研究テーマと研究課題が固まった段階で、問題になるのが**データの収集と分析の方法**です。データの収集と分析は研究の要であり、大きな失敗は取り返しのつかないことになりますので、データの収集を始める段階で、分析方法や分析結果も見とおしながら慎重な調査設計を作りあげる必要があります。先輩たちもつまずきながら自分自身の調査を行ってきていますので、何をどのように進めれば調査がうまく進むのかについて適切なアドバイスが得られるでしょう。**パイロット調査の段階で、ゼミでたたいてもらう**のが賢いやり方です。

データ収集が無事に済めば、次に必要なのがデータの分析です。データの分析には、さまざまな方法があり、どれを選ぶのか迷うこともしばしばです。目的に合った方法を探すのが第一、対象に合った方法を探すのが第二、時間内に自分にできそうな方法を探すのが第三です。しかし、この三つの条件を備えた方法を探すのは案外大変です。既存の方法だと、その方法をマスターするのにかなり時間がかかるものもありますし、自分なりの方法を編みだすのには、既存の方法を選ぶ以上に困難を伴います。先輩たちはそうした苦労をくぐり抜けてきていますので、どのような方法がありうるかを比較検討するときに、力を貸してくれるにちがいありません。

データの収集・分析段階では、研究テーマ・研究計画段階よりも発表資料の分量が増えます。**発表資料に具体的な手順を書きこむ必要がある**からです。A4版で4〜6ページぐらいになるのが一般的で、いわゆるレジュメやハンドアウトと呼ばれる体裁になります。ただ、この段階でも文章の必要はなく、**箇条書きのほうが望ましい**と思います。手順などは箇条書きのほうが見やすいからです。べたで文章を書いてしまうと、研究の筋が追いにくくなり、問題点が隠されてしまいがちです。

データの収集・分析段階を経て、**分析結果が出てくると、発表資料の分量はさらに膨らみます**。A4版で4〜6ページのこともありますし、豊富な例文などを扱う場合、8〜10ページぐらいになることもまれではありません。この段階でも、**文章に頼ることなく、データを並べて見せる**のがよいでしょう。示されるデータは、文字、画像、表、グラフ、モデルなど、分野によってさまざまですが、それをどのように解釈するかを参加者で検討がしやすくなるようにデータを見やすい形で提示することが、参加者から研究のヒントをもらいやすくするコツです。

分析結果とデータへの解釈を検討した結果、優れたデータであることがわかれば、そのまま修士論文を書きだすことができますが、多くの場合、そうは問屋が卸しません。最悪の場合、調査をやり直す必要さえありますが、再調査は可能なかぎり避けたほうがよいでしょう。本書の読者であれば、パイロット調査をして一定の結果が出る見込みを確認済みでしょうが、それでもパイロット調査の段階で期待していたような結果が本調査で得られないこともあります。その場合は**仮説を変えたり着眼点を変えたり分析方法を変えたり**して、何とか論文を書ける状況を整える必要があります。こうした方向転換のアイデアについても、三人寄れば文殊の知恵を体現するゼミという授業形式ならば、参加者から適切なヒントが得られるはずです。

修士論文も大詰めが近づいてくると、修士論文の全体構成もその全貌を現します。今自分が書いているところについて、その内容を細かく詰めていく作業と、全体のなかに位置づけていく作業を同時進行で行います。学位論文のような長い文章を書くときには、**全体の構成と局所の記述の整合性を保つ「全体と部分の往還作業」**が大事です。長い論文全体の筋がきちんと通っているかどうかの確認作業が、おそらく修士論文を提出する前の最後のゼミでの大切な作業になるでしょう。

5.1.17　発表資料の作り方（博士課程）

Q　博士課程になりました。発表資料はどのように作ったらよいですか。

A　投稿論文原稿、口頭・ポスター発表資料などを本番さながらに準備するとよいでしょう。

一方、**博士課程に入ったら、発表資料は文章の形にする**のが基本です。博士課程では、学術雑誌に投稿する論文を書くことが中心的な研究内容になるからです。もちろん、博士課程に入った最初のゼミでは、博士課程における研究計画を示す必要もあるでしょうし、新たな調査データの収集・分析を行うさいには、修士課程のときと同じような発表資料の作り方になることもあるでしょうが、**博士課程で期待されるのはまず学術雑誌の論文です**。論文の全体構成や論文のなかの表現を仔細に検討することは、発表者自身の論文執筆力向上につながることはもちろん、修士課程の学生が博士課程に進学したとき、どのレベルの記述が求められるのかを目の当たりにするよい機会ともなります。論述のわかりにくさや詰めの甘さは、読者の立場に立つことで見えてくるものです。そうした点を丁寧に潰してもらえるのも、たくさんの第三者の目のあるゼミならではの長所ですし、参加者も、発表者の原稿を他山の石とすることで、自分の書いた原稿をチェックする方法を手にすることができます。ですので、資料は、実際に学術雑誌に投稿する形で参加者と共有することをお勧めします。

また、学会での**口頭発表やポスター発表の準備**のために、パワーポイントで作られたスライドやポスターが資料になることもあります。その場合、**スライドやポスターを使って本番さながらの予行演習をする**のがよいでしょう。リハーサルをして、自分の発表にたいしてどのようなコメントが来るのかについて訓練を積んでおけば、本番で突然予期しない質問が来ても、対処する引き出しを増やすことができます。

もちろん、修士論文のときと同様に、**博士論文の全体構成の確認**も重要です。学術雑誌論文を書くことは、今自分が書いているところについて、その内容を細かく詰めていく作業そのものであるわけで、その作業に専心していると、**博士課程在籍の最終目的は博士論文の完成**だということを忘れてしまいます。そのため、学術雑誌論文の、博士論文の全体構成における位置づけを意識し、「全体と部分の往還作業」を怠らないことも必要です。博士課程にいるあいだじゅう、博士論文の目次管理を忘れないようにし、必要に応じて博士論文の全体構成をいつでも示せるようにしておきましょう。

以上、ゼミで発表するときに準備すべき、学年別の発表資料をまとめておきます。

学年別の発表資料

- 研究生・修士 1 年前半（メモ期…A4 版で 2 ページ以内）
  研究テーマ、研究計画
- 修士 1 年後半・2 年（レジュメ期…A4 版で 4～6／8～10 ページ程度）
  データ収集・分析、分析結果の検討、修士論文の全体構成
- 博士課程（文章期…投稿論文、口頭・ポスター発表資料そのもの）
  投稿論文原稿、口頭・ポスター発表資料

5.2　学会発表

5.2.1　口頭発表

Q　口頭発表のコツを教えてください。

A　フロアの聴衆の理解を置いてきぼりにしないことです。

口頭発表は、学会という場での発表の標準的な発表形式です。人文学系の場合は発表会場が大学の教室であることが多く、規模の小さな学会では数十名前後、規模の大きな学会では 100 名以上の会員のまえで研究発表を行います。発

表時間は学会にもよりますが、発表は20分、発表後の質疑応答は10分が標準です。質疑応答は司会者がしきり、挙手した質問者がコメントを行い、発表者がそれに答えます。質問者が有名な研究者だと、あの先生を初めて生で見られたという喜びがありますし、運がよければ、発表者も質問者も名の知れた研究者の場合、その両者の白熱した議論を、臨場感たっぷりの状況で見ることもできます。

口頭発表を初めて行うタイミングは博士課程1年のときが多いでしょうか。口頭発表に初めて臨むときは緊張するものです。実質的な学会デビューであり、自分が名前を知っている、また、自分が論文を引用している研究者のまえで発表をすることになるからです。初めての発表のときは、指導教員やゼミの仲間などに会場にいてもらったほうがよいかもしれません。見慣れた顔がまえにあると平常心で臨むことができます。

初めての発表のときは、多くを望まないことです。初回から質の高い発表ができる人はほとんどいません。今、学会の重鎮と目されている先生も、駆け出しの院生時代があり、緊張しながら洗練されていない発表をしていたのです。

さいわい、**発表は失敗してもよい場**です。完成された内容を発表することは求められていませんし、むしろ完成された内容の発表は有害と言ってもよいかもしれません。なぜなら、完成された発表は研究内容のお披露目になってしまい、発表本来の趣旨からずれるからです。もし研究内容のお披露目であれば、論文にして発表したほうがよいでしょう。

発表というのは論文にまで至らない内容を専門家のまえで発表し、適切なコメントをもらって手直しのヒントをもらう場です。そのためには、発表者の話の要点がフロアにきちんと伝わり、評価も批判も含めて多様なフィードバックが得られ、議論が活発になることが大事です。批判されることが悪い発表ではありません。何を言っているのかが伝わらず、質問も意見も何も出ないのが悪い発表です。

その意味で、予稿集に書いてある原稿をそのまま読み上げる発表はやめたほうがよいでしょう。読めばわかることを耳から聞く必要はありません。読んで頭に入る書き方と、聞いて頭に入る話し方はまったく異なります。

発表をするときは、**パワーポイントのようなプレゼンテーションソフト**を使うことをお勧めします。話の要点だけがわかりやすく表示されたものを発表者の肉声で埋めていくほうが、聞き手の頭に内容が入りやすいからです。

ただし、パワーポイントには決定的な弱点があります。それは、話の全体が俯瞰できないという点です。パワーポイントはスライドですので、1枚1枚のスライドの内容はよくわかりますし、頭にも入ります。反面、話の内容が1枚1枚のスライドに分割されますので、**口頭発表全体の流れや前後の関係がわかりにくくなる性格がある**のです。もし、発表内容を授業のように黒板やホワイトボードに書きながら話すのであれば、消されるまでは話の流れが残りますので、前後の関係も含めて話の流れを追いやすくなるのですが、口頭発表において、授業のようなプレゼンテーションは完成度が下がりますし、字を書く時間もかかるため、採用しにくいでしょう。したがって、**パワーポイントの弱点をどのように補うか**が、口頭発表を効果的にするコツになります。

まず、パワーポイントで話の全体像を示すには、全体と部分を行きつ戻りつすることです。そのためには、**話の全体像を示すスライドを何度も出す**必要があります。たとえば、全体の話が3部に分かれるのであれば、その3部すべてを示したスライドを作り、1部の最初、2部の最初、3部の最初にそれぞれ挿入することです。そうしたスライドの重複をあえてすることで、話の全体構造が追いやすくなります。

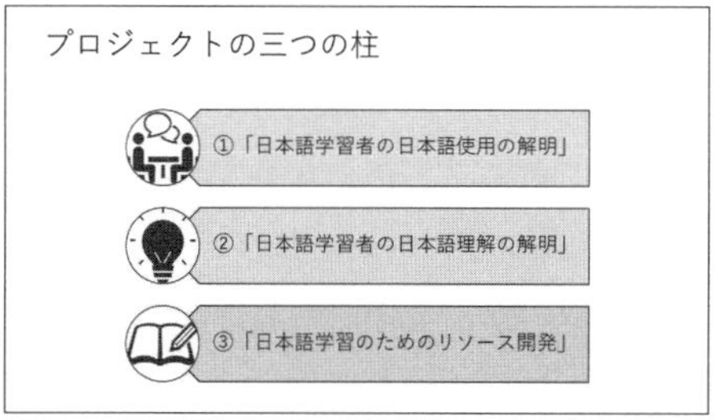

図 5-1　話の全体像を示すスライドの事例
（石黒圭、岩崎拓也「国語研の日本語教育研究が目指すもの」より抜粋）

もう一つ、パワーポイントでの話のコツは、**問いと答えをセットにして示す**ことです。話を進めるときに、結論から示す人が後を絶ちませんが、それは書き言葉では有効でも、話し言葉ではわかりにくいものです。つねに、フロアと共有できるような問いを先に示し、フロアと一緒に「何でだろう」と考えてみせ、それから答えを示すという単純なパターンを繰り返すことで、読者は確実に発表者の話に集中できます。この二つを守るだけで、聴衆は置いてきぼりにならず、話を確実に追うことができ、それが活発な質疑応答につながります。

5.2.2　ポスター発表

Q 見やすいポスターを作成する方法はありますか。

A 視線がＺに沿って左から右へ、上から下へ動いていくと、自然に発表の内容が頭に入るように作成することです。

学会の大会において、口頭発表と並んで一般的な発表のスタイルがポスター発表です。以前は口頭発表のみの学会も少なくありませんでしたが、現在ではほとんどの学会が、口頭発表とポスター発表を併用しており、会員は好きなほうを選んで応募することができます。

ポスター発表は、比較的広い、机などがない教室で行われるのが一般的です。何もないがらんとした教室の壁にA0版のポスターを貼り、そのまえで発表者が説明します。まわりには参加者が集まってきて、発表者の説明に耳を傾け、説明が一段落すると、質疑応答が始まります。質疑応答が一通り済むと、ポスターのまえに陣取っていた参加者がその場を離れて別のポスターに移動し、それと入れ替わるように、別のポスターを見ていた参加者がそのポスターのまえにやってきて立ち止まります。そしてまた、発表者がポスターの内容について説明を始め、それについての質疑応答を行うというパターンを、１時間程度の時間制限のなかで繰り返し行うという発表形式がポスター発表です。

私個人は口頭発表よりポスター発表が好みです。**ポスター発表は、発表者と参加者の距離が近く、双方向性の強いざっくばらんな雰囲気で密な議論が可能**になり、発表者、参加者双方にとって有益な情報交換が効率よくできるからです。また、研究者同士の連絡先の交換などもでき、その場で新たな研究仲間が増えることもあります。学会に参加する意義は、会員相互の顔の見える関係が生まれることにあり、そうした関係作りにポスター発表は有効です。

ポスター発表の場合、**ポスターをうまく作れるかどうか**が成功のカギです。ポスターを作成する場合、参加者が発表内容に興味をそそられ、発表者の説明がなくても、その内容をある程度理解できるように作るように心がけます。

まず、通りがかった人がポスターを遠くからちらっと眺めて、面白そうな発表だから聞いてみようかなと思えるように作ります。発表のタイトルは簡潔で、的確に発表内容が伝わるものにし、発表者の氏名や所属なども遠くから確認できるように上部に大きな字で示します。

つぎに、途中から入ってきた人でも**ポスターだけを見ておおよその内容がわかるように**作ります。人気のあるポスター発表の場合、ポスターの周囲に二重、三重の取り巻きができますので、遠くからでも見やすいほうが親切です。

私自身がとくに気をつけるのは、ポスターを見る参加者の視線の動きです。ポスターは横書きが基本なので、**参加者の視線がZ型に動くように作る**と、内容を目で追いやすいでしょう。左上から右上に、つぎに左中から右中に、そして左下から右下にと、Zに沿って左から右に、上から下に視線を動かす動線を意識します。ポスターの最上段にあるタイトル部分と、最下段にある結論部分は左右に分けずに、帯のように内容を示し、中間の部分を2列3段に6分割し、それぞれのまとまりに伝えたい内容を当てはめていきます。Zに沿って読めば発表のストーリーが自然に頭に入るように作っておくと、見やすいレイアウトになります。

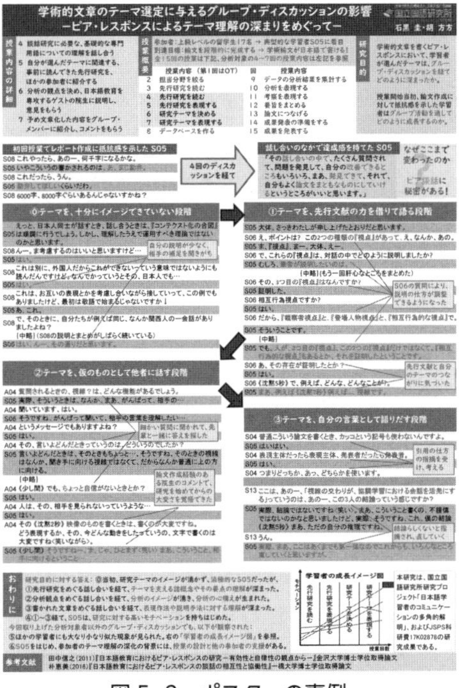

図5-2　ポスターの事例
（石黒圭、胡方方「学術的文章のテーマ選定に与えるグループ・ディスカッションの影響―ピア・レスポンスによるテーマ理解の深まりをめぐって―」ポスターを改変）

字の大きさは小さくせず、**情報も詰めこみすぎない**ようにします。一方で、ポスターの紙面がスカスカだったり、文字の大きさに強弱がなかったりすると、それはそれで読みにくいので、適度に視覚的な緩急をつけるようにします。情報量を減らしたぶん、行間は発表者自身の説明で補っていくとよいでしょう。

5.2.3　講演

Q　講演を依頼されました。どんなことに気をつけて話したらよいのでしょうか。

A　会場を訪れた聴衆が何を期待しているかを考え、具体的にわかりやすく話すことが肝要です。

学界で相当の地位を占めるようになると、講演の声がかかるようになります。また、注目すべき研究をしている売り出し中の若手でも、パネリストとして声がかかることもあるでしょう。講演者として、あるいはパネリストとして声がかかるぐらいの人であれば、大勢のまえで話をすることには慣れているはずですから、アドバイスはあまり必要がないのかもしれません。

ただ、講演慣れしてしまうと、次第に感覚が麻痺してしまうのも事実です。講演慣れした人が気をつけるべきこととして、ここでは四つあげておきましょう。

一つ目は、**講演内容の使い回し**です。講演を依頼された人はおそらく多忙な人でしょうから、一つひとつの講演の準備に時間を割くことは困難でしょう。その場合、持ちネタで勝負することになります。それ自体に問題はないのですが、別の講演の内容をそのまま使い回すと、その会場のフロアのニーズから話がそれることがあるので、注意が必要でしょう。講演内容が来場者の関心に合ったものでないと、せっかく聞きに来てくださった方に失礼ですし、自分自身の評判を下げることにもつながりかねません。

したがって、依頼者から依頼を受け取ったとき、自分は何を期待されて声がかかったのか。また、その会場にはどのような方が何人ぐらい来場予定なのか。過去の講演者がどんな方々で、どんな話の評判がよかったのかなどを事前にリサーチし、それに合わせた準備をすることが重要です。どこで聞いても講師が同じ話しかしないのであれば、動画サイトにアップされたその講師の動画を見ればよいわけで、せっかく会場にまで足を運ぶのであれば、自分の興味を満たす話を聞きたいというのが聴衆の思いです。そうした思いに答えられるよう、**聴衆のニーズに合わせた内容のカスタマイズ**を心がけたいものです。

二つ目は、一つ目と矛盾するようですが、**あまり冒険的な話はしない**ことです。気合いを入れすぎて、新しい話をあれこれ詰めこみすぎるのもよくありません。口頭発表であれば、多くの場合、着手したての萌芽的な研究ですから、内容にいささかの不安を抱えつつ、聴衆のまえで話してみて、その反応を見ながら修正することが許されます。つまり、未完成の内容を話しても問題はなく、かりにそれで失敗しても発表者自身の評判を大きく下げることはありません。一方、講演の場合、謝金ももらい、十分な時間も確保され、まとまった話をすることが求められていますので、**完成度の高い洗練された内容が期待**されています。他分野の人に、自らの評価を下げかねない慣れない話をぶつけるのは危険であり、十八番をいくつか用意しておくのがよいでしょう。

三つ目は、**講演者の人物像**を出すことです。講演者の人物像を出しすぎて、自慢話になるのは避ける必要はあるのですが、研究者の場合、その心配はあまりなさそうです。むしろ、論理的な内容を話し慣れているせいで、内容が抽象的になりがちで、聴衆が置いてきぼりになるほうが心配です。冒頭の自己紹介で自分がどのような人物かを語ることで、フロアとの距離を近づけます。また、講演中も、ロジカルな内容だけでなく、**個人的なエピソードなども織り交ぜて、話の内容を適度に身近なものにしていく**心がけが必要だと思います。

四つ目は、**伝えたいメッセージをあらかじめ絞っておく**ことです。あれもこれも伝えようとすると、話の焦点がぼやけてしまいます。とくに、聴衆が専門家でない場合、そうした話についてくるのは困難です。**聴衆にこれだけは憶えて帰ってほしいという明確なメッセージ**を決め、それをめぐって話を進めることで話の輪郭がはっきりし、来場者の心に届く講演になるでしょう。

5.3 面接

入試の面接については第１章で書きました。そこで、ここでは入試の面接以外について書きましょう。一つは、大学院の修了面接、もう一つは研究職への就職面接です。まずは、大学院の修了面接から見ていくことにしましょう。

5.3.1　修士課程の修了面接

Q　修士の修了面接は、どんな準備をすればよいですか。

A　自分の書いた論文を読みこみ、予想される質問への回答を考えておくことです。

修士の修了面接は、修了して研究の道から離れる人か、研究を続ける人かでその面接内容が大きく変わります。

修士の修了面接は、修士論文の学位認定をして、修士課程を修了させるだけですので、さほど厳しいものではありません。学部の卒業論文の学位認定よりもやや難しいレベルと考えておけばよいでしょう。教員としては、厳しくしすぎて修了者が滞留することはできるだけ避けたいので、一定の水準を超えるものを書いてもらって早く修了してほしいというのが本音です。ですので、修士論文のよいところを積極的に評価する一方、内容に多少瑕疵があっても、それが致命的な問題でないかぎり、目をつぶることが多い印象があります。

もちろん、多少は目をつぶると言っても、それは修了させるか否かという判断においてであって、修了面接の場において瑕疵にはきちんと言及されますし、修了者は瑕疵の存在は自覚させられます。その意味では、修士修了者の面接であっても、けっして甘くはありません。心して臨んだほうがよいでしょう。

修了面接の場に臨むさいの準備として大切なことは二つです。一つは、**自分の書いた論文を何度も読み直してきちんと頭に入れておく**こと、もう一つは、**どのような質問が出てくるか予想して、その対策を考えておく**ことです。

面接の最初に修士論文の概要を数分で説明するように求められるのが一般的ですので、自分の書いた論文の要旨を自分の言葉で説明できるように準備しておくことが必要です。自分の書いた論文は頭に入っているから大丈夫と考える人がいますが、それは案外当てにならないものです。修了面接の場では緊張していて、通常のような頭の回転を期待できないからです。「○○ページに……という指摘がありましたが」と言われて、「それはどこですか」と慌ててページをめくったり、「そんなこと書きましたか」と自己否定したりすると、この人はほんとうに自力でこの論文を書いたのだろうかという、あらぬ嫌疑をかけられかねません。自分の書いたことはしっかり責任を持って説明できるよう、書き終えてから少し時間が経った段階で、他者の論文を読むような気持ちで繰り返し読んでおくことが最低限の準備です。

また、予想される質問にたいする対策も事前に立てておいたほうが心の準備になるでしょう。指導教員を含め、面接官となる教員のゼミに出ていれば、その先生の質問の仕方はある程度見当がつくはずです。それぞれの先生の顔を思い浮かべながら、出されそうな質問への対策を準備しておくとよいでしょう。しかし、実際の面接の場では、予想もしていなかったような質問が出てくることもあります。修了面接は試験ですので、ヤマが外れることもあります。そこで、事前の質問予想が外れることも考えて、その場合はその場でできるだけの対処をすると覚悟を決めておく心構えも必要です。

一方、修士修了後も研究活動の継続を希望する人は、単なる修士修了ではなく、**博士課程の進学試験も兼ねる**ことになります。その場合は、面接の難易度は格段に上がります。内容に少しでも瑕疵があると感じられれば、その周辺を深く掘り下げた質問が来ますし、重大な瑕疵がある場合にはそもそも修了が認められず、留年が決定することもあります。博士課程で継続しても博士論文の取得につながらないおそれのある研究は、無理に修了させても本人のプラスにならないと判断されるからです。

博士課程の進学希望者であっても、自分の書いた論文に十分に目を通しておくこと、面接官の予想質問に十分に答えられる対策をしておくことといった準備自体は変わりません。しかし、進学希望者の場合、**今回提出した修士論文を土台にして、博士課程で博士論文が書けるかどうか、その見通しをしっかり示せるかどうか**が面接のポイントになります。面接では、修士論文が博士課程での研究計画書とセットで評価されるので、自分の書いた修士論文が、博士課程に進学後に執筆する博士論文のなかでどのように位置づけられるのか、その位置づけを明確にしておくことが求められます。

また、先行研究の研究史を踏まえ、修士課程の研究を博士課程で続けた場合、どれほどの新規性があるのか、**オリジナリティの所在を明確にする**ことも必要です。自分の研究の優れた点を適切に示し、自分の研究に学術的な価値があることをアピールできることも研究者に求められる資質です。

さらに、修士論文のなかで、論理的におかしい点は面接官にかならずツッコまれますので、それにどう対処するかがカギになります。自分の研究の問題点はふだんから意識するように心がけておき、それにたいする説明の言葉を用意しておくことは大事ですが、自分の考えていなかった指摘が飛んでくることもあります。その場合は、自分の非を全面的に認めてしまうのでも、反対に、非を認めずに徹底抗戦をするのでもなく、是々非々で臨む姿勢が大事です。自分の書いた論文に不手際があれば率直に認め、進学後に修正することを明言しつつも、なぜ自分がそのように書いたのか、背景も含めて丁寧に説明すべきです。面接官の指摘がかならず正しいとはかぎりません。**面接官の指摘をその場で理解するように努め、その指摘に寄り添いつつ、言葉を尽くして自分の立場をきちんと説明する**姿勢が大事になるでしょう。

5.3.2　博士課程の修了面接

Q　博士課程の修了面接は、修士課程の修了面接とどんな点で異なりますか。

A　審査が公開である点、人を審査する点、審査員と同じ土俵に立つ点で異なります。

修士課程の修了面接と、博士課程の修了面接は、提出した論文をめぐって質疑応答が行われる点では同じですが、その内実はかなり違います。それは、修士論文と博士論文、二つの論文の性格の違いによります。

修士論文は基本的に公開されません。したがって、引用文献のなかに入れることは認められていません。別の研究者が引用したくても、その内容を確かめようがないからです。一方、**博士論文は公開が原則**です。特別な事情がないかぎり、提出された大学の機関リポジトリに登録され、インターネット上で閲覧できるようになっているか、書籍として出版社から刊行されています。

また、博士論文が公開されるのに合わせて、**博士論文の審査員、審査過程、審査結果も公開**されています。複数名の審査員がその博士論文の内容をどのように評価し、学位授与に値すると判断したのかも、誰でも確かめられるようにインターネット上に公開されているわけです。博士課程の修了面接はそうした評価の大事なプロセスの一部であるため、公開が原則になっています。そのため、審査員でなくても、希望者は審査を傍聴することが可能です。

公開を原則とした厳正な審査が行われる以上、書いて出せば通るといった生やさしいものではありません。提出先の大学が博士論文の品質保証をしているわけですから、一定の質を維持していないものは審査を通りません。そのため、目的が明確であるか、目的に沿った研究課題が立てられているか、その研究課題は研究史にどう位置づけられるか、研究課題にふさわしいデータや分析方法が選ばれているか、分析結果を導くプロセスは妥当か、分析結果にたいする適切な考察が行われているか、目的から結論に至るまで論旨は一貫しているかなど、博士論文として満たすべき条件を十分に満たしているか、面接のときに時間をかけて厳しく吟味されます。そのため、**博士論文の審査はきわめて厳格**なものになっています。出せば通ることが暗黙の前提で、重大な瑕疵のあるものだけが通らない修士論文、提出までに時間がかかり、出しても通らないことが十分ありうる博士論文、この差が面接にも反映されています。

また、**人を審査する**という点でも、博士論文の審査は際立っています。学部のレポートは出せば終わりで、内容がよければ単位が与えられ、面接は考えられません。学部の卒業論文の場合、大学によっては面接や合同発表会はありますが、一人あたりの時間はごく短いもので、出せば終わりという学科も少なくありません。大学院の修士論文は通常面接はありますが、時間は短く、さほど厳しくありません。しかし、博士論文は長い面接が必須で、厳しいやりとりが行われます。それは、博士論文が、論文そのものの評価だけでなく、論文を書いた人物の評価も行っているからです。**博士論文の審査には一人前の研究者としてのお墨付きを与えるという意味がある**からです。この点が他と大きく異なる点です。

人物を評価する以上、書いたものだけで評価をすることはできず、その博士論文を完成させるにあたって、どのぐらい広く調べ、深く考えて書いたのか、執筆者の学識を確かめる必要があるわけです。書いたものだけを評価するのではなく、書いたものの背後にある執筆者の考えを検討するために博士論文の審査は存在します。博士論文自体は限定された研究領域を深掘りできる能力が問われますが、「博士」は「博く知る人」である以上、面接では広い見識が求められるわけです。

さらに、博士課程の修了試験では、面接官と同じ土俵のうえに立って議論することが求められます。修士課程の修了面接では、面接官は教員、修了予定者は大学院生という明確な区別があります。しかし、博士課程の修了面接では、博士号を取得した瞬間から、修了者は大学院生ではなく研究者として教員と対等な立場になります。つまり、研究者の資格試験ですから、研究者同士、対等な議論ができなければ博士号は取得できません。

公開審査の場で学識を試されているのは、学位申請者である大学院生だけではありません。多くの研究者のまえで審査を行う教員も研究者としての資質を試されています。公開審査の場で指摘するコメントの質が低く、申請者に理解不足を指摘されたり、コメントが見当違いで、フロアの失笑を買ったりするようでは審査員失格だからです。申請者の大学院生だけでなく、審査員の教員も博士課程の修了試験には十分な準備をして臨みます。**公開審査会は、学会と同じように研究者としての真剣勝負の場**なのです。

英語では論文審査会のことを**ディフェンス**（**thesis defense**）と呼びます。審査員から寄せられる多様な攻撃から、論文に示した主張を守りぬくことが求められるからです。たとえて言えば、博士論文はこれから大海原に出る手作りの船のようなものです。これから長い航海に出る船が沈むことなく、順調に航海しうるということを申請者は主張します。しかし、船主である審査員たちは船側に空いた穴を見つけては、船が沈む可能性があるのではないかと指摘します。これにたいして、申請者は沈まないということを主張しなければなりません。しかし、「大丈夫」という言葉を連呼しても、船主はかえって不安になるばかりです。**大事なのは、船が沈まないことを示す根拠**（**evidence**）です。

近年、EBM（根拠に基づく医療：Evidence-based Medicine）やEBPM（根拠に基づく政策立案：Evidence-based Policy Making）などの重要性が指摘されています。医療において治療方法を選ぶ場合でも、政治において政策立案をする場合でも、統計的なデータなどの合理的な根拠に基づいて行うことが求められています。言うまでもなく、科学的研究は、合理的な根拠に基づいて行われる最たるものです。

審査員は事前に博士論文を仔細に読み、論文の主張を支える根拠を批判的に検討し、根拠の穴を見つけようとします。船の沈没につながるような大きな穴が見つかったら、そこでゲームオーバーです。ですから、申請者は根拠の穴を塞ぐ準備を重ねるとともに、この程度の穴では船が沈まない設計になっていることを示さなければなりません。そこで必要となるのもまた根拠です。つまり、

論文審査会は、主張を支える根拠の合理性をめぐって繰り広げられる説得のゲームです。申請者側が根拠の合理性を示し、審査員側の説得に成功し、主張を守りきったら申請者側の勝利であり、その輝かしい勝利の証が博士号という学位なのです。

5.3.3　就職の面接

Q　就職の面接で必要なことは何ですか。

A　先方がどのような人を必要としているのかを考え、それに沿った準備をすることです。

研究者の就職は大変です。民間企業への就職は本書では扱いきれませんので、アカデミアに限定して紹介します。

就職の面接を何度も受けてきた人に経験談を聞いてみるとわかることですが、思い出したくないとおっしゃる方が多いのではないでしょうか。非常にストレスのかかるつらい経験です。それはきっと、面接官が評価者という視点であたかも応募者の値踏みをするような質問をしてきたり、応募者の適性を深いところで確かめようと、応募者の立ち入ったところまで探りを入れてきたりするためだと思われます。

就職の面接が入試の面接ともっとも違う点は、第一に、**入試の面接では研究能力が重視されるのにたいし、就職の面接では人柄が重視される**ということです。入試の面接で研究能力が重視されるのは、受験者の能力を判断するのに、本人が書いたかどうかわからない研究計画書ぐらいしかなく、直接会って確かめる必要があるためです。これにたいし、就職の面接では、研究能力は研究業績表や論文という確かな判断材料があり、直接会って確かめる必要があるのは、人間性に問題がないかどうかという点になります。入試の場合、受験生の人間性に多少問題があったとしても、数年の付き合いで済みますが、就職の場合、ひょっとすると一生の付き合いになりかねませんので、選ぶほうもかなり慎重になっていることが背景にあります。

そのため、面接にさいし、履歴書はとくに慎重に読まれます。聞かれそうな内容は次のとおりです。

履歴書の内容をめぐって面接で聞かれそうなこと

- 経歴にブランクがあった場合に、その間何があったのか
- 大きな進路変更があった場合に、なぜその決断に踏みきったのか
- 数年ごとに職場を変わった場合に、なぜ継続しなかったのか
- 自分の出身大学を離れた／戻らない理由は何か
- 前任校がある場合に、離れる選択をした理由は何か
- 推薦者にかつての指導教員や上司などが含まれない理由はなぜか
- 科研費が、研究グループを構成せず、単独で採択されたものばかりなのはなぜか

こうしたことを聞いて、応募者が**長期にわたる人間関係を円滑に維持できるタイプの人物かどうか**を確かめようとします。人事というのは採用コストがかかりますので、すぐに辞める人は取りたくないというのが本音のところです。そうした意味でも、よい人であれば長く残ってほしいと面接官は考えているはずです。

第二に、面接官が確かめたいことは**教育への能力と意欲**です。旧帝国大学のような研究大学や、私のような研究所勤務の場合、研究への能力や意欲が優先されるケースもありますが、大学経営を考える多くの大学では、研究はもとより、教育にも十分なリソースを割いてほしいと考えています。新入りの教員が、研究者として優秀であっても、授業がわかりにくかったり、学生の面倒見が悪かったりすると、とばっちりが自分たちに波及するので困るというのが、同僚となる教員の偽らざる思いです。

したがって、選考の過程で模擬授業を課す場合はもちろん、非常勤先等でこれまで授業でどのような工夫をしてきたか、個々の受講生にどのようなフィードバックを行ってきたか、自分自身の専門の授業で受講生にどんなことを学んでほしいか、初年次教育やリメディアル教育に関心があるか、教育にどのぐらいのエフォートが割けるかなど、**教育にたいするモチベーションを確かめる質問**が多く寄せられます。教育力も試されるという意識で面接の準備を進める必要があります。

第三に、履歴書で確かめにくいこととして、**事務能力**が挙げられます。残念ながら、現在の大学は研究・教育に直接関わる業務以外に膨大な事務作業があります。また、学内の各種委員会、学生からの学業・就職・生活等の相談、オープンキャンパスの準備や高校訪問、入試業務など、次から次へと仕事が舞いこんでくるのが実情です。こうした**雑務と言われる多岐にわたる業務を時間内に手際よく処理する能力**が、事務職員のみならず教員にも求められる時代です。そうした対応能力も履歴書には書かれていませんので、面接の場で間接的にでも確かめたいと思って面接官は臨んでいると思われます。

以上見てきたように、博士号を取得したての研究者の卵は、これまでの経験から研究業績がすべてと思いこみがちですが、**実際の勤務先では、人柄、教育能力、事務能力の三つが求められ**、面接で問われる事柄ですので、それらにたいする準備が必要です。

もちろん、応募は一つひとつ性格が異なります。年齢、性別、国籍、経験など、公募上は書かれていないことが採用を大きく左右することもあります。そのためには、建学の理念、学部・学科の方針、前任者のポストや業務内容など、調べられることは調べ、今回の公募がどのような人を採用したいと考えているものかについて、おぼろげながらでもイメージすることが採用への近道と言えるでしょう。

第6章　書く（執筆）

君に伝えたいことがある
胸に抱えたこの想いを
うまく言葉にできないけど
どうか聞いて欲しい
（FUNKY MONKEY BABYS「告白」）

6.1　修士論文の執筆

6.1.1　修士論文の執筆スケジュール

Q　修士論文はいつ書きはじめたらよいですか。

A　提出の半年前が理想です。

4月に大学院に入学し、1月の中旬に修士論文を提出するという日本の典型的な大学院の学年暦を考えた場合、理想的なスケジュールは次のとおりです。工程表で表すと、次のページのようになります。黒い矢印は理想的なスケジュールを表し、白い矢印は予定より遅れた場合のギリギリ間に合うスケジュールを示しています。

修士論文の執筆スケジュール

①イメージ期：入学前に先行研究に目を通し、具体的な研究の姿をイメージする

②思考錯誤期：入学後、1年の前期（春・夏学期）に、ゼミの研究指導のなかで、自分の考えた研究テーマが、修士論文のテーマにふさわしいかどうか、検討する

③方針検討期：1年の夏休みに、1年の前期（春・夏学期）での検討を振り返り、自分の研究テーマについてゆっくり考え、方向性を狭める

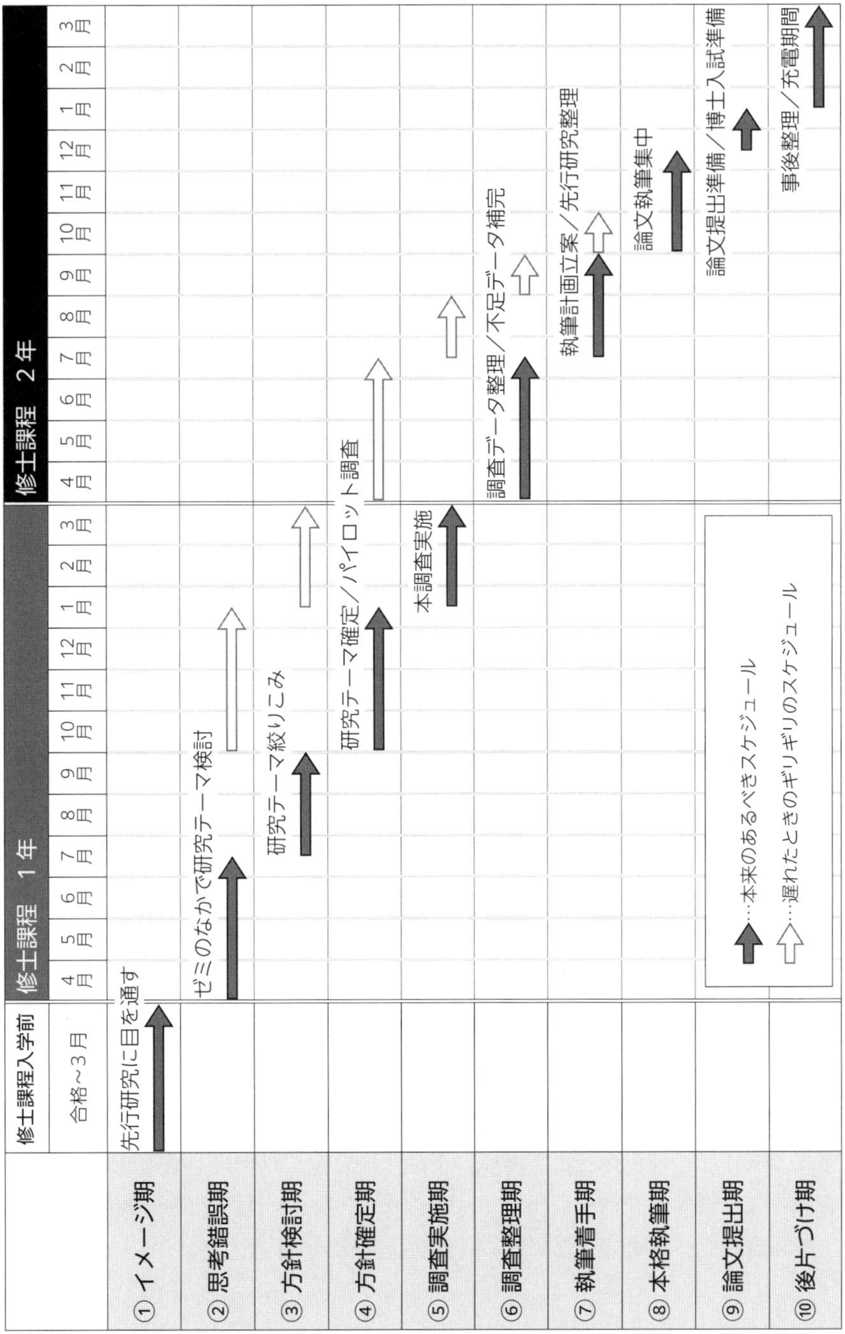
修士課程入学前
合格～3月
修士課程 1年
4月 5月 6月 7月 8月 9月 10月 11月 12月 1月 2月 3月
修士課程 2年
4月 5月 6月 7月 8月 9月 10月 11月 12月 1月 2月 3月
① イメージ期
② 思考錯誤期
③ 方針検討期
④ 方針確定期
⑤ 調査実施期
⑥ 調査整理期
⑦ 執筆着手期
⑧ 本格執筆期
⑨ 論文提出期
⑩ 後片づけ期
先行研究に目を通す
ゼミのなかで研究テーマ検討
研究テーマ絞りこみ
研究テーマ確定／パイロット調査
本調査実施
調査データ整理／不足データ補完
執筆計画立案／先行研究整理
論文執筆集中
論文提出準備／博士入試準備
事後整理／充電期間
…本来のあるべきスケジュール
…遅れたときのギリギリのスケジュール

④方針確定期：１年の後期（秋・冬学期）に、研究テーマを確定し、リサーチ・クエスチョンを立て、パイロット調査を行う
⑤調査実施期：１年の春休みに、本調査を実施する
⑥調査整理期：２年の前期（春・夏学期）に、本調査のデータ整理を行い、足りないデータを補完したりする
⑦執筆着手期：２年の夏休みに、具体的な執筆計画を立て、先行研究の整理を終え、執筆に着手する
⑧本格執筆期：２年の後期（秋・冬学期）はひたすら論文執筆に集中する
⑨論文提出期：修士論文提出直前は、印刷の手配、要旨の作成、研究計画書の準備など、ミスがないようにする
⑩後片づけ期：修士論文を書き終えたあとは、自分の次のステージを考えながら、上手にクールダウンする

以降では、それぞれの期の注意事項について順に説明します。

6.1.2 イメージ期

Q イメージ期で大事なことは何ですか。

A 入学前に研究の足場固めをすることです。

①「イメージ期」は、大学院合格後、大学院入試のために作成した研究計画書をもとに、先行研究を読んだり、指導予定教員と相談したりして、**研究についての理解を深める入学前の時期**です。

大学院に合格したら、合格したことに満足してぼーっとしがちですが、その時間は、研究する人生にとってもったいない時間です。**入学してから修士論文の執筆終了まで１年９ヶ月**しかありませんから、スタートを早めに切ることが重要です。早めにスタートすれば、それだけ遠くに着地することができます。実際の入学式は４月かもしれませんが、研究の入学式は大学院の合格発表日だと考える姿勢が、研究を志す者に必要な心得です。

6.1.3　試行錯誤期

Q　試行錯誤期で大事なことは何ですか。

A　ダメ出しされてもめげずに、粘り強く努力することです。

②「思考錯誤期」は、入学後、**自分の考えた研究テーマについてゼミのなかで発表して、研究テーマを絞る１年前期（春・夏学期）の時期**です。

私が知るかぎり、大学院入試の研究計画のとおりに研究を進めた大学院生はいません。もしそれができる大学院生がいたとしたら、その大学院生は入学前から指導教員レベルであったことになります。学ぶことは成長すること、成長することは自分が変わることです。研究テーマは変わってよいですし、変わらなければいけません。

毎回ゼミに持っていく研究テーマがダメ出しされるたびに、なぜ指導教員や先輩たちにここまで厳しく言われなければいけないのかと落ちこみますし、ストレスも溜まります。自分がよいと思っている研究テーマが否定され、ゼロからやりなおしという過程を繰り返していると、前に進んでいる実感がなく、どう進めてよいか、わからなくなってきます。

しかし、それはみんなが通ってきた道です。先輩はもちろん、指導教員でさえ、大学院生の時代はつらい思いをしてきています。先輩を見ていればわかるように、この段階を越えられなかった人はほとんどおらず、研究テーマを絞ることに誰もが成功しているのです。カナヅチだった人が泳げるようになったり、鉄棒が苦手だった人が逆上がりをできるようになったりするのと同じで、いろいろやっているうちに何かの拍子にコツがつかめるというのがこの段階です。ここを乗り越えたときの自分の成長を想像して、試行錯誤を繰り返し、自分の研究テーマに出会えるように粘り強く努力を続けましょう。

6.1.4 方針検討期

Q 方針検討期で大事なことは何ですか。

A まとまった時間を使って、着実に自分の研究の方向性を絞っていくことです。

③「方針検討期」は、1年の前期（春・夏学期）が終わったあと、**自分の研究テーマについて学期期間中に努力した内容を振り返り、自分の研究テーマについてゆっくり考え、方向性を絞っていく夏休みの時期**です。

大学院のゼミは刺激の多い環境です。自分がもともと考えていた研究計画が穴だらけであり、通用しないことを思い知らされます。しかし、授業の忙しい学期期間中は、指摘された点についてじっくり検討する時間がないのがふつうです。

しかし、夏休みはまとまった時間が取れる時期です。夏休みを生かして自分の研究とじっくり向きあい、取りよせた先行研究を比較検討しながら、研究の方向性を固めていくことをお勧めします。たくさんの文献を読むまとまった時間のなかで思索を深めることで、研究のレベルの飛躍的向上が期待できるよい時期です。

6.1.5 方針確定期

Q 方針確定期で大事なことは何ですか。

A パイロット調査を行い、それに基づいてリサーチ・クエスチョンを立てることです。

④「方針確定期」は、**夏休みの終わりから研究テーマを絞りこみ、リサーチ・クエスチョンを立て、パイロット調査を行う１年後期（秋・冬学期）の時期**です。

夏休みを経て研究テーマ自体はほぼ固まり、**リサーチ・クエスチョンをどのように設定するか**という次の段階に移ります。研究テーマが決まっても、リサーチ・クエスチョン、すなわち研究上の問いを１文の疑問文で立てないと本格的な調査には入れません。そこが明確に定まらない調査を行っても、十分な成果が得られず、調査のやり直しをしなければならなくなるからです。

そうは言っても、リサーチ・クエスチョンを立てるのは一苦労です。研究テーマをめぐる試行錯誤が必要です。そこで重要なのが、パイロット調査と呼ばれる予備調査です。4.4.1「パイロット調査とリハーサル」で述べたとおり、パイロット調査は本調査を確実に成功させるためのものですが、リサーチ・クエスチョンの設定に役立つこともあります。経験に乏しい修士の学生の場合、パイロット調査から学ぶことは山ほどあります。やってみて初めてわかることが多いからです。また、パイロット調査ではだいたい失敗しますし、失敗してかまいません。大事なのは、失敗を生かすことです。なぜ失敗したかを明確にできれば、本調査のときに改善が可能になります。

パイロット調査は、長期休暇中ではなく学期期間中に行うのが原則です。パイロット調査の結果をゼミで議論したり指導教員に見てもらったりすることができるからです。ゼミの先輩や指導教員は調査経験が豊富ですので、自分では気づかない調査の穴に気づいたり調査がうまくいくようになるコツをアドバイスしてくれたりします。このため、スケジュールに余裕をもって、1年の後期にパイロット調査を行うようにし、諸事情で遅れたとしても、2年の前期にはパイロット調査を済ませるようにしましょう。

6.1.6　調査実施期

Q　調査実施期で大事なことは何ですか。

A　論文執筆に直結するように、本調査を入念に準備し、確実に遂行することです。

⑤「調査実施期」は、1年の後期（秋・冬学期）のゼミなどで得た**パイロット調査のアドバイスを生かし、その内容を反映させた本調査を実施する春休みの時期**です。

春休みに本調査を始める場合、当然のことながら仕込みは1月中に終わらせておくことが求められます。**資料を対象とする調査の場合は資料のありかを確認し、収集するメドをつけておく**必要がありますし、**人を対象にする調査の場**

合、多くの大学院では、研究倫理審査を通しておくとともに、調査協力者と連絡を密に取り、調査のスケジュールを立てておく必要があるからです。

一旦調査が始まってしまえば、あとはひたすら地道な作業を続けるだけですが、調査をするなかできっと多様な気づきが生まれるはずですので、どんなに小さい気づきでもメモしておくようにしましょう。人間の記憶は、現場を離れたとたん、思いだしにくくなるものです。メモですから、時系列を気にする必要はなく、思いついた順に書きとめていきます。ただし、あまりにも短くメモすると、見返したときに何のメモだったかがわからなくなりますので、背景や文脈を多めに書きこんでおいたほうが無難です。メモはたくさん溜まると、分類・整理ができるようになりますが、分類・整理は書きはじめる準備が整う夏休みになってからでよいでしょう。分類・整理した気づきを各章に当てはめていくのがその時期になるからです。

なお、博士課程に進学する予定がなく、修士修了で就職を予定している人もいるでしょう。その場合は、春休みを就職活動やインターンシップ、就職活動等に時間を割くことになります。**就職希望の人は指導教員と相談のうえ、調査の規模を縮小し、資料・データの収集を夏休みにずらすことを検討する**ことも必要です。

6.1.7　調査整理期

Q　調査整理期で大事なことは何ですか。

A　データの整理に時間がかかることを想定し、余裕を持って計画的に作業を進めることです。

⑥「調査整理期」は、**本調査のデータ整理を行ったり足りないデータを補完したりする 2 年前期（春・夏学期）の時期**です。調査を行っている時期は調査の実施で手一杯で、収集した資料やデータをどのように整理するかまでは頭が回っていないものです。しかし、資料やデータの整理作業に着手すると、作業に恐ろしく時間がかかることがわかるでしょう。

とくに時間がかかるのは、**データの加工作業**です。アンケート・データの場合は集計作業に、インタビュー・データの場合は文字起こしに時間がかかります。テキストデータには、データの分析に必要なアノテーションを付与しますし、複数名に意味分類をしてもらうコーディング作業を依頼することもあります。外国語や古典のテキストは深く読みこんだうえで、適切な翻訳をつける必要があります。ある特徴的な表現を検索・収集する場合、手作業で行うことも多く、機械的に処理できる場合でも誤解析が混じることが多いため、検索結果は目視で確認しなければ安心できません。

本調査のデータ収集に時間がかかることは理解されているのですが、こうした**加工作業にはデータ収集の何倍もの時間がかかる**ことはあまり理解されていません。早め早めの調査が推奨される背景には、加工作業に膨大な時間がかかるという現実があるのです。

6.1.8　執筆着手期

Q　執筆着手期で大事なことは何ですか。

A　現実的な計画を立て、早めに執筆に着手することです。

⑦「執筆着手期」は、本調査の資料・データ整理にくわえ、**先行研究の整理を終え、具体的な執筆計画を立てて執筆に着手する 2 年の夏休みの時期**です。

執筆計画を立てるためには、修士論文全体の構造がわかっている必要があります。しかし、初めて書く長大な論文ですので、自分の思ったアウトラインのとおりに書けるとはかぎりません。書いているうちに微調整が必要になりますし、場合によっては大幅な修正が必要になります。

正直なところ、春休みに資料・データの収集が終わるというのは理想論で、実際には 2 年の前期（春・夏学期）や夏休みにずれこんでしまうこともまれではありません。しかし、執筆期間は十分に確保しないと危険です。短期間で進めると、書けないという焦りから来る質の低下を招くからです。**日本人学生の場合は執筆 3 ヶ月＋校正 2 週間、留学生の場合は執筆 4 ヶ月＋校正 4 週間**を見ておくことを強くお勧めします。

6.1.9　本格執筆期

Q　本格執筆期で大事なことは何ですか。

A　体調不良やデータの消失で足踏みをしないことです。

⑧「本格執筆期」は、**ひたすら論文執筆に集中する２年後期（秋・冬学期）の時期**です。この時期は論文執筆に集中するしかなく、気の利いたアドバイスはありませんが、大事なことは、**心身の体調を整える**ことです。身体的な面では、家にこもりがちになるので、気分転換に外に出て散歩をしたり、家のなかでストレッチをしたりして、目・肩・腰に過度な負担をかけつづけないように心がけます。風邪をこじらせてしまうと、回復に時間がかかるので、風邪を引きかけたら、早めに休息を取って、ひどくなるまえに回復を図るほうが賢明です。心理的な面では、同じ境遇にある同学年の友人と連絡を取って近況を報告しあい、ガス抜きを図りましょう。論文執筆が進まないときに一人で思いつめないようにします。

また、この時期に気をつけたいのがデータの消失です。保存したはずの論文データが失われることほど、この時期堪えることはありません。**バックアップは毎日の作業終了時にはかならず取り、少なくとも３ヶ所に保存**しておきましょう。パソコン本体のハードディスクに保存、Google Drive や One Drive、Dropbox などのクラウド・ストレージに同期、フリーメールに添付ファイルで送付が一般的です。人によっては外付けのハードディスクを活用しており、これも有力です。

6.1.10　論文提出期

Q　論文提出期で大事なことは何ですか。

A　論文執筆にのめりこみすぎず、修士論文の印刷や要旨の作成、研究計画書の準備など、周辺的な作業の時間を計画的に確保しておくことです。

⑨「論文提出期」は、**修士論文提出直前の１ヶ月間**を指します。直前の１ヶ月間は気持ちが論文執筆のみにのめりこんで周囲に目が行かなくなり、冷静な

判断がしにくくなりますので、提出１ヶ月前が近づいてきたら、提出直前に何をすべきかリストアップしておきましょう。

提出直前にしなければいけないことの第一は、**修士論文の印刷**です。自力で印刷・製本まですべてやるのはリスクを伴いますので、印刷業者を調べ、予約をしておきましょう。印刷・製本は１週間近くかかるケースもあり、その結果、提出締切が１週間ほど早まるかもしれません。その意味でも印刷業者との調整は早めに済ませておく必要があります。

提出直前にしなければいけないことの第二は、**要旨の作成**です。修士論文は本文を書けば終わりではありません。要旨の提出が別途要求されることが一般的です。しかも、修士論文の本文はあまりにも長いので、査読者の教員も要旨を中心に読むケースもあります。慌てて書いたできの悪い要旨のせいで、修士論文全体の評価が下がっては元も子もありませんので、質の高い要旨を作成できるだけの時間を確保しておくことは重要です。

提出直前にしなければいけないことの第三は、**研究計画書の準備**です。博士課程の入試を受験する場合、修士論文を踏まえて博士課程でどのような研究をするのかという研究計画書を準備しなければなりません。これは、修士論文に匹敵するほど重要な文書なのですが、修士論文執筆に夢中になってしまうと、要旨を書く時間を捻出するのが精一杯で、研究計画書を書く時間がなくなりタイムアップという事態になりかねません。

そのほかにも、目次の調整、図表番号の確認、参考文献一覧の整備、資料集の作成など、本文の執筆以外にもしなければならない作業はいくつもあります。このように、修士論文の完成には、それに付随する作業がいくつもありますので、それらを事前に書きだし、余裕を持ったスケジュールで提出期を迎えることが何よりも重要になります。

6.1.11　後片づけ期

Q　後片づけ期で大事なことは何ですか。

A　きちんと休んだあとは、次のスタートを切れるよう、気持ちを整えることです。

⑩「後片づけ期」は、**修士論文を提出したあと、自分の次のステージを考えながら、上手にクールダウンする収束期**です。

修士課程の入学試験に合格後、安心して脱力してしまうように、修士論文執筆終了後は、何も手につかなくなるのがふつうです。創造的な活動をしたことがある方はおわかりのとおり、作品を作りあげるということは出産に似ています。その意味で、修士論文の提出直後は無理をせず、しばらく安静にしているのが一番です。

しかし、いつまでものんびりしていると、次のステージの活動に差し支えてしまいます。就職したり職場復帰をしたりする人はもちろん、博士課程に進学する人も、博士課程で順調なスタートが切れるよう、休暇の期間と活動再開の期間のけじめをきちんとつけ、修士論文を書きあげるなかで積み残した作業を確認し、博士論文執筆の準備を整える必要があります。

6.2　学術論文の構成別執筆法

6.2.1　学術論文の基本的構成

Q　学術論文はどのような構成で書きますか。

A　「はじめに」「先行研究」「資料と方法」「分析の結果」「結果の考察」「まとめ」の6段階の構成が基本です。

研究とは、学術的な「問い」を立て、実証的な手続きによってその「答え」を導きだす営みです。そのための文章構成は、分野によって若干の違いはあるものの、ある程度共通した「型」が存在します。ここではその「型」を紹介します。それは、「はじめに」「先行研究」「資料と方法」「分析の結果」「結果の考察」「まとめ」の6段階からなるものです。

この6段階の「型」は、修士論文、博士論文、学会誌論文、紀要論文で共通するものです。そのため、この基本的な「型」を押さえておけば、しっかりした骨組みの学術論文を書くことが可能です。

6.2.2 「はじめに」

Q 「はじめに」には何を書きますか。

A 研究の背景、目的、問い、論文の構成の予告、の四つです。

「はじめに」は研究の枠組みを示すところです。ここに通常含まれる内容は、「本研究の背景」「本研究の目的」「本研究の問い」「本論文の構成の予告」の四つです。

「本研究の背景」は、自分の研究がこの時代に求められているものであることがわかるよう、研究テーマの学術的・社会的背景を示します。これによって、自分の研究が学術的に意義があり、社会的な価値を持つことを述べるわけです。

「本研究の目的」は、「本研究の背景」を踏まえ、何のためにこの研究を行うのか、その目的を示します。通常、研究というのは何かを明らかにすることであり、明らかにすることが目的となります。基礎研究の場合は明らかにすることで十分ですが、応用研究の場合は役に立つことを示したり提言をしたりすることを目的とする場合もあります。

「本研究の問い」は、「本研究の目的」を疑問文の形で示します。研究課題やリサーチ・クエスチョンとも呼ばれます。**通常 1 文で示す**ことが求められ、研究課題が複数ある場合は研究課題の数だけ疑問文が並ぶことになります。研究課題が確定されると、論文全体がその課題を解決するように書かれますので、本論がその「問い」に沿って答えるという方向で一貫することになります。

「本論文の構成の予告」は、「本研究の問い」にたいし、どのような手順を踏んで答えていくのか、本論の構成を示します。具体的には、「2 章では〜、3 章では〜、4 章では〜、……。」のように、各章で書く内容を予告します。これによって、論文全体の骨格が決まり、書き手は書きやすく、読み手は読みやすくなります。

6.2.3 「先行研究」

Q 「先行研究」を書くうえで大事なことは何ですか。

A 学術論文において先行研究を引用する根本的意義を考えて、引用を行うことです。

「先行研究」は本研究に関わる先行研究を示すところです。「先行研究」はなぜ先行研究を紹介するのかがわかっていないと、失敗します。3.3「引用の作法」でその重要性は述べましたが、ここでは、**「先行研究」の紹介に失敗しているパターン**を七つ挙げておきます。他山の石としていただければと思います。

「先行研究」失敗パターンの一つ目は、**①アリバイ作りの引用**です。論文では、「先行研究」を引用することになっているから、ともかく引用してみせただけというものです。そうした引用は、何のために引用するか、どんな文献を引用するか、いずれにも配慮を欠いているので、読者にもすぐにわかります。引用の意味も考えず、とりあえず引用して見せるのは、もっとも深刻な失敗です。

「先行研究」失敗パターンの二つ目は、**②学術的でない文献の引用**です。自然科学系ではありえないかもしれませんが、人文・社会科学系ではしばしば学術的でない文献から引用するケースがあります。先行研究が乏しい分野で、かつ現場での経験知が示されたものがあれば、参考になる文献として引用したくなるケースもあります。たとえば、ビジネス・コミュニケーションにおける語彙について、糸井重里監修『オトナ語の謎』(新潮文庫)を引用するようなケースです。しかし、参考文献に並んでいるものがこうしたものばかりだと、書き手の研究者としての見識が疑われかねません。

また、気をつけたいのが**国語辞典や百科事典の引用**です。国語辞典や百科事典の引用は避けたほうがよいでしょう。学術的な質を備えているとは言えないからです。たとえば、『新明解国語辞典』や『三省堂国語辞典』(いずれも三省堂)は個性的な小型辞典ですし、『広辞苑』(岩波書店)と『大辞林』(三省堂)は中型辞典としては双璧をなしますが、学術利用には向きません。国語辞典で私が使うのは、原則『日本国語大辞典 第二版』(小学館)だけです。この辞典は国語辞典で唯一大辞典と呼べるもので、全13巻(本編13巻・別巻1)から構成され、多義語の場合、語釈が古い順に並び、初出と目される用例が示されている点に特徴があります。同様のものは他分野にもあるでしょう。日本史ならば『国史大辞典』（吉川弘文館、本編 14 巻・索引 1 巻 3 冊）がよく知られており、学術利用に耐えうる辞典です。百科事典は、Wikipedia も含め、一次資料を引用・編集したものですので、専門外の内容のあたりをつけるために使うもので、先行研究に入れるべきものではありません。その分野を代表する学会が編集したものであれば、専門辞典／事典として引用しても問題ないでしょうが、オリジナリティが高いケースは少ないので、定着した術語の意味を確認するときに使うのがよいでしょう。私の専門分野であれば、『日本語学大辞典』（東京堂出版）や『新版日本語教育事典』（大修館書店）がそれに相当します。

「先行研究」失敗パターンの三つ目は、**③孫引き**です。おそらく孫引きは、自分が読んだ関連論文のなかでよさそうな文献が紹介されているものの、その文献の入手が困難なときに行われると想像されます。しかし、論文の孫引きは、一次資料を引用・編集したものであるという点で百科事典の引用と同じであり、してはいけない行為です。かならず一次資料である元の文献を確認する必要があります。元の文献を確認してみると、引用者が内容を誤解していたり、自分の論文に合うように過度に書き換えていたりするケースもあり、元の文献に当たってよかったと思うことも少なくありません。引用者が誤って引用したものをそのまま使ってしまうと、後に続く研究者がその事実に気づいたとき、「孫引きをする研究者」というレッテルを貼られ、信用を落としかねませんので、注意が必要です。また、前後の文脈によって引用された箇所の意味は変わりますし、自分の論文にとって意味のある情報が引用外の部分に潜んでいる場合もあります。元の文献で確認することは必須です。

「先行研究」失敗パターンの四つ目は、**④限られた分野からの引用**です。引用をしている部分を読めば、論文の書き手が先行研究をどのぐらい深く広く理解しているかがわかります。近年、専門分野が細分化したことに伴い、自分の専門分野をカバーするだけで精一杯という大学院生が増えてきています。しかし、それでは関連分野の重要な文献を拾いそこねてしまいます。

たとえば、日本語教育のピア・レスポンスの談話の研究を考えてみましょう。ピア・レスポンスというのは、自分の書いた作文を学生が持ちより、グループの話し合いで互いの作文を講評・推敲する授業活動です。そこで、どのような話し合いが行われているのか、日本語を学ぶ留学生の談話を分析する研究を志したとします。しかし、日本語教育のピア・レスポンスの談話の先行研究を引用するだけでは不十分です。作文を扱うピア・レスポンス以外にも、読解を扱うピア・リーディングや聴解を扱うピア・リスニングもあるからです。また、留学生の日本語教育だけでなく、中学・高校の国語教育や大学の初年次教育、日本国内や海外の英語教育などのピア・レスポンスの談話という点では、引用の対象になりそうです。さらに、大学の授業には対話型の授業の代表であるゼミ談話があり、その研究も欠かせないでしょうし、大学の授業にこだわらなければ、会議の談話、グループ面接の談話、多人数会話の談話などにも、参考にすべき知見は含まれるでしょう。このように研究の視野を広げることで、先行研究の幅が膨らみ、研究自体のすそ野も広がります。

「先行研究」失敗パターンの五つ目は、**⑤観点が整理されない引用**です。たくさん並んでいるものの、整理されず、思いついた順に並んでいるかのように見える先行研究は、読む人の頭に入りません。上述のピア・レスポンスの研究を考えた場合、日本語教育の「ピア・ラーニング（peer learning）」の研究としてまとめる必要があります。また、国際教育や多文化教育という観点からは「協働学習（collaborative learning）」という言葉で整理されることが多く、教育工学やICT活用教育という観点からは、同じcollaborative learningという語が「協調学習」として整理されるのが一般的です。似たような概念として、「協同学習（cooperative learning）」という用語もあり、こちらは教育心理学で好んで使われます。同じcooperative learningという語は伝統的には「共同学習」と訳され、近年では、障害のある児童生徒と障害のない児童生徒が学校教育でともに活動する「交流及び共同学習」という文脈でよく使われています。なお、学校教育では「ピア・ラーニング」は「アクティブ・ラーニング」の一部として言及されます。このように、似た概念を表す語が観点によって使い分けられています。それらをきちんと整理して示すことで、雑然とした研究の見通しがぐっとよくなるはずです。

「先行研究」失敗パターンの六つ目は、**⑥本研究の位置づけを忘れた引用**です。先行研究という章において、観点ごとの整理をしたあと、最後にかならずつけてほしいのが「本研究の位置づけ」です。先行研究の紹介は、研究テーマについての研究史を自分なりに整理してまとめ、そこに自分自身の研究を位置づける行為です。もし先行研究だけを紹介して、そこに自分の研究を位置づけないならば、画竜点睛を欠くことになります。

論文執筆は、先行研究を整理するなかで見つかった穴を埋めたり、先行研究が出した結論の誤りを修正したりする行為です。したがって、先行研究によって構成されるパズルを組み立てて、自分の研究というパズルのピースがどこにはまるのかを示す必要があります。そのパズルのピースのはまる先を示さなければ、先行研究をいくら上手に紹介しても、その紹介自体に意味はないことになるでしょう。

「先行研究」失敗パターンの七つ目は、**⑦批判のためだけの引用**です。研究活動がオリジナリティの主張である以上、先行研究を否定する部分をそこに含むのは必然ですが、自分の主張を強く押しだそうとするあまり、先行研究を批判しすぎる論文に出会うことがあります。先行研究を書いた人もまた心を持つ研究者です。研究者である以上、正当な批判であれば受け入れるでしょうが、誤解に基づく批判や批判を超えた非難、長所をまったく認めない全面否定などは受け入れがたいと思われます。先行研究を書いた人にたいする尊敬の念を欠いた紹介は、おなじ分野で競いあい、高めあっていく人との関係をいたずらに悪くします。もちろん、学術的な内容において過度の配慮は不要ですが、先行研究を書いた人には一定の敬意と配慮を持って紹介する心がけは大事になると思います。

以上述べてきた「先行研究」失敗の七つのパターンとその改善法をまとめておきましょう。

「先行研究」引用の失敗とその改善法

①アリバイ作りの引用 ⇒ 自分の研究にとって意味のある文献を引用する
②学術的でない文献の引用 ⇒ 学術性の高い文献を中心に引用する
③孫引き ⇒ かならず元の論文を見て、引用内容を確認する
④限られた分野からの引用 ⇒ 関連する文献を広く採るように心がける
⑤観点が整理されない引用 ⇒ 先行研究を観点ごとに分けて整理する
⑥本研究の位置づけを忘れた引用 ⇒ 先行研究史に自分の研究を位置づける
⑦批判のためだけの引用 ⇒ 先行研究に敬意と配慮を持って接する

6.2.4 「資料と方法」

Q 「資料と方法」を書くうえで大事なことは何ですか。

A 何を対象に、どう分析を行ったのか、研究の What と How が明確になるように記述することです。

研究論文の構成として代表的なのが **IMRaD 形式**です。IMRaD とは、「Introduction, Materials and methods, Results, and Discussion」の各セクションの頭文字に由来します。本書で提案した構成との対応関係で言うと、「はじめに」「先行研究」が「Introduction」、「資料と方法」が「Materials and methods」、「分析の結果」が「Results」、「結果の考察」と「まとめ」が「Discussion」です。ここで扱う「資料と方法」は「マテメソ」とも呼ばれ、セットになっています。

「資料」は研究の対象、すなわち What を指します。文学研究や歴史研究の場合は、文学作品や古文書、日記や書簡などの文献資料、人間を対象にした研究の場合は、調査して収集したアンケート結果やインタビューがそれに当たります。前者の場合、古典のなかには原典が残っておらず、筆写による写本しか残っていないものもあります。近代のものでも、筆者が加筆修正して本文が何種類も存在したりします。文庫本などでは出版社の判断で本文に手が入っているものもあります。一見同じ資料を扱ったように見えても、元のテキストが微妙に違えば研究結果も違ってきます。**どの文献資料を使ったのか、その出典を明記する**ことが、必須の作業になります。

「資料」には、調査や実験で収集した資料、いわゆるデータもあります。データの場合、**「いつ」「どこで」「誰が」「何のために」「何を」「どのように」調査、あるいは実験したのかという「5W1H」**をもれなく書く必要があります。研究では、その場にいなかった人が同じ調査を試みたとき、その調査を忠実に再現できるようにする再現可能性を担保することが重要になるからです。「何を」は研究の対象であり、人間を対象にした調査の場合は「誰を」になります。人間の場合、プライバシーの侵害にならないように、個人を特定できるような情報は避ける必要がありますが、それ以外の情報は可能なかぎり掲載するようにしないと、情報としての価値が下がってしまいます。一覧表などにして、わかりやすく情報を示すようにしましょう。

一方、**「方法」**は分析の方法、すなわちHowを指します。「資料」も「方法」も書き手にとっては自明なので、簡単に書いて済ましがちですが、読み手にとって、何をという「資料」、どのようにという「方法」はきわめて重要な情報であり、「方法」についても、できるだけ詳しく記すようにします。先行研究で採用されている方法を踏襲した場合、その文献を丁寧に紹介することで「方法」を読み手に伝えます。また、「方法」は手続きであり、誰が何をどのような順序で行ったのか、箇条書きなどで流れが明確になるようにすることが重要です。

分析の方法を示す場合、「いつ」「どこで」は書かなくてかまいませんが、「誰が」「何のために」「何を」「どのような手順で」は必須です。とくに抜けてしまいがちなのが、「誰が」です。人間が話したり書いたりした言葉の内容、すなわち意味を扱う文系の研究の場合、**分析のためのコード化作業、いわゆるコーディング**が欠かせません。コーディングは、客観性を高めるために3〜5名程度の合議制で行うことが多く、コーディングの質は、分析協力者の背景や経験によって左右されます。このため、どのような分析作業者に、どのような指示を出して作業を依頼したのかを明示することが、「方法」の客観性を保障しますので、「何が」「何のために」「どのような手順で」にくわえて、「誰が」の部分も綿密に記述しておくようにします。

6.2.5 「分析の結果」

Q 「分析の結果」を書くうえで大事なことは何ですか。

A 図、表、グラフといった視覚情報を活用し、分析結果をわかりやすく示すことです。

「分析の結果」は、「資料と方法」に基づいて導きだした分析結果を示すところです。分析の結果は、図、表、グラフのように、分析結果が一目でわかるようにした視覚情報と、本文のなかで文章として語られる言語情報とがあります。

図、表、グラフといった視覚情報はきわめて重要で、読み手によっては本文を読まずに視覚情報だけ眺める人も少なくありません。そこで、本文を読まなくても、**視覚情報だけをつなげていって、「分析の結果」の内容がわかるようにしておく**工夫が必要です。

図、表、グラフにつける見出し、すなわち**キャプション**は必須です。キャプションには、**図、表、グラフが何を示すものか、そこにどんな要素が入っているか**の２点が、本文を読まなくてもわかるようにつけます。

キャプションだけでなく、図、表、グラフ自体の示し方も重要です。図は、一つひとつの要素をバラバラに取りあげるのではなく、要素同士がどのように結びつき、全体を構成しているのか、イメージが一目でわかるようにするために作るものです。そこでは、個々の要素をいかに簡潔で的確な概念で示すか、相互の関係をどのような記号で結びつけるかが問題となります。前者においては要素の命名のセンスが問われ、後者においては記号の定義が問われます。矢印ひとつ、点線ひとつ取ってみても、その矢印は何を示しているのか、なぜ点線で表記するのかなど、個々の記号の意味が明確になっていないと、読み手に図の意味が伝わりません。周囲の人に図だけを見せて、それが何を意味するのか説明してもらい、その説明で不明瞭な点を改善していくことで見やすい図になります。

表は、複雑なデータを、見やすく整理するために使うものです。複雑なデータを本文に入れることはできますが、本文に入れると、データが本文に埋もれて一覧しにくくなります。そこで、調査対象となった人物がそれぞれどのような属性を持っているか、ある表現がそれぞれどのテキストに何回出現したかなどの情報は、表にまとめて示すと見やすくなります。表の長所は数値を正確に示せるところで、どの数値が多く、どの数値が少ないのかを比較しながら発見するのに向いています。分類・整理は学問の基礎であり、調査結果の分析は表にすることから始まると言っても過言ではありません。多くの分野で、エクセルのような表計算ソフトに結果を入れて整理するのも、表で分類することが調査結果の分析の出発点となるからです。その表にたいして統計を適用すると、どの項目が有意に多いか少ないかがわかるので、その部分に印をつけることで、データの特徴を明らかにすることができます。

グラフは、表に示された数値を視覚的に示し、感覚的にわかりやすくするものです。数値を正確に表示するには表が勝りますが、全体の傾向や変化をイメージ豊かに表現し、記憶に残りやすくするにはグラフが勝ります。グラフで示す場合、難しいのはどのグラフを選択するかです。ざっと見るだけでも次のようなものがあります。

グラフの種類と特徴

・棒グラフ：量の大小を比較するのに向く
・折れ線グラフ：量の増減の変化を見るのに向く
・円グラフ：全体にたいする構成比を見るのに向く
・帯グラフ：構成比の年度別の変化などを見るのに向く
・レーダーチャート：成績や能力など項目別のバランスを見るのに向く
・ヒストグラム：連続データの散らばりを見るのに向く、隙間のない棒グラフ
・散布図：2 項目の相関の強さを見るのに向く、多数の点からなるグラフ
・箱ひげ図：データが集中する箇所を見るのに向く

棒グラフの例

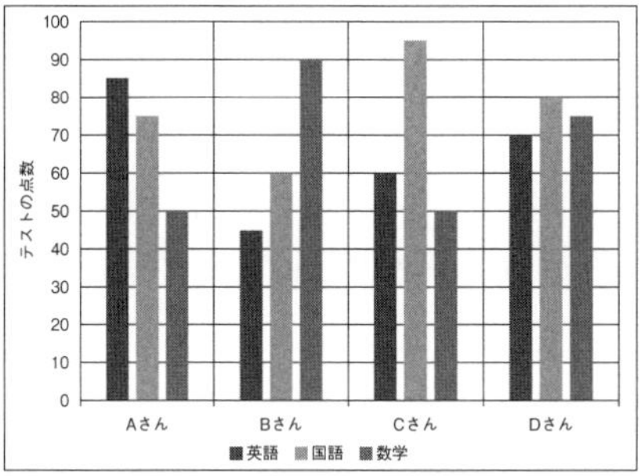

ヒストグラムの例

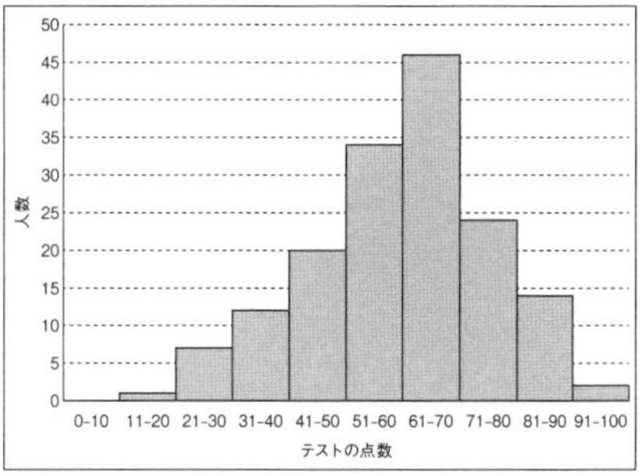

散布図の例

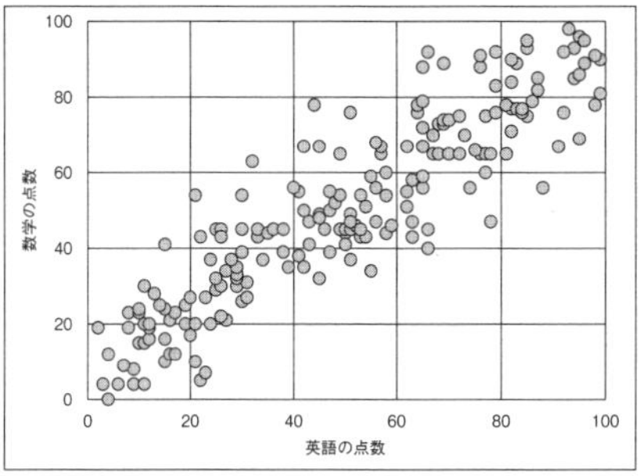

箱ひげ図の例

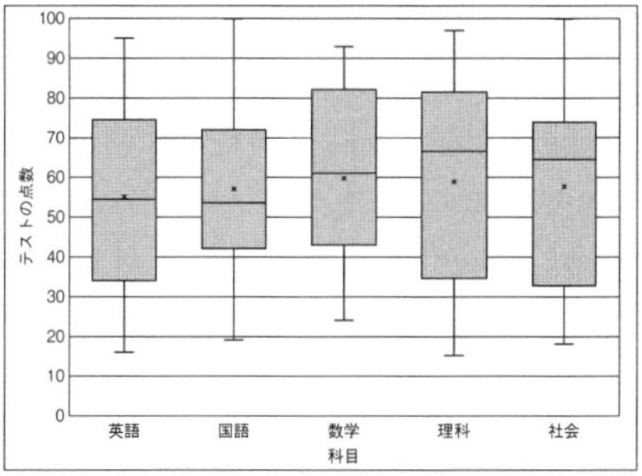

読み手にどこに注目してほしいか、その注目点によって使い分けて初めて、グラフは意味を持ちえます。

6.2.6 「結果の考察」

Q 「結果の考察」を書くうえで大事なことは何ですか。

A なぜそのような分析結果になったのか、言葉を尽くして説明することです。

「結果の考察」は、分析結果を整理して提示し、その分析結果の背後にある特徴や傾向を示すところです。分析は基本的に事実の問題であり、そこに研究者の主観は入らないのにたいし、考察はデータの分析結果を眺め、そのデータが何を意味するのか、その現象の特徴や傾向の背後にある理由が何かを考えることです。考察は基本的に解釈の問題であり、そこに研究者の主観が入る余地があります。主観といってもデータの分析結果に基づく論理的推論であり、それを読めば誰もがその論理を追える、直観に合致したものでなければなりません。データに自信がある人は良質なデータだけを示せば十分と考え、データの背景の説明を端折りがちです。しかし、論文である以上、最終的には言葉を尽くして説得しなければなりません。調査結果の分析はデータがすべてですが、分析結果の考察は本文が重要であり、飛躍のない丁寧な説明で論証する必要があります。

結果の考察は、まとまった内容になる場合は独立した章を設けたほうが読みやすいですが、そうでなければ、分析の結果とその考察はセットで示して問題ありません。ただし、気をつけたいのが「分析」と「考察」の明確な区別です。**「分析」は結果を明確にするためにデータを分類・整理する客観的な操作、「考察」は分析された結果を眺めてその背景を考える主観的な操作**です。「考察」と「分析」はよく混同され、たまに「考察・分析」を行うと書かれた論文を見かけます。しかし、これは「分析・考察」でなければなりません。結果を目に見える形にする「分析」を行って初めて、結果の背後にある目に見えない仕組みを明らかにする「考察」が可能になるからです。

6.2.7 「まとめ」

Q 「まとめ」を書くうえで大事なことは何ですか。

A 「はじめに」ときちんと対応していること、「まとめ」だけを読んで論文の要旨が追えるようになっていることです。

「まとめ」は、論文の結論を示すところで、「はじめに」とセットになる部分です。「はじめに」で示された「本研究の問い」にたいして、「分析の結果」や「結果の考察」で答えが説明されるわけですが、「まとめ」では再度「本研究の問い」にたいする「本研究の答え」を端的に示して論文を閉じることになります。

「まとめ」を書くときは、本文全体を概観し、目的 ⇒ 問い ⇒ 方法 ⇒ 分析 ⇒ 考察 ⇒ 答えとつながる論文全体の流れが一貫していることを確認します。要旨は論文に当てる物差しであり、「（現状）⇒ しかし（目的）⇒ そこで（問い・方法）⇒ その結果（分析・考察）」という流れで書かれます。論文を執筆するという行為は、本文と要旨を往還することですが、両者の接点になるのが「まとめ」です。このため、「まとめ」がきちんと書かれていることが、優れた論文の条件となるわけです。

6.3　学術雑誌への投稿

6.3.1 投稿の必要性

Q 修士課程を修了したら、学術雑誌に論文を投稿したほうがよいですか。

A それぞれの進路によって考え方が異なります。

修士課程を修了すると、指導教員から学術雑誌への論文投稿を勧められることがあります。論文投稿を勧められるということは、それだけ修士論文の質が高かったことの証ですから、悪いことではありません。しかし、実際に投稿するかどうかは、それぞれの進路によって異なるでしょう。

まず、就職が決まっていて、その勤務先が研究とは直接関係のない世界であり、もう研究する人生に戻ってくるつもりがなければ、たとえ勧められたとしても、論文を学術雑誌に無理に投稿する必要はありません。1月に修士論文を提出し、4月から勤務が始まるというスケジュールであれば、ゆっくりできる期間は2ヶ月しかありません。1ヶ月は修士論文執筆の疲れを取り、おそらく最後となる学生生活を楽しむ期間と考え、もう1ヶ月は4月から始まる新生活の準備の期間と考えると、学術雑誌に投稿する論文を執筆する時間はほとんど残されていないことになるでしょう。

一方、就職は決まっておらずモラトリアムを継続したり、研究と関連のある業界に勤めたりする場合は、論文を学術雑誌に早めに投稿しておいたほうがよいと思います。たとえば、私の指導する大学院では、修士課程を修了して日本語学校に勤務する人が一定数いますが、大学の留学生センターなどで日本語教育の非常勤講師を併任するケースも少なくありません。しかし、**大学で非常勤講師になるには、学術雑誌に論文が数本掲載されたという実績が必要**です。日本語教育のような教育経験重視の非常勤講師の場合、掲載を目指す学術雑誌は、査読の厳しい学会誌である必要はかならずしもなく、査読の比較的緩い紀要でよいことが多いのですが、**3本前後の本数は必須**となります。学生生活を終え、実際に働きはじめると、まとまった時間は取りにくくなりますので、修士論文を執筆した記憶が鮮明なうちに論文としてまとめて投稿しておくとよいでしょう。逆に言うと、**修士を終えて関連の業界に就職することを予定している場合、修士論文は最初からいくつかの章を切り取って、学術雑誌に投稿できるように準備しておけばよい**わけです。

博士課程に進学する場合、論文を投稿したほうがよいことは言うまでもありません。しかし、その場合、気をつけるべきことがあります。それについては、次に述べることにします。

6.3.2　博士院生の投稿戦略

Q　博士課程に入ったあとはすぐに論文を投稿したほうがよいですか。

A　早めに投稿したほうがよいと思いますが、緻密な戦略を立てる必要があります。

博士課程に進学するには質の高い修士論文を完成させなければなりません。しかし、ほんとうに難しいのは、博士課程に進学してからです。修士課程のときは研究に燃えていた大学院生が、博士課程に進学してから研究が進まなくなり、熱意を失ってしまうケースが後を絶ちません。

原因は人によって異なりますが、典型的な原因の一つとして、**学術雑誌への最初の投稿の失敗**があります。博士課程の最初の段階でつまずくと、そこから立ち直るのは難しく、立ち直るのにかなりの時間を要します。たとえば、次のようなケースです。

博士課程の最初の投稿でつまずくケース

①自信作の不採用：自分の自信作を投稿して不採用になってしまい、自信が失われ、研究の意欲が萎えてしまうケース

②掲載内容の事後修正：最初の論文が掲載されたものの、中途半端なものが掲載されてしまい、次の投稿までに大幅な修正を余儀なくされるケース

③二重投稿の誘発：最初の論文が掲載されたものの、自分の研究のネタをあれもこれも詰めこんでしまい、次の投稿が二重投稿になってしまいかねないケース

①「自信作の不採用」は、「不採用」の文字を見たときの最初のショックは小さくはないものの、比較的尾を引かずに済むものです。不採用の理由となったコメントを見れば、自分のどこが未熟であったかがわかるからです。たとえて言えば、甲子園で活躍した高卒ルーキーがプロ野球界に進み、開幕戦から1軍デビューを飾ったものの、通用せずにすぐに2軍に落とされてしまうようなものです。プロで活躍するだけの基礎体力がなかったわけですから、2軍で1年間じっくり体力作りから始めればよいのです。しかし、ときには理不尽とも思える理由で不採用になることもあります。その場合は**運が悪かったと考え、悔しさをバネに研究に打ちこむ**ことです。博士課程に入った以上、打たれ強く生きる覚悟が求められます。

②「掲載内容の事後修正」は、「研究の資料と方法」が中途半端な状況で投稿してしまったときに起こります。データの量が不十分であったり、データの質に問題があったり、研究の枠組みに修正が必要であったり、新たな研究方法で

補強しなければならなかったりなど、修士論文で行った研究に改善の余地がある場合、改善策を施してから投稿すべきです。にもかかわらず、修士論文の「研究の資料と方法」を再検討せずに慌てて投稿し、掲載されてしまうと、その後の研究を続けるさいの足かせになってしまうことがあります。いったん活字になったものは修正が利かず、活字になった中途半端な論文を土台にして研究を継続しなければならなくなるからです。そのため、修士修了後すぐに一部を論文化して投稿するのではなく、「研究の資料と方法」を慎重に吟味し、**資料も方法もこれ以上変更する必要がないと確定できた段階で初めて投稿する「急がば回れ」方式**をお勧めします。

③「二重投稿の誘発」は、修士論文でやったことを最初の論文にすべて盛りこんでしまった結果、次の論文を投稿するときに、最初の論文と内容に重なりが生じてしまい、査読者に二重投稿と見なされかねないケースです。それを避けるには、自分のなかで二重投稿にならないよう、**最初に投稿する段階で、これから執筆する予定の複数の論文のテーマをきちんと分け、棲み分けを図っておく**ことが重要です。

こうした失敗から見えてくることは、博士課程に入学したら、学術雑誌に投稿する論文をすぐに書きはじめて投稿するのではなく、そのまえの段階として**自分の研究を学術雑誌に載せていく戦略を立てる必要性**です。その戦略を立てるさいに重要なのは、次の3点です。

博士課程の最初の論文投稿に向けた戦略

①修士論文を博士論文の一部として書く：博士課程進学希望者は、修士課程の段階で博士論文の章立てを考え、今書いている修士論文が博士論文の一部になるイメージで執筆する

②博士論文の章立てを考える：博士課程に合格したら、自分の修士論文を博士論文にバージョンアップさせるべく、博士論文の詳しい章立てを（仮）確定する

③投稿戦略を練る：博士論文の章立てを（仮）確定したら、本論の各章をどのように切り分け、異なる学術雑誌に載せるかを、投稿時期や投稿順も含めて検討する

もちろんこれは理想論にすぎません。博士論文の章立てが博士課程入学直後の段階で簡単に決まるわけはありません。ここで大切なのは、**今取り組んでいる修士論文や学術雑誌論文の背後に博士論文の章立てを見る**ことです。目の前のことばかりに目を奪われていると、後で収拾がつかなくなります。局所と全局を往還する目を持つことが、研究する人生には必要です。

6.3.3　投稿先の選び方

Q　自分の書いた論文を、どの学術雑誌に投稿すればよいですか。

A　投稿する先の学術雑誌の性格や規定を調べ、自分の論文の内容に合った学術雑誌を選ぶことです。

学術雑誌論文は、修士論文、博士論文などの学位論文と同じ論文です。もちろん、学位論文と比べて長さは短いのですが、基本的な構成は同じで、「はじめに」「先行研究」「資料と方法」「分析の結果」「結果の考察」「まとめ」の6段階が基本的な構成です。

しかし、学術雑誌論文には、学位論文と異なる性格があります。それは、**厳しい査読がある**ということです。学位論文にももちろん審査はあるのですが、審査をした結果、20%前後でしか審査を通過しないということはありません。出す段階まで来たら、それなりの高確率で通るのが学位論文です。一方、**学術雑誌論文では査読で落とされるのは当たり前**です。通るのがデフォルトの学位論文と異なり、通らないのがデフォルトの学術雑誌論文では、自ずと執筆の戦略が異なってくることは容易に想像がつくでしょう。学術雑誌論文の査読を通すためには、それなりの戦略が必要になります。そこで、学術雑誌論文の性格について考えることにしましょう。

学術雑誌と一口に言っても、そこにはさまざまな種類があります。学術雑誌の性格を考えるうえで、大事なポイントは次の三つです。

投稿先選定のさいに考えるべき学術雑誌の性格

①知名度：当該の学術雑誌の学界における知名度がどのぐらい高いか

②専門性：当該の学術雑誌のカバーしている範囲はどこまでか

③投稿条件：当該の学術雑誌の投稿規定や執筆要項はどうなっているか

①「知名度」は、投稿しようとする学術雑誌の学界における知名度の高さのことです。たとえば、『Nature』『Science』『Cell』といった雑誌は知名度が高く、文系の人でも名前ぐらいは知っているでしょう。こうした雑誌に掲載された論文は後続の論文によく引用され、学界への影響力も強く、査読も難関として知られています。もちろん、日本国内の、しかも日本語で書かれた文系の雑誌にこうした知名度を求めること自体に無理がありますが、それでも、その分野を代表する学会誌の採択率は20〜30%、厳しいときには10%以下のこともあり、掲載のハードルはかなり高いという印象です。**知名度は採択率の厳しさにおおむね比例しますので、学会誌の知名度を考えて自分の論文の投稿先を考える**ことが重要です。

学術的・社会的価値が高いと思われる論文は、知名度の高い学術雑誌に掲載されるのが理想です。そこで、自分のなかでもっとも価値の高いと考えられる論文を、知名度が高く規模の大きな学会誌に、そこそこ価値があると考えられるものをそれなりに名の知られた中小規模の学会誌に、堅実ではあるがオリジナリティに乏しく、審査になじまないものを大学等が発行している紀要に投稿するのがよいでしょう。

②「専門性」は、投稿しようとする学術雑誌がカバーしている分野の広さのことです。知名度の高い学会誌はカバーしている範囲も広く、知名度がさほど高くない学会誌はカバーしている範囲が狭く、専門性が高いのが特徴です。気をつけたいのが、投稿したさいの門前払いです。言語学の論文を文学や歴史学の学会誌に投稿する人はいないでしょう。分野が異なると、審査にもかからず、門前払いされてしまうからです。広い分野をカバーする大きな学会では比較的そうしたことが起こりにくいのですが、中小規模の学会誌ではしばしばそうしたことが起こります。

たとえば、表現学会という学会が発行している『表現研究』という学術雑誌は、あくまでも言語表現を対象としています。このため、演劇における身体表現の論文を投稿してもおそらく掲載されることがないでしょう。また、専門日本語教育学会という学会が発行している『専門日本語教育研究』という学術雑誌は、一般的な内容の日本語教育の論文を投稿しても掲載されることは難しいと思われます。「専門日本語」とは、アカデミック・ジャパニーズ（学術日本語）とビジネス・ジャパニーズ（産業日本語）を指しているからです。看護・介護の日本語や観光・農業の日本語ぐらいまでなら入りそうですが、一般的な日常会話やSNSの日本語などを「専門日本語」と呼ぶことは難しく、門前払いされる危険性は高くなりそうです。こうした判断はじつは微妙で、学会のホームページを見て、学会の活動の概要や設立の経緯、雑誌のバックナンバーに掲載されている論文のテーマなどから、**投稿予定の論文の内容が、その学会と相性がよいかどうかをあらかじめ確認**する必要があります。

また、その学会の学会誌に投稿することを決めたら、**自分の論文の内容をその学会の性格に調整**していく必要があります。学会誌に投稿する場合、自分が過去に書いた修士論文の１章や、自分がこれから書く博士論文の予定の１章を切り取って投稿することが多いと思うのですが、単に切り取って投稿するだけでは掲載はおぼつかないでしょう。人間関係と同じで、相手のことを観察し、相手に合わせた対応を行うのが基本です。

③「投稿条件」は、投稿先の学術雑誌の投稿規定や執筆要項がどうなっているかという問題です。学会誌の場合、学会の会員になっていることが必須だと思われますが、共著の場合、著者全員が会員であることを求められる学会もあれば、筆頭著者や著者の何割かが会員であることを条件としている学会もあります。また、投稿者が大学院生の場合、学会の大会での発表を前提に投稿を認めている学会も存在します。自分がそうした**投稿資格**を満たすかどうかを確認のうえ、その学術雑誌を投稿先として選ぶかどうかを検討する必要があります。

上記のような学術雑誌の投稿規定にくわえ、執筆要項も問題になります。執筆要項のなかでもっとも重要なのが**分量**です。自分の書こうとしている内容の分量と、投稿規定に示されている分量がかけ離れていると、そもそも学術雑誌への投稿はできなくなります。

なお、本書は和文による論文投稿を前提にしていますが、分野によっては英文、その他の外国語で書く必要があるかもしれません。また、留学生が母国で就職する場合は英語や自国語で書かれた業績が評価され、日本語で書かれた業績の評価が低くなることがあります。

たとえば、中国の場合、国内に独自の「影響因子(impact factor)」が整備され、学術雑誌の認定が行われており、毎年更新されています。代表的なものは次の二つですが、そのほか中国科学技術情報研究所、中国科学院、中国社会科学院、武漢大学、清華大学の計七つのリストが知られています。

中国の学術雑誌リスト

①南大核心雑誌(南京大学 CSSCI 起源雑誌)
②北大核心雑誌(北京大学図書館中国語核心雑誌)
③一般誌

中国のような大国の場合、英語に加えて自国語の業績も高く評価されるのですが、比較的小さい国の場合、日本語のみならず自国語の業績の評価も低く、英語論文のみが評価される場合もあるようです。いずれにしても、**自国に戻って就職する留学生の場合、自国の就職制度や採用基準を早めにきちんと調べておく**ことが肝要です。日本人学生でも海外での就職も視野に入れている場合、どこの国で発行されている学術雑誌に何語で書くかということも、評価の対象になるということは頭に入れておく必要があります。

コラム 7

投稿のカテゴリー

学会誌に投稿するさい、投稿のカテゴリーを選択する必要がある場合があります。「論文」というカテゴリー以外に、「報告」や「研究ノート」などの投稿を認めている学会があるからです。「報告」は「論文」ほどの厳密な立論やオリジナリティを求めないぶん、興味深いデータ(「調査報告」)や意義深い実践(「実践報告」)の提示が求められます。「研究ノート」は長さの短いもので、完成度は通常の論文ほどは求められませんが、新規性の高い事実を掘り起こす萌芽的な内容をいち早く報告することが求められます。「論文」と「報告」は、学会によって同等の価値があると見なすところと、「論文」のほうが高い価値があると見なすところがある一方、「研究ノート」は長さも短いため、「論文」や「報告」よりも低く評価されるケースが多いようです。投稿者はそうした評価と通りやすさを天秤にかけながら、どの種別を選ぶかを検討することになります。

ちなみに、「論文」には「原著論文」と「レビュー論文（総説論文・展望論文・解説論文）」という区別も存在します。「原著論文」は、一次資料を用いたオリジナルな研究成果をまとめたものであるのにたいし、「レビュー論文」は、ある決まったテーマの二次資料、すなわち先行論文を網羅的に引用し、そのテーマの最新の研究動向についてまとめたものです。また、「書評論文」というものもあり、これは、当該分野で重要であると思われる１冊の著書の学史的な価値を、同じ分野の専門家が評価するものです。「書評論文」ほど厳密な論述を求めていない学会の場合、単に「書評」と呼んでいるようです。

6.4　投稿論文のチェック項目

6.4.1　チェック項目一覧

Q　自分の書いた論文を学術雑誌に投稿する場合、どんな点を事前にチェックすべきですか。

A　多岐にわたりますが、本文に示した 11 項目を確認しましょう。

自分が執筆した論文を学術雑誌に投稿する場合、その完成度を高めるために事前にチェックすべき項目は多岐にわたります。学会誌にもよりますが、日本の学会の査読は総じて細かいところに目が行く傾向があります。そのため、事前に丁寧に推敲し、気づいた問題点は可能なかぎり修正してから投稿する必要があります。

事前にチェックすべき項目として考えられる項目は次のページの 11 項目です。提出まえの参考にしてください。

投稿前の最終チェックリスト

① タイトル	本文の内容を的確に反映し、中身を読まなくても内容の見当がつくタイトルになっているか	□
② 要旨	要旨だけを読んで論文のストーリーがわかり、かつ、本文と適切に対応しているか	□
③ キーワード	タイトルと重複せず、かつ、本文の内容と関係の深い一般的な語が選ばれているか	□
④ 匿名性	投稿者の特定につながらないように、投稿者に関わる情報が適切に処理されているか	□
⑤ 先行研究	引用元が特定できる適切な引用となっているか	□
	重要な関連文献の見落としがないか	□
⑥ 注の扱い	投稿規定のとおりの注になっているか	□
	不要な注が多すぎないか	□
⑦ 資料と方法	別の研究者が再現可能な形で資料と方法が示されているか	□
⑧ 結果・考察	総論と各論のバランス、資料と解説のバランスがとれているか	□
⑨ まとめ	「タイトル」「要旨」「はじめに」「結果」「考察」と「まとめ」が整合しているか	□
⑩ 日本語表現	専門語の使い分けが一貫し、学術性に乏しいNGワードが使われていないか	□
⑪ 形式の統一	文字数や行数、フォントの種類やサイズ、図・表・例文の通し番号などが規定に合致しているか	□

6.4.2　タイトル

Q 論文にタイトルをつけるコツを教えてください。

A 論文の究極の要約として、それだけを見て内容がある程度わかるようにつけることです。

①「タイトル」は、つけ方が難しく、本文を書きおえてからチェックするのがよさそうです。タイトルは一人歩きをしますので、タイトルは**本文の究極の要約と心得、そのタイトルだけを見て、内容がわかるようにする**ことが大事です。読者は、タイトルを見て本文を読むかどうかを考え、タイトルに基づいて本文を読みすすめるからです。

ここでは、ある院生が最近持ってきた論文のタイトルを例に考えてみましょう。そのタイトルとは次のようなものでした。

サセ手・シ手の立場と意志の観点から見た話し言葉の（サ）セル表現
―テレビドラマのシナリオの用例から―

専門的なタイトルなのでわかりにくいと思いますが、いわゆる使役表現（サセル表現）には、ある行為を実行する「シ手（動作主体）」と、その行為をさせる「サセ手（使役主体）」が存在します。その「シ手」と「サセ手」の両者の立場と意志によって使役表現の機能がどのように変わるかを論じた論文です。

専門的なことはともかく、「サセ手・シ手の立場と意志の観点から見た」という見慣れない概念が先頭に来ると、意味が頭に入りません。そこで、私が提案したタイトルは次のとおりです。

テレビドラマのシナリオに見る話し言葉の（サ）セル表現
―サセ手・シ手の立場と意志の観点から―

こちらのほうが、テレビドラマのシナリオに出てくる話し言葉の使役表現（サセル表現）の研究をしたということがすぐにわかると思います。また、その分析が「サセ手・シ手の立場と意志の観点から」行われたということが、一つのストーリーとして頭にすっと入ると思います。初見の読者にもよりわかりやすいタイトルになったように思います。

副タイトルをつける場合、よく悩むのが、大きな内容と小さな内容、どちらを主タイトルに、どちらを副タイトルにつけるかです。お勧めは、**修士論文や博士論文のような学位論文の場合は、大きな内容を主タイトルに、小さな内容を副タイトルにつけ、学会誌論文や紀要論文のような学術雑誌論文の場合は、小さな内容を主タイトルに、大きな内容を副タイトルにつける**ことです。その理由は、論文のなかで扱っている内容を主タイトルに反映させたほうが、読者にとってわかりやすいからです。本書のタイトルも悩みましたが、大部のものですので、学位論文と同じように大きな内容を主タイトルに、小さな内容を副タイトルにつけることを選択しました。

6.4.3 要旨

Q 論文の要旨をまとめるコツを教えてください。

A 論文の究極の要約として、それだけを見て内容がある程度わかるようにつけることです。

②「要旨」は、本文の論の筋が通っているかどうかを測る物差しですので、まず、本文を読まずに要旨を読むだけで論文のストーリーが見えるかどうかを確かめます。要旨で「石黒(2021)」のように引用文献を入れる人がいるのですが、それは意味がありません。要旨を読む人は「石黒(2021)」が何を指すか、わからないからです。要旨は、**要旨だけ読んでわかるように閉じておく**必要があります。

つぎに、要旨を物差しとして本文に当てることで、そのストーリーのとおりに本文が書かれているかどうかを確かめます。実際に物差しとしての要旨を当ててみるとわかることですが、**要旨と本文がずれていることが多い**ものです。その場合、要旨を直すこともあるのですが、本文を直すことのほうが多いと思います。本文を書いているときは局所的なつじつまを合わせることに集中してしまい、大局的な流れを見る目が失われてしまうのです。そこで、**「(現状) ⇒ しかし (目的) ⇒ そこで (問い・方法) ⇒ その結果 (分析・考察)」からなる要旨を本文に当ててやる**ことによって、大局的な目で本文の流れを検討することが可能になります。**要旨には本文の筋を通し、論旨の一貫性を高める働きがある**のです。

6.4.4 キーワード

Q 論文のキーワードをつけるコツを教えてください。

A タイトルとの重複を避けること、検索されそうな一般的な語を選ぶことです。

③「キーワード」は、学術雑誌論文の内容の検索のために、5語程度つける専門語のことです。検索のためのものなので、タイトルと重複しない語を優先

的につけたほうがよいと思います。タイトルに含まれる語であれば、タイトルのほうの検索でヒットするためです。より多くの人にアクセスしてもらうために、自分の研究を多面的に捉え、タイトルとは別の角度からキーワードをつけるようにします。

また、自分の論文の内容に興味を持ってくれる人が検索をかけたときにヒットする語を選ぶ必要があります。自分で新たに名づけた造語や、狭いグループのなかだけで通用する仲間内の用語をつける人がいますが、それは避けたほうが賢明です。誰もその用語で検索しないからです。反面、その分野を代表するような語をつけると、検索結果の海のなかに沈んでしまい、誰も自分の論文を見つけてくれなくなります。**一般によく使われ、かつ、意味の限定性の高い専門語を選択する**ことがキーワード選定のコツです。

6.4.5　匿名性

Q　論文投稿における匿名性について教えてください。

A　論文を書いた人が誰か、わかるような手がかりを残さないということです。

④「匿名性」とは、論文を書いた人が誰か、わかるような形で投稿してはいけないということです。論文は「何を」書いたかがすべてであり、「誰が」書いたかを問題にしてはいけません。大御所が書いた論文も、駆け出しの院生が書いた論文も対等です。ところが、論文の投稿者が誰かわかると、査読がそれに左右される可能性があります。知名度の高い研究者や、査読者と近い関係にある投稿者が、無意識のうちに優遇されてしまうおそれがあるわけです。そこで、**投稿者が誰か、特定するのに結びつくような情報は投稿論文に書いてはいけません**。

氏名自体を書くことはもちろん、調査した大学名や関わったプロジェクト名を書くと、投稿者の特定につながる可能性があるので、そうした情報は本文に書かないようにします。また、自分が過去に書いた論文もあたかも他人が書いたもののように引用します。それでも、投稿者本人だと特定されてしまうような引用内容のこともあるでしょうから、その場合は伏せ字にします。

こうした匿名性を保っていない投稿論文は、内容がいくら優れていても、それだけで一発不採用にされてしまう場合もありますから、入念な事前チェックが必要な項目です。

6.4.6　先行研究

Q 先行研究を引用するさいの注意点を教えてください。

A 現時点でその学術雑誌に投稿するのにふさわしい最新の内容になっているかどうかを確認することです。

⑤「先行研究」については、3.3.4 や 6.2.3 で詳しく述べました。観点ごとに先行研究がきちんと整理され、そのなかに投稿者自身の今回の研究が位置づけられているかを確認することが第一です。

引用の場合、直接引用と間接引用があります。直接引用の場合は、引用元の論文の何ページからの引用かをきちんと示す必要があります。間接引用の場合、あたかも自分の意見のように書いてしまいがちなので、他者の意見であることが明示されているかどうかを確認することが必要です。

また、似たようなテーマで前作に続く論文を書いている人に注意してほしいことは、最初に書いた論文と同じ先行研究リストを使い回さないということです。投稿論文の場合、紙幅の都合上、引用できる文献の数が限られているため、投稿先の学術雑誌の性格によって引用する文献を厳選する必要があります。また、同じ論文を引用するにしても、本文に書かれた内容によって、引用するさいの言及の仕方が違ってきます。さらに、投稿するまえに、投稿する論文に関連する内容の論文が新たに刊行されていないかどうか、検索などでもう一度よく確認することも必要です。研究は日進月歩なので、最近になって参考にすべき新しい研究が出てきたということもありますし、検索ワードを少し変えるだけで、見落としていた文献がヒットすることもあります。いったん世に出てしまうと、重要な参考文献を見落としていたという事実も公開されてしまうので、慎重すぎるということはありません。

似たようなテーマで論文を何本も書いていて、「先行研究」のところがいつも同じという投稿者を見かけることもありますが、これなどはあからさまな手抜きであり、読者の印象もよくありません。**個々の論文の内容や投稿先の学術雑誌の性格に合わせて、最新の内容になるように更新する**ように努める心がけが求められます。

6.4.7　注の扱い

Q　注の多い論文はよい論文でしょうか。

A　個人的には注は少ないほうがよいと思います。ただし、注をつけるかどうかは投稿先の学術雑誌の投稿規定を参考にしてください。

⑥「注の扱い」は、分野によっても学術雑誌によっても異なります。注（註）は、おもに補足的な説明をつける場合と、引用内容や出典を示す場合に使われますが、後者は本文に入れるほうが多数派です。学術雑誌に投稿する場合は、注のつけ方に関わる記述が投稿規定にあるか確認するとともに、バックナンバーで注がどのようにつけられているかを参考にし、それにならうとよいでしょう。

注に入れるのは、一般的には（　）に入れたくなるような内容です。本文に組み入れると冗長であったり横道に逸れてしまったりするような情報でありつつも、読者にとって必要な関連情報を注に入れます。注に入れるかどうかのさじ加減は難しいところですが、**個人的には注はできるだけつけないほうがよいと考えます。**注は、査読者からのツッコミにたいするいわば予防線なのですが、それが過ぎると、言い訳のオンパレードのようになってしまうからです。注はそもそも「横道」なので、重要な内容はできるだけ本文に組みこみ、そうでない内容は外したほうがよいでしょう。

なお、注には**脚注**と**後注（文末脚注）**があります。投稿規定で決まっている場合はそれに従いますが、もし規定になければ、同じページの下にくる脚注がお勧めです。ページをめくらずに確認できるほうが読者にとって負担が少ないからです。

6.4.8　資料と方法

Q 資料と方法を記述するさいの注意点を教えてください。

A それを読めば、読者も同じ調査を再現できる再現可能性を担保するように記述することです。

⑦「資料と方法」は、すでに6.2.4で詳しく説明しましたので、そちらを参考にしてください。「資料と方法」で大事なのは、再現可能性です。その論文を読んだ人が同じ調査を行いたいと考えた場合、同じ手続きで追試が可能になっているかを保障することです。

たとえて言えば、研究は調理結果の報告です。こんな材料とこんな手順で作ったら、こんなおいしい料理ができましたということを伝えるレシピです。材料は「資料」、手順は「方法」です。材料にどんな材料を何グラム使ったのか、手順にどんな段取りでどんな点に注意して作ったのかが書かれていなければ、おいしい料理の再現はできないでしょう。そうした目で資料と方法を見直してみれば、提示した資料と方法のどこが足りないかが自ずと明らかになるはずです。

なお、研究倫理についても査読者は気になるところです。人を対象にする調査を行った場合、研究倫理についてどのように配慮したかも、簡単でよいので言及が必要です。

6.4.9　結果・考察

Q 説得力を損わないように、結果・考察を記述するコツを教えてください。

A 総論と各論のバランス、資料と解説のバランスなど、全体の流れを考えて、過不足がないように記述することです。

⑧「結果・考察」も、6.2.5と6.2.6で説明したことがベースになりますので、そちらを参照してください。投稿原稿を読み直す段階で確認するのは、記述のバランスです。**記述のバランス**は、とくに二つのバランスを確認することが重要です。

一つ目は、**総論と各論のバランス**です。総論というのは、論文全体をとおしての主張であり、「要旨」「はじめに」「まとめ」に示される内容、各論というのは、「分析の結果」「結果の考察」で示される個々の結果や考察の内容です。比較的ありがちなのが、「分析の結果」や「結果の考察」に総論が示されず、個々の結果や考察が全体の主張とどう結びつくのかがわからないという、総論と各論が分離するパターンです。

「分析の結果」や「結果の考察」を始めるとき、唐突に各論に入ると、読者は置いてきぼりを食らってしまうので、**「はじめに」で示した総論を再度はじめに提示して総論から各論に結びつく流れを予告し、そのうえで各論に入る**ことをお勧めします。また、全体の「まとめ」だけでなく、「分析の結果」や「結果の考察」のなかにも細かいまとめを設け、それが全体の「まとめ」へとつながっていく道筋を作るのも「分析の結果」や「結果の考察」を構造化するうえで有効です。

二つ目は、**資料と解説のバランス**です。「分析の結果」や「結果の考察」のなかでは、資料となるテキスト、あるいはデータとなる図表を引用しながら、それに解説をつけて記述することが多いと思われます。私のような言語学畑の場合、例文を示して解説するという繰り返しで記述を進めていくのが基本的なパターンです。

しかし、なかには例文ばかりが並んで、解説がほとんどない論文があります。例文を見れば、解説などなくてもわかると投稿者が考えている論文です。しかし、論文は言葉を尽くして説明するものであり、解説のない例文ばかりの説明放棄の文章はもはや論文ではありません。

一方で、解説が数ページにわたって延々と続く論文もあります。そこまで解説しなくてもわかるし、そもそも解説が長くなると、もとの資料から次第に離れていき、投稿者の恣意的な解釈が入る危険性が高まります。**読み直す段階で、資料と解説のほどよいバランスを読者の目から確認する**とよいでしょう。

6.4.10　まとめ

Q　「まとめ」を記述するさいのコツを教えてください。

A　そこだけ読めば、論文全体の流れと主張が明確がわかるようにしておくことです。

⑨「まとめ」では、主張がまとめに収斂していく論文の全体構成を最後に確認することが求められます。「まとめ」はいわば論文の入り口となる、遊園地や動物園の案内所のようなところであり、そこで園内のことを聞けば何でもわかるようになっていることが理想です。

そう考えた場合、案内所で示した内容と、実際のアトラクションや動物が違っていては訪問者が混乱を来します。そこで大事になるのは**「まとめ」と他の部分との整合性**です。「タイトル」と「まとめ」、「要旨」と「まとめ」が合っているかどうか、「はじめに」で示された問いと、「まとめ」で示された答えが対応しているかどうか、「結果」「考察」の要約として「まとめ」が機能しているかどうか、この三つの整合性を確認することが基本です。

さらに、「まとめ」しか読まない読者のために、**「まとめ」だけを読んでも主張の要点が通っているかどうか**を確かめれば、論文はほぼ完成と言えるでしょう。

6.4.11　日本語表現

Q　留学生です。日本語表現をチェックするのはネイティブの日本人なら誰でもよいですか。

A　日本人なら誰でも大丈夫ということはありません。当該分野の専門性が高い人に依頼してください。

⑩「日本語表現」は、一通り確認を終えたあとの最後のチェックで欠かせない工程です。誤字・脱字のチェック、とくに日本語入力で起こりがちな同音異義語の変換ミスなどは修正の必要がありますが、日本語表現の問題はそれだけに留まらず、より高度なレベルでの修正が必要になります。

日本語を母語としない留学生の場合はもちろん、日本人学生の場合でも、教員や先輩などに協力を依頼して**日本語のチェック**をしてもらうことが必要です。自分では気づかないミスを指摘してもらえることが少なくありません。その場合、大事なことは、**日本語のできる、専門性の高い人に精度の高いチェックをしてもらう**ことです。留学生に「誰にネイティブ・チェックをしてもらったか」と聞くと、「同級生」「寮の友人」「ホストファミリー」などという答えが返ってくることがありますが、いずれも適切なチェッカーとは言えません。専門知識に乏しいですし、日本語の表現面でも不安があるからです。学術的な文章は、日本人だからという理由だけでチェックできるような代物ではありません。私自身、留学生の論文を丁寧にチェックして投稿させたことがありますが、返ってきたコメントに「日本語のよくできる専門の先生にチェックしてもらってください」とあり、その留学生と顔を見合わせて苦笑してしまいました。私は比較的わかりやすい表現を好むので、査読者にはその点で専門性に乏しく見えたようです。

日本語表現で問題になるのは、**専門語の使い分け**です。たとえば、話し言葉で山のように出てくる副詞「やっぱり」について論文を書くとき、「やっぱり」の意味、「やっぱり」の用法、「やっぱり」の機能の三つについて、明確に区別ができるでしょうか。あまり考えずに論文を書くと、その日の気分で意味・用法・機能という語を適当に選んで使ってしまいがちですが、こうした専門語は明確な定義に基づく厳密な使い分けが必要です。小説やエッセイでは同じ意味でも適度に別語に言い換えて読者を飽きさせない工夫をするレトリックが用いられますが、論文ではそうした配慮は読者を混乱させるためむしろ有害です。**明確な定義のもとである語を選んだのであれば、その語を一貫して使いつづけるのが論文の基本**です。

また、専門語には**NG ワード**があります。たとえば、言語学者は「母国語」という語を注意深く避け、「母語」や「第一言語」という言葉を選択するのが、田中克彦『ことばと国家』(田中 1981) 以来の伝統です。「母国語」に含まれる「国語」という語が、日本列島に「国語」という正統的な単一の言語が存在するという幻想を作りだし、国民国家を形成する動機となる政治性の強い語であるという考え方があるからです。「国語」は言語学の記述に用いる語としてはイデオロギー性が強く、それ自体が社会学の研究対象となるような主観的な語であるということです。小学校や中学校で教えられる教科名が「日本語」ではなく

「国語」であることに理由があると考えるわけです。

ほかにも、たとえば、公益社団法人日本心理学会の「倫理規程」の7〜8ページには次のような記述があります。「被験者」という語を避けるようにという指示です。

> また、「研究対象者」という表現について付言しておく。「研究対象者」とは、それぞれの研究が対象とする者を指す。かつては「被験者」という呼び方が一般的であったが、英語圏では、「被験者」という言葉に対応する“subjects”が、主従関係を暗示するという理由で、現在は“participants”などと呼ぶことが多い。日本語の「被験者」にはそのような含みはなく、中立的な意味で使用されていると思われるが、本規程では、より客観的な印象を与える「研究対象者」という用語を用いることにした。ただし、それぞれの分野で一般的な呼び方が存在する場合はそれにしたがった。すなわち、実験研究では「実験参加者」とし、フィールド研究では「研究協力者」とした。

このように、研究の各分野には専門語が存在し、**一見専門的に見える一般語を注意深く排除**しています。こうした言葉遣いは、当該分野に精通していなければ気づきません。専門性の高いチェッカーに依頼する必要があるゆえんです。

6.4.12　形式の統一

Q 論文を提出するまえ、最後に確認すべきことは何ですか。

A 書式、フォント、句読点、通し番号、参考文献欄の一貫性です。

⑪「形式の統一」は、投稿論文の品質管理のための最後のチェック項目です。

まず、気をつけたいのは**書式の確認**です。何文字×何行かを投稿規定で再度参照し、その書式と投稿原稿の書式が合っているか、確認しましょう。きちんと設定したはずが、なぜか数ページにわたってずれていたというのは、よく見られる現象です。

フォントの確認も大事です。フォントの種類もサイズも指定があるのがふつうなので、これも投稿規定に合うように忠実に修正します。表のなかの文字指定まではないことが多いのですが、分量の調整のために小さくしすぎるのは読者に迷惑です。本文のフォントよりワンサイズ小さめにするに留めましょう。

句読点の確認も必要です。とくに読点が、ふつうのテンかカンマかという指定があることもありますし、コピー&ペーストがきっかけで混用されることもしばしばです。

通し番号の確認も欠かせません。章・節・項の小見出し、図表、例文、注など、論文に必要な番号は多様です。その一つひとつに誤りがないかどうか、確認します。また、数字は全角か半角かも確認し、一貫性のある処理を施します。

参考文献欄も確認しておいたほうがよいでしょう。本文で言及されているものが参考文献欄にない、反対に、参考文献欄にある文献が本文にないということは避けるべきです。参考文献欄の文献が、和文の場合は五十音順、英文の場合はアルファベット順になっているかどうかも確認のポイントです。とくに、読み方を間違っていると、五十音順がずれてきますので、読み方を確認するのも大事な作業です。

6.5　査読者とのやりとり

6.5.1　査読のしくみ

Q　査読のしくみについて教えてください。

A　匿名の数名の査読者によって行われ、「採用」「条件採用」「修正再査読」「不採用」の四段階で判定されるのが一般的です。

学会誌論文に投稿すると、学会誌の編集委員長がタイトルと要旨、必要があれば本文をざっと読んで内容を把握し、テーマにふさわしい匿名の査読者を選んで査読の依頼を行います。投稿者は査読者を知らず、査読者は投稿者を知りません。両方知るのは編集委員長のみです。

査読者は2名のこともありますが、3名が一般的で、また、査読におけるベストの人数だと考えられます。2名だと、2名の評価がそろってもその評価が偏っている可能性が少なくなく、また、2名の評価が分かれると、評価が真っ向から対立し、議論が進まなくなることがあります。しかし、3名で評価がそろうことは確率的に低いため、評価がそろったときはその評価が妥当なことが多く、たとえ評価が分かれても多数派（2名）と少数派（1名）になり、過度に甘くなったり厳しくなったりせず、バランスよく議論が進むからです。

2名ないし3名の査読者はそれぞれ個別に論文に目を通し、判断します。そして、その判断結果を持ち寄って調整し、最終的な採否を決定します。採否の通知にはいくつか段階がありますが、**「採用」「条件採用」「修正再査読」「不採用」の4段階**が一般的です。しかし、修正なしの「採用」はほぼ出されることがありませんから、指摘された点を修正すれば採用される「条件採用」、指摘された点を修正したうえで再度判断する「修正再査読」、修正しても採用の可能性がない「不採用」の3段階と考えてよいでしょう。

論文の査読結果

①採用：完成度が高く、軽微な修正でそのまま掲載
②条件採用：査読者が改善を要求した一定の修正点を直せば掲載
③修正再査読：査読者が改善を要求した修正点を直したうえで再度判断
④不採用：査読者の修正要求が大きく、定まった期間での修正が見こめないため、査読終了

「条件採用」はいわば採用内定ですから、条件に合うように書き直して提出すべきです。「修正再査読」も、採用の可能性があるわけですから、修正して再度投稿すべきです。「不採用」であっても、一度不採用になったからといって、その学会誌に再度投稿してはいけないというルールはありませんので、十分な手直しを行ったうえでの再度の投稿を検討することも可能です。

6.5.2　不採用の理由

Q　査読は厳しいですか。

A　学会誌の場合、厳しいことが多く、紀要の場合、相対的に優しいことが多いです。

査読は、学会誌の場合、学会の規模にかかわらず厳しいことが多く、落とすことを前提に査読が行われ、大学等の紀要の場合、比較的優しいことが多く、掲載を前提に査読が行われます。したがって、同じ「査読あり」でも、この二つを同列に考えることはできません。

もちろん、査読者には個性がありますが、学会誌の場合、基本的に厳しい査読者が多いのが現実です。**査読を通すほうが責任や負担が重く、落とすほうが責任も負担も軽い**からです。とくに、現在の大学の教員は、教育負担や会議負担が昔以上に重くのしかかっており、その合間をぬって自分の研究をしていますので、査読という作業にできるだけ労力を割きたくないというのが本音です。このため、望ましいことではないのですが、不採用を基本とし、ほんとうによいものだけを拾おうとする査読者が増加する傾向にあります。

採用・不採用の選別の基準は、多くの場合、査読者の直感です。経験豊かな査読者は数多くの論文を読んできているので、一瞥するだけで論文の良し悪しがある程度わかるものです。良さそうだと思えば、その論文をさらに改善するコメントを考え、駄目そうだと思えば、その論文を落とす理由を考えます。

もちろん、査読で落とすには、それなりの理由が必要です。そのため、査読を担当する教員は落とす理由をいくつも隠し持っています。よくある落とす理由は次のようなものです。

査読で不採用になる理由

①研究の目的や課題が明確でない
②研究課題に新規性が乏しい
③必要な先行研究を読んでいない
④調査データの収集方法に問題がある
⑤調査の分析方法に問題がある
⑥意味のある調査結果が得られていない
⑦調査結果の考察が不足している
⑧日本語の表現に誤りや不正確さが目立つ
⑨投稿規定を満たしていない
⑩本誌の性格に合わない

じつは、これらの多くは、論文の全体に目を通さなくても、あるいは、細かく読まなくても落とせる理由です。6.4でチェック項目を細かく挙げたのは、査読者の「査読で落とす理由」に言質を与えないためです。隙のない、完成度の高い論文を書くことで、査読者は投稿論文を落としにくくなるのです。

こう書けばかならずこの論文が採用される、という法則はありません。そのため、自分に合った書き方で自分らしい論文を書いて勝負するのでよいと思います。しかし、こう書くとかならず落ちるという書き方はあります。つまり、論文の書き方に正解はないのですが、不正解はあるのです。その不正解が「査読で不採用になる理由」①〜⑩になります。

私自身は、博士課程への進学希望を持っている学生には、修士課程の段階から「査読で不採用になる理由」に引っかからないような研究設計（リサーチ・デザイン）をするように指導しています。修士課程で行った研究を土台に、博士課程の研究は進むものだからです。

6.5.3　修正再査読コメントへの対応

Q　査読者のコメントを受けて、再度投稿するときに何に気をつけたらよいですか。

A　修正箇所と修正内容が一目でわかる論文修正報告書を添付することです。

学会誌の査読者は、投稿されてきた論文をまずは落とす前提で読みますが、けっして意地悪をしようとしているわけではありません。査読者も研究者である以上、優れた研究を世に出したい、そのためのサポートをしたいと考えているものです。そのため、見込みがあると感じた研究には、積極的に救いの手を差し伸べようとします。

しかし、論文というものは、大なり小なり問題を抱えています。どんなに優れた論文でも落とす理由は見つけようと思えば、見つけられます。したがって、査読者は、その論文を何とか通したいと考えた場合、落とす理由になりそうな問題点を一つひとつ潰していくよう投稿者に指示します。投稿者はその指示に従い、問題点を一つひとつ解決していき、最終的な掲載へとたどり着くのです。

そこに投稿者と査読者の対話が生まれます（石黒 2012b）。

研究というのは、他者との対話の連続です。受験の面接で研究計画をはさんでの面接官との対話に始まり、大学院に入学後のゼミでの対話で鍛えられます。修士論文を書きあげれば修了面接という対話があり、博士課程に進学後は学会発表の場で真剣勝負の対話がなされます。そして、投稿した論文をめぐる対話が交わされ、博士論文を書きあげたあとには口頭試問という恐ろしい対話の場が控えています。しかし、それで対話が終わるわけではなく、研究者として生きる以上、研究をめぐる対話は続きます。ただ、それが、シンポジウムにおける登壇者同士の対話であったり、著名な先生を集めての誌上討論だったり、科研費などの研究助成の採否をめぐる対話であったりするだけです。

研究は対話の連続

①大学院の受験での面接官との対話
②大学院入学後のゼミでの対話
③修士論文完成後の修了面接での対話
④博士課程進学後の学会発表の場での対話
⑤論文投稿時の採否をめぐる対話
⑥博士論文完成後の口頭試問での対話
⑦一人前の研究者としての新たなステージでの対話

同じ対話でも、論文投稿をめぐる対話はかなり特殊です。それは、対話がつねに書面で行われるということです。査読結果のコメントは、書面で行われます。今まで自分の論文にたいする評価は基本的に口頭によるコメントで受けたと思うのですが、論文投稿をめぐるやりとりは書面がベースです。対話の内容は丁寧にまとめられており、かつ、文字という記録に残るので、論文を推敲するうえでとても参考になります。

査読結果が返却され、それが「不採用」以外で、掲載のための努力を継続する場合、**論文修正報告書**を提出します。論文修正報告書の提出は任意であり、学会誌の執筆要項に記載されていることも少なく、その存在を知らない人も多いかもしれません。事実、査読コメントに沿って修正した原稿だけを送付すればよいと思っている人も少なくないようです。しかし、とくに「修正再査読」

のときに論文修正報告書があるかないかで、掲載に至るかどうかの採択率はかなり変わると思います。

論文修正報告書とは、**査読者のコメントにたいし、投稿者がそれを受けてどのように考え、論文のどの部分をどのように修正したのかを示す、修正前後の新旧対照表**です。これがあることで、投稿者の修正箇所と修正内容が一目でわかり、査読者の負担が大幅に軽減されます。

論文修正報告書の例を挙げておきましょう。実際にはA4判の紙を横長にして使います。そのほうが、4列の並びが行ごとに見やすくなるからです。論文修正報告書は、コメントの数が多い場合はかなり長くなり、論文そのものよりも長くなることもあります。

論文修正報告書の記述例

査読者のコメント	投稿者の回答	修正前の表現	修正後の表現
本文中の目的の記述が不明確で、どんな目的の研究かわかりにくく感じました。	適切なコメント、ありがとうございました。ご指摘のとおり目的がわかりにくいので、右記のように修正いたしました。	修正前原稿 3ページ 20～24行目 「……。」	修正後原稿 3ページ 20～25行目 「……。」

このように、査読者のコメントに基づいた修正箇所と修正内容がわかる書面をつけることで、投稿者と査読者の対話の質が格段に向上します。

コラム8　不採用コメントへの対応

不採用コメントをもらって嬉しい人はいません。不採用という文字を見たとたん、気持ちは暗くなり、そのあとに書かれたコメントを見ると、怒りの感情がこみあげてきます。受け取ったコメントに納得のいくことはあまりありません。実現不可能なことを要求されたり、重箱の隅をつつくようなことを列挙されたり、査読者の読みこみ不足や立場の相違のみが目についたりします。これで落とされるのは不当だと、抗議したくなるのがふつうです。しかし、抗議しても査読結果が変わることはありません。少なくとも査読者の目にはそう映ったのですから、次回からは指摘された点を改善するしかありません。

ところが、不採用コメントを何度ももらうようになると、少しずつ意識が変化してきます。不採用コメントにたいする怒りの感情は和らぎ、コメントの内容を冷静に捉えられるようになります。査読者は忙しいなか、貴重な時間を割いて自分の論文を真剣に読み、コメントしてくれているという事実に気づき、感謝の気持ちも湧くようになります。そのうちに、投稿というのはダメでもともと、通ればラッキー、通らなくても改善のための貴重なコメントがもらえ、それが学会の会員の特権なのだから、積極的に投稿しようと思えるようになります。査読コメントは、自分の研究の足りないところを教えてくれるありがたい贈り物です。

もちろん、悔しい気持ちを持つのは悪いことではありません。不採用のコメントを読みかえしてリベンジの炎を燃やし、それを研究のエネルギーに変換することもできます。大事なことは一度の不採用であきらめてしまわないことです。学会誌への投稿は基本的に落ちるものです。落ちることは悔しいことでも恥ずかしいことでもありません。落ちることを恐れて投稿しないことが恥ずかしいのです。

「不採用」にはじつは 2 種類あります。リサーチ · デザインがそもそも失敗しており、一からやり直す必要のある「不採用」と、リサーチ · デザインはしっかりした優れた研究ではあるが、短期間の修正では間に合わない「不採用」です。「不採用」コメントを見れば、いずれの「不採用」かはだいたいわかるものです。前者であれば、今のまま研究を続けていても見込みがないということですから、研究の方針転換を図る必要があり、腰を据えて研究の根本的な改善に取り組むことが必要です。しかし、後者であれば、時間をかけて丁寧に修正すれば、採用につながる可能性を秘めているわけですから、コメントを熟読し、今の研究をどう改善すれば採用の水準に達することができるのか、その青写真を頭に描き、あきらめずに集中して改善に取り組むことが必要です。「不採用」だったからと言って、すぐにあきらめたり別の方向を模索したりする必要はありません。

なお、「不採用」にはまったく別のタイプもあります。それは、研究のテーマやアプローチがその学会の性格に合わないというタイプの不採用です。これは、研究自体の質が低いわけではなく、投稿先の学会を間違えたというだけのことです。また、本誌の性格に合わないとはっきり書かれてはいなくても、査読者との相性が悪いということもあります。その場合は、こちらから査読者を指定するわけにはいかない以上、別の学会誌に投稿するということを視野に入れてもよいでしょう。自分の研究を評価してくれる別の学会があれば、そこに評価してもらえればよいわけです。相思相愛になれそうな、自分と相性のよい学会を知るということも、アカデミックの世界で生き残るために必要な戦略の一つです。

6.5.4 査読者の心構え

Q 初めて査読者になりました。査読者として必要な心構えを教えてください。

A 投稿者の立場を尊重し、投稿者に寄り添った査読を心がけることです。

学術雑誌における査読は、研究にたいする評価を伴い、その評価が投稿者に大きな影響を及ぼすものです。研究という営みは専門性が高いので、評価をする人も評価をされる人も専門家です。このように専門家同士で評価しあう仕組みのことを**ピア・レビュー**と呼びます。「ピア」は仲間、「レビュー」は評価ですので、ピア・レビューは仲間うちの評価ということになります。学術雑誌における論文の採用も、科研費のような競争的資金の採択も、ピア・レビューによって決まります。

すでに述べたように、査読は投稿者と査読者の、書面による対話です。その対話をとおして、査読者は投稿者に研究改善につながる建設的なコメントを行い、投稿者の研究の改善を促します。その点で第5章「話す（発表）」で見たゼミ発表や学会発表とまったく変わりません。ただ、査読は往復書簡であり、相手の顔が見えず、相手が誰だかわからないので、相手の研究レベルを想像しながら一方的に書くという点で、目のまえに相手がいるゼミ発表や学会発表とは異なります。

そこで気をつけたいのが、書きすぎです。相手が目のまえにいないと、相手の気持ちにたいする配慮が薄れてしまうので書きすぎてしまうのです。対面で話したり、オンラインで話したりすれば問題が起きないものが、メールでコミュニケーションするとトラブルになってしまうことがあります。そのため、書き言葉で相手にメッセージを送る場合は控えめに送ることが必要です。とくに、**若い査読者の査読結果には、文面が長い、指摘が細かい、評価が厳しいという三つの傾向があり、それが結果として投稿者を傷つけてしまう**ことがあります。簡潔でゆるめの査読を心がけてちょうどよいでしょう。

評価には減点法と加点法があります。減点法を採用すれば、どんな投稿でも不採用にすることが可能です。しかし、それでは学術の発展が見こめません。このため、**査読は基本的に加点法だと考え、まずはその論文のよいところを見いだそうと努め、それが十分評価に値するものであれば、次は減点法で「採用にあたり、これだけは最低限直してもらわないと、投稿者本人の名誉のためにも、学会誌のクオリティの維持のためにもよくない」という点に限定し、その修正を条件に条件採用や修正再査読として評価する**のがよいと思います。もちろん、加点法の段階で、研究課題が不明瞭、研究設計が不適切、分析結果が新規性に乏しいといった研究上の致命的な欠陥があれば、不採用でやむをえません。ただ、表現の不適切さや、単なる説明不足など、部分的な瑕疵を捉えて不採用にする査読は好ましくありません。**手直しできるものは投稿者自身にきちんとさせて、できるだけ通す**という心がけが肝要です。

また、投稿者の立場自体を受け入れられず、立場が異なることを理由に不採用を出す査読者もいます。研究者としての信念があることはわかるのですが、査読というのは投稿者の立場に立って行うもので、投稿者の立場として論理が一貫していれば、査読自体は通過させ、その論文の評価自体は読者に委ねるべきです。不採用にするのは、投稿者の立場に立ったにもかかわらず、論理が破綻している論文です。

さらに、最初の査読で投稿者に修正を求め、その修正が直されて提出された再査読で、別の理由で不採用を出す査読者もいます。これもまた、査読のルール違反です。もし**その論文に不採用になるレベルの問題があるのであれば、最初の査読でその点を指摘し、修正を求めなければなりません。**もしその点に査読者が最初の査読で気づかなかったのであれば、査読者の負けです。若手の研究者は速やかに業績が形にならないと、博士学位の取得やその後の就職に支障が出るので、そうした点でも「この条件がクリアされれば採用」という基準を最初の査読で明示することが、査読者には求められます。

こうしたことを書き連ねるのは、人文系の学会誌の採択率が非常に低いことが、多くの学会誌で問題になっているからです。採択率が10%台、20%台、ときには一桁台と、総合科学雑誌の『Nature』や『Science』並みか、それ以下の雑誌が目立ちます。そもそも研究者は学会誌に投稿し、採択されるために学会に入会しますので、学会誌に投稿しても掲載されないとなると、学会に入会するモチベーションが下がります。また、学会誌の最新号をいち早く手にし、最新の研究情報に触れられるのも学会員の特権ですが、学会誌の論文の採択件数が少ないと、そうしたメリットが享受できなくなります。最近はとくに、論文の掲載本数の少ない学会誌が郵送されてくるのが恒常化しているように感じます。

学会誌に掲載された論文を最終的に評価するのは、学会誌の読者一人ひとりです。**査読者の役割は、読者に読んでもらう価値がある論文を選別し、相当の価値があると判断できれば、最低限の手直しをして読者の手元に確実に届けること**です。査読者に求められているのはあくまで仕分けであり、優劣の評価ではありません。もし優劣の評価をしたければ、学会誌に掲載されたあと、一読者として優劣の判断をすればよいのです。工学系の学会などでは評価を読者に委ねるという査読が徹底できている印象があり、とくに優れた論文には論文賞を与えるなどして差別化を図っています。そのようにして、その分野の若手研究者を大事にし、分野全体の活性化を図っているのです。一方、人文系の学会ではそれができておらず、論文賞などが創設されても、1年間で最優秀論文1本にのみ論文賞を出すような限定的な対応が目立ちます。**若手研究者を大事にし、分野全体の活性化を図る**ように人文系も努力しないと、ますます時代に取り残されかねないという危機感を、人文系学会で中核的役割を担っているベテランの研究者たちは抱いているのです。

6.6 博士論文の執筆

6.6.1 修士論文と博士論文の違い

Q 修士論文と博士論文の違いは何ですか。

A 論文の長さと学術的な水準に大きな違いが見られます。

博士論文は、大学院の学位論文という点で、修士論文と似ています。修士論文の書き方については6.1「修士論文の執筆」で詳しく説明しましたので、博士論文を書くときにもぜひ参考にしてください。しかし、博士論文は修士論文と異なる点がいくつかあります。この6.6「博士論文の執筆」では修士論文との違いという観点を中心に、博士論文の執筆について検討したいと思います。

博士論文が修士論文とどこが違うかということを常識的に考えると、博士論文のほうが文章の長さが長く、学術的な水準が高いということになります。これはそのとおりであり、修士論文と卒業論文、卒業論文と学期末に課される学部のレポートという関係とも似ています。

文章の長さと学術的レベル

文章の長さ

博士論文 > 修士論文 > 卒業論文 > 学部のレポート

学術的な水準

博士論文 > 修士論文 > 卒業論文 > 学部のレポート

学部の卒業論文とレポートの関係については、石黒（2012a）で述べたことがあります。レポートというのは課題によって、研究上の問いを立てるもの、先行研究の引用を学ぶもの、調査の設計を行うもの、分析方法を身につけるもの、考察を深めるもの、要点をまとめるものなど、部分的なトレーニングを行うものであり、卒業論文はそうした部分的なトレーニングを総動員して一本の論文を執筆するものです。

一方、卒業論文と修士論文でもっとも違うのは論証の厚みです。卒業論文と修士論文の構成は基本的には同じです。ただ、卒業論文は、まとまった文章を書く初めての機会で、知識も技術も不十分なまま書いていますので、全体として稚拙です。独創性はあまり求められませんし、先行研究のレビューに甘さがあっても大目に見てもらえます。論証が不足していても論理の飛躍があっても厳しくツッコまれることはさほどありません。もちろん、なかには質の高いものもあり、独創的なものもあります。有名なのは、サンキュータツオ(2017)で紹介されている『プロ野球選手と結婚するための方法論に関する研究』という卒業論文ですが、それにかぎらず、学部生であっても修士課程、さらには博士課程の院生顔負けの卒業論文はときどき見かけます。その意味で、磨けば光る原石は多いのですが、平均的に見ればそこまでの論文は少なく、修士論文のほうが学術的な洗練度で勝ると思われます。

さて、肝腎の博士論文ですが、学位論文である以上、文章構成という点では、修士論文とも卒業論文とも基本的には変わりません。しかし、論文の長さは圧倒的に長いですし、学術的な水準もまったく異なります。

博士論文の場合、以下の5点を満たすことが厳しく求められます。

博士論文が満たすべき条件

①先行研究を踏まえた独創的な新規性

②適切な方法と根拠を踏まえた実証性

③論理的飛躍のない堅実な論理性

④説得力のある適切な展開と構成

⑤曖昧さのない正確な表現と形式

もちろん、修士論文でも求められますが、そこまでの厳しさは修士論文にはなく、ある程度満たしていれば学位取得は可能です。

また、博士論文では、**説得力を高めるために多面的な論証を要求されますので、論文自体がどうしても長くなります**。博士課程を目指す修士課程の院生に私はよく「修士論文は博士論文の1章になるように書きなさい」と指導しますし、事実、そうした院生が最終的に提出した博士論文には修士論文が包含されています。**博士論文は修士論文を3〜4本収めるぐらいのイメージで執筆する**とよいでしょう。

このように、博士論文では、量の面でも質の面でも、きわめて高い学術的水準を要求されますが、その背景には、修士論文と博士論文にたいする根本的な考え方の違いがあります。修士論文は英語で「thesis」と呼ばれ、大学院のコースで十分に学び、必要な知識と技術を身につけたことを示すことに重点が置かれます。一方、博士論文は英語で「dissertation」と呼ばれ、その分野で新たな発見を行い、**その分野での学術的進展に貢献したことを証明する**ことが求められます。修士論文と異なり、博士論文が公開を原則とされるのも、当該分野の学術的進展に寄与するためなのです。

哲学者の内田樹氏は学部生に宛てた「卒論の書き方」という文章のなかで次のように述べています（内田 2010）。

学術論文はそうではありません。
誰が読むのかは、それは書いているときはまだわかりません。
いつか、どこかで、その論文を手に取ることになる「誰か」です。
みなさんが今回選んだのと同じテーマについて、何となく気になって、前からいろいろ考えていて、「もっと知りたい、もっと理解したい」と思っている「誰か」です。
論文はその「まだ見ぬ読者」を宛先にした「贈り物」です。
その読者に「ああ、私は『こういうもの』を探していたのだ。『こういうもの』を読みたかったのだ」と思って貰うように書く。
その「贈り物」性こそが学術論文の本質であると申し上げてよろしいでしょう。

これは、卒業論文のみならず、博士論文にも当てはまります。博士論文は、これから同じ分野で研究する後進に宛てた、思いのこもった手紙です。私がこの分野でここまで研究を前進させたから、あとはよろしくと未来の読者に託す学問のバトンです。**研究成果は、自己満足では終わらない社会的な知恵の結晶であり、社会で共有されて初めて意味を持ちます**。博士論文は、そうした学術的、社会的な意義が十分にあると大学が認めた証として、多くの人たちに役立ててもらえるよう公開されるのです。**当該分野の進展に貢献する社会的な財産として大学がお墨付きを与えた論文、それが博士論文**であり、その点が修士論文とのもっとも大きな違いです。

6.6.2　博士論文提出までの流れ

Q　博士論文は執筆すれば、すぐに提出できますか。

A　できません。大学によって提出までの条件や手続きが存在します。

上述のように、博士論文は、量の面でも質の面でも、高い学術的水準が求められますので、それを満たすのは容易なことではありません。期限内に書きおえれば無条件で提出できる修士論文とは異なり、博士論文の場合、高い学術的水準を確実に満たせるように、提出のための条件が設けられているのが一般的です。その条件は大きくは二つに分かれます。

一つは**研究業績**です。**博士論文提出までに学術雑誌に掲載された論文が３本、うち著名な学会誌に掲載された論文が１本**というのが標準的な提出条件です。大学院によっては国際学会での発表を義務づけたり、学会誌論文を複数本求めたりするなど、より厳しいところもあります。一方で、そうした条件が存在しない大学院もないわけではありません。事実、私の所属する一橋大学大学院言語社会研究科にはそうした条件はありません。おそらく、学際的な専門領域の大学院生が多く、そもそも適切な学会誌が存在しない分野を専門とする大学院生も少なからず存在し、そうした場合は著作の出版をはじめとする多様な基準を考慮しなければならないためだと思われます。しかし、私自身のゼミ生は日本語学・日本語教育学を専門とする大学院生がほとんどであるため、学術雑誌への３本の論文の掲載（うち１本は学会誌）という基準を個人的に設けています。

もう一つは、**事前審査論文**です。大学院によって予備論文と呼ばれたり、プロポーザルと呼ばれたりしますが、最終的な学位論文を提出するまえに仮の学位論文を提出してもらい、それにたいして審査員が合否の判定を行い、必要なコメントをするという制度を設けている大学院が多数派を占めています。それにより、準備段階での博士論文の事前査読を行い、最終提出論文の質の向上を図っているわけです。

この二つの条件の存在は、博士論文の学術的な水準を担保することにつながる一方、提出のハードルを高くする働きがあり、期限どおりに論文を提出することを難しくし、博士課程の在籍期間を長くする要因ともなっています。人文系の博士課程は在籍期間が長くなりがちなので（2.1.4 参照）、**自分なりの締切を**

明確に設定し、それに沿って計画を立てて研究を進めていく必要があるでしょう。

なお、博士号には、**課程博士**と**論文博士**があります。**課程博士は最低 3 年間在籍し、所定の単位を取得し、上述の研究業績の条件と事前審査論文をクリアして本論文を提出し、最終試験に合格**すれば、博士号が授与されるもので、こちらが現在の主流です。課程博士は最終試験に合格するまでのすべてのプロセスを博士課程在籍期間中に終える必要があります。在籍できる博士課程の最長の期間は、大学院にもよるので確認が必要ですが、正規の在籍期間 3 年、留年 3 年、休学 3 年の最長 9 年在籍することができる大学院が多く、博士課程の院生が滞留する一因になっています。

一方、**論文博士は博士課程に在籍しなくてもよいのですが、博士課程修了相当の学力を有していることを証明する厳しい所定の条件をクリアして本論文を提出し、やはり、最終試験に合格**すれば、博士号が授与されます。ただ、実際には当該大学院の出身者、すなわち、博士課程に在籍して所定の単位を取得したものの、在籍期間中に博士論文を提出することができず退学し、その後、努力して博士論文を書きあげて提出した者に出されるケースがほとんどで、どんなに優秀でも、当該大学院と深い関係にない者が提出できるケースはまれであるため、論文博士による取得は、かなり難しい例外的なルートだと考えておいてよいでしょう。

6.6.3　博士論文の構想と構成

Q　博士論文はゼロから書きはじめるものでしょうか。

A　すでに投稿して掲載された学術論文を組み合わせて書くほうが効率的です。

博士論文は提出するまでにこれだけ厳しい条件が課されている以上、できるだけ計画的に、かつ効率的に執筆を進める必要があります。

博士論文の執筆は博士課程に入ってから始めるものではなく、修士課程のときからすでに始まっています。博士課程に進学する人は、修士課程に在籍している段階で博士論文の章立てをイメージし、博士論文の 1 章を構成するつもりで修士論文を書く必要があります。また、博士課程に進学後、博士論文提出の条件として学術雑誌への3本前後の論文の掲載が期待されていますが、それもまた、**1本1本が博士論文の1章になるイメージで書く**とよいでしょう。そうすれば、分析の結果や考察を論じる4章分の基礎がすでにできあがっていることになるので、あとは、研究の目的、先行研究、研究の方法と資料、まとめなどを加えれば1本の博士論文としての形が整います。

もちろん、博士論文自体も1本の論文です。テーマの異なる学術論文の単なる寄せ集めにならないよう、首尾一貫した観点から一つの大きな論文のなかに各論文がピースとしてはまるように周到な設計図を描いておきます。**学術雑誌論文と博士論文の両方に使えるように設計することで、限られた時間のなかでも効率よく研究を進めることが可能**になります。

6.6.4　博士論文の審査

Q　博士論文は提出までこぎつければ、学位は確実に取得できますか。

A　博士論文は出せばかならず通るというものではありません。

学術論文最低3本などといった厳しい研究業績の条件と事前審査論文をクリアして本論文を提出するところまでこぎつけても、**最終試験**が待ち構えています。最終試験は3名から5名の審査員によって構成され、**博士論文を読んで審査する第一次試験、博士論文の内容に基づく口頭試問を行う第二次試験（公開審査）に合格し、さらに大学院研究科委員会の最終投票で承認**されないと、博士号を手にすることはできません。当然、その三つのどこかの段階で落ちたら終わりですし、落ちるケースも存在します。たいへん険しい道のりです。

最終審査のプロセスに一旦入ったら引き返すことはできません。ですから、博士論文を提出するまでが勝負です。そこで大事なことは**審査員とのコミュニケーション**です。審査員は主査と副査に分かれ、審査の主査は指導教員が務めるのが日本では一般的です。ただし、それでは審査の公平性が担保されないと考え、指導教員は審査員から外す大学院も存在します。欧米の大学院ではそちらのほうが一般的です。いずれにしても、審査員が大きな権限を担っていますので、**事前提出論文での審査員からのコメントを本論文に十分に反映させる**ことはもちろん、可能であれば、**審査員に事前指導を受けて論文の改稿に努める**ことが大事でしょう。もちろん、審査員自身が過去に書いた論文はよく研究し、多少でも関連する論文はきちんと引用する準備は必須です。最終的には運を天に任せるしかないのですが、できる準備は最大限行い、最終試験に臨みましょう。

6.6.5 博士論文の公開

Q 博士論文を公開したくないのですが、何とかなりませんか。

A 博士論文は公開が原則です。

6.6.1 で述べたように、博士論文は、当該分野の進展に貢献する社会的な財産として大学がお墨付きを与えた論文です。そのため、**博士論文は、研究成果の流通促進という面でも、当該分野における研究の質の向上という面でも、公開が原則**となっています。

学位授与について定めているのは文部科学省の省令ですが、2013 年の省令改正により、**2013 年 4 月 1 日以降に授与された博士論文は原則、学位授与日から 1 年以内に論文全文をインターネットで公表すること**が義務づけられ、これにより、国内すべての博士論文へのオープンアクセスが実現しています。ただし、著作権や個人情報に関わる制約があったり、特許申請や出版刊行の予定があったりする場合には、大学の承認を得たうえで、全文に代えて要約を公表してもよいことになっています。

人文系の博士論文で非公開申請が出される場合の多くは、著書として出版を希望する場合でしょう。分野にもよりますが、専門出版社から著書として出版されることは大きな業績となり、その後の就職活動にプラスに働きます。しかし、出版社としてはあくまで商業出版ですので、インターネット上に公開されたものをそのまま出版しても誰も買ってくれません。そのため、出版社が出版する場合、非公開であることを条件にするのが一般的です。その場合は著書という形で公開されていますので、インターネットで公開されなくても問題ありません。ただし、専門書というのはさほど売れるものではありませんので、売れない分の負担をどのように補填するかが問題となります。すでに就職できている研究者で、その就職先の助成制度を利用できるのであればよいのですが、現実にはそうした人はほとんどいないでしょう。また、かつては**科研の研究成果公開促進費**を用いて博士論文を出版することも可能だったのですが、現在の研究成果公開促進費の運用では博士論文をそのまま出版することは認められておらず、その後の研究成果を反映して別の論文として出版することが求められています。したがって、市販しても一定部数売れることが期待される内容か、あるいは、経済的な負担を覚悟して自費で補填するのでもないかぎり、博士論文そのものを書籍としてそのままの形で出版することはかなり難しくなっているのが実情です。

コラム 9

共著と謝辞

論文は研究者の業績でもっとも評価されるものです。現代のような共同研究が中心の時代にあっては、共同で執筆した共著論文をどう評価するのかがカギとなります。ホールのケーキがあったと考えた場合、単著論文ではそれを分ける必要がなく、そのケーキは独り占めできます。しかし、共著論文ではそうはいかず、そのケーキを分けなければなりません。たとえば、８人の共著者がいた場合、そのケーキは８等分することになるのでしょうか。そんなことはありません。実際には８等分ではなく、まず半分に切り、その半分を１人が取り、残りの半分を７等分して分けあうというほうが実態に近いと考えられます。

最初の半分を持っていく権利を有するのは筆頭著者（first author）です。筆頭著者は８人の名前が併記された場合の最初に来る第一著者になります。１本の論文を書く場合、その論文の完成にたいする貢献度には共著者でも差があります。論文全体の構成を考え、中心となって分析を行い、もっとも多くの分量を執筆し、最終的な校正を行い、投稿のさいのやりとりも行うことが筆頭著者には期待されます。第二著者以降も貢献度順に並べるのが基本ですが、そこにはさほど差が認められず、ほぼ同等の評価をされると見なしてよいでしょう。

第二著者については筆頭著者に準じる貢献をしているケースもあり、高く評価されることもありえますし、高い貢献をした第二著者を共同筆頭著者として見なせるように工夫する学会もあるようですが、人文・社会科学系ではほとんど見かけません。

むしろ、高い評価を受けるのは併記された最後に来る最終著者（last author）です。最終著者はその研究を計画した取りまとめ役が来ることが多いのが特徴です。人文・社会科学系でも、比較的自然科学系に近い領域（心理学等）や学際的な領域（教育工学等）では、自然科学系のように共著者を増やす傾向があります。そうした領域では、研究室のボスの名前が最後にないと、共同研究を率いていない、院生の指導を怠っているなどと見なされかねませんので、ボスの名前を最後に入れるのが常識となっています。ただし、最終著者が単純にもっとも貢献度が低いケースもあり、かならず研究全体の統括責任者であるとは限りません。

また、論文の末尾に謝辞がついていることもあります。謝辞というのを単なるお礼と考えるのは誤りです。直接論文の執筆には携わっていないものの、その協力なしには論文が成り立たなかった人を紹介する場です。お礼を述べるという形によって、裏方さんを紹介していると考えることができ、映画が終わったあとに、その映画の制作に携わったキャストやスタッフのリストが出てくるエンドロールと同じような役割を謝辞は果たしているわけです。ちなみに、論文執筆を映画にたとえるならば、筆頭著者は主演、第二著者以降は助演、最終著者は監督と考えるとわかりやすいでしょう。

こうして考えると、謝辞で名前を挙げる人は準執筆者ですので、共同研究者の名前を執筆者から抜かしてしまうのが研究倫理上問題になるのと同様に、謝辞で名前を挙げるべき人を抜かしてしまうのは研究マナー違反になります。論文執筆のアドバイスをくれた指導教員や研究仲間、改稿のための適切なコメントをくれた査読者、調査に協力してくれた調査対象者、調査を仲介してくれた個人や団体、研究資金を提供してくれた科研費等の研究助成団体には謝辞を欠かしてはいけません。一方、あくまでその論文の成立に関わる人を載せる場ですので、お世話になったからといって、その論文の成立に直接関わらない人を載せるのもまた研究マナー違反になるので注意が必要です。

第7章　つながる（関係）

縦の糸はあなた 横の糸は私
織りなす布は いつか誰かを
暖めうるかもしれない
（中島みゆき「糸」）

7.1　学内でつながる

7.1.1　指導教員のタイプ

Q 指導教員とはどのように付き合ったらよいですか。

A 指導教員のタイプを見抜き、自分の個性と合うタイプを選ぶことです。

指導教員は、大学院生にとって憧れの存在です。しかし、深く付き合うにつれ、指導教員の、よいところばかりでない面が徐々に見えてきます。指導教員も一人のふつうの人間です。

指導教員との付き合い方はとても難しく、万能の処方箋はありません。ただ、少なくとも、**距離感の取り方がきわめて重要になる**ことは確かです。指導教員と学生との距離感が適切であれば、人間関係はうまくいくものですし、うまくいくとまではいかなくても、少なくともこじれることは避けられます。

教員という人種は、学生との関係で考えると、大きく二つのタイプに分かれます。一つは**囲い込み型**、もう一つは**放牧型**です。

指導教員の二つのタイプ

- 囲い込み型…学生を自分の庇護のもとに置くタイプ
- 放牧型…学生を自由に放し飼いにさせるタイプ

囲い込み型と放牧型は一長一短で、どちらがよいというわけではありません。指導教員に個性があるように、大学院生にも個性があります。指導教員と院生の関係は、いわば個性と個性のぶつかりあいですから、**自分の個性に合った指導教員を選ぶ**ことが肝要です。できるだけ指導してほしいと願う「かまってちゃん」タイプであれば囲い込み型がお勧めですし、できるだけ干渉しないでほしいと思う「ほっといてくん」タイプであれば放牧型がお勧めです。

囲い込みタイプのもとで育つ学生は、外敵に襲われる可能性が低いので、安全に成長できることが多いのですが、自立心やたくましさに欠けるきらいがあります。放牧タイプのもとで育つ学生は、自立心とたくましさを兼ね備えているのですが、成長の過程でオオカミに襲われてしまい、研究者としての道が断たれてしまうおそれは否めません。

私自身は自分が典型的な囲い込み型の教員であると自覚しています。私のところに入学してきた博士課程の院生は、現在のところ20名全員、博士号を取得しています。つまり、一人残らず、安全に成長したわけですが、その分野で誰もがその名を知る、傑出した修了生は輩出していません。修了者は揃って優秀であったことは疑いないものの、その世界で十年に一人の逸材と称賛されるまでの人はいなかったわけです。そこまでの抜きんでた才能は、おそらく私を選ばないのではないかと想像します。むしろ、才能にあふれた人は、過度に干渉しない放牧型の指導教員を選び、そこで育つというのが、私の実感です。

プロ野球界を代表する強打者、柳田悠岐選手のトレードマークは、極端なアッパースイングによる豪快なフルスイングです。その柳田選手が常識外のアッパースイングで結果が出なかった若いころ、王貞治・ソフトバンク球団会長は柳田選手の打撃フォームをいじらないように首脳陣に厳命していたと言います。その結果、あのような傑出したバッターに成長したわけです。抜きんでた才能はいじる必要はなく、下手にいじると長所を損ねます。丁寧に指導することは、指導教員の大事な仕事ですが、指導しないで自由にさせることもまた、指導教員の大事な仕事なのです。

7.1.2　囲い込み型の指導教員との付き合い方

Q 囲い込み型の指導教員とはどのように付き合ったらよいですか。

A 親しさを保ちつつも、上手に一線を引くことです。

囲い込み型の指導教員は、面倒見のよさが売りです。指導時間も長く、熱心に指導してくれます。しかし、学生を自分の型にはめようとするきらいがあり、ときには学生の自律性を損ねてしまいます。そのため、学生は次第に身動きが取れなくなり、息苦しく感じるようになります。そこで、指導教員の献身的な指導には感謝し、親しい関係は保ちつつも、上手に一線を引くことが両者の良好な関係維持のために必要です。ここでは、囲い込み型の指導教員をさらに三つのタイプに分けて考えてみましょう。

「親タイプ」の指導教員の研究室は、ゼミ生が一つの家族のようになっています。指導教員はまるで親のようにゼミ生の面倒を見、世話を焼いてくれます。悩みがあれば相談に乗ってくれますし、困ったことがあれば親身に対応してくれます。その意味では、とてもありがたい指導教員です。

しかし、親という存在は、子どもにたいする愛情には溢れているのですが、子どもの心理にたいする理解に欠けがちなものです。親としてよかれと思ってやってくれていることが、子どもにとって迷惑なこともあります。しかし、それを強く拒絶すると、親子の関係が悪くなってしまいます。血のつながっていない関係ですので、両者の関係に亀裂が入るとその修復が大変です。深い亀裂が入るのは避けたいものです。

そんなときに頼りになるのが、きょうだいの存在です。研究室が指導教員を親とする家族だとすると、ゼミ生はきょうだいです。きょうだいは親のことをよく知っていますので、関係がこじれかけたとき、どのように対処したらよいか、経験則でアドバイスしてくれます。また、一人では言いにくいことでも、みんなで言えば関係を悪くせずに言えることもあります。きょうだいで相談しながら親に対処するように、**ゼミ生で相談しながら指導教員に対処する**と、ストレスもかなり軽減されます。

もちろん、指導教員のいないところでゼミ生同士が話すと、指導教員の悪口で盛りあがってしまい、気持ちが高ぶりすぎてしまうこともあります。指導教員の思いは親の思いと類似していますので、**感謝の気持ちは忘れずに冷静に**対処する意識も忘れないようにしたいものです。

「兄姉タイプ」の指導教員の研究室は、ゼミ生は家族というよりむしろ、仲のよいサークルのようになっています。ざっくばらんな雰囲気のなか、互いに思っていることをタメ語に近い言葉で話し、距離の近さが特徴です。一緒に食べたり飲んだりする機会も多く、指導教員は、頼りになる兄貴や姉御のような存在で、何でも率直に相談できる相手です。しかし、だからこそ、率直に相手と言いあった結果、お互いに回復不可能なほど、傷ついてしまうこともあります。

こうした場合、**互いの関係が近くなりすぎないよう、一線を引く**ことが大事です。とくに、**言葉遣いにおいて敬意の程度を上げる**と、距離を取ることにつながります。そうした方法を駆使しながら、適当な距離を取るように心がけることが肝要です。

「王様タイプ」の指導教員の研究室は、かなり注意が必要です。指導教員が王様で、ゼミ生が家来のようになっており、指導教員がゼミ生を支配するような構図のもと、ゼミ生が指導教員の下働きをさせられるからです。徒弟制のような、講座制を敷く一昔前の研究室にはしばしば見られ、さいわい、現在ではこうした研究室は激減しましたが、なくなったわけではありません。学内の事情を知る学生は、そうしたゼミには近づかないようにしているものですが、事情を知らない外部の学生がそうしたゼミにはまりこみがちです。

こうした情報は大学院研究科のホームページには載っていませんので、内部生に事情を聞けるのがベストですが、聞けない場合でも、**博士課程のゼミ生の在籍年数が軒並み長いゼミはブラックである可能性が高い**ことは知っておいて損はありません。また、指導教員がその分野で第一人者の場合、ゼミ生の研究テーマにバリエーションが乏しく、指導教員と似たタイプの研究が並ぶ傾向があります。そうした指導教員は、ゼミ生が見聞を広げたり、他の先生の指導を受けたりするのを嫌う傾向があり、自分の意見が第一にされないと気が済みません。大学院の説明会や入試の面接等でそうした印象を受けた場合、自分の直感を信じ、敬して遠ざけたほうがよいでしょう。

ただし、こうしたゼミがまったくだめかというと、そうとは限らないのが不思議なところです。こうした厳しい環境で学位を取得できたゼミ生は、鍛えられているだけあって優秀で、周囲にたいする思いやりもあり、忍耐強く事に当たることができます。反面教師という言葉が表すように、指導教員の欠点を補ってあまりある力量を持つ院生が育つこともあるのです。

囲い込み型の指導教員の３タイプ

- 「親タイプ」の指導教員：ゼミが一つの家族であり、指導教員は愛情に溢れる親のよう。家族的ではあるが、息苦しくなりがちなので、指導教員とは適切な距離を取りたい。
- 「兄姉タイプ」の指導教員：ゼミが仲良しサークルであり、指導教員は頼りになる兄貴・姉御のよう。率直な言葉が過ぎないように、指導教員とは適切な距離を取りたい。
- 「王様タイプ」の指導教員：ゼミが前近代的で、指導教員が王様として君臨し、ゼミ生が家来として下働きを強いられる。こうしたゼミは敬して遠ざけたいが、忍耐の果てに明るい地平が開けることもある。

7.1.3　放牧型の指導教員との付き合い方

Q　放牧型の指導教員とはどのように付き合ったらよいですか。

A　指導を積極的に受けに行くなど、接触の機会を増やすことです。

放牧型の指導教員は、ゼミ生とは比較的トラブルが起きにくいのが特徴です。基本的に放っておいてくれますので、研究テーマは自分の自由に決められますし、自分のペースで研究が進められます。しかし、すべてが自己責任として返ってきますので、かえって厳しい環境と言えるかもしれません。ここでは、放置型の指導教員を「スタータイプ」「社長タイプ」「不在タイプ」の三つに分けて考えます。

「スタータイプ」の指導教員の研究室は、あたかも指導教員のファンクラブのようです。指導教員はある分野で名を上げた著名な研究者であり、多忙を極めています。指導教員は自分の世界を確立しており、関心の赴くままにその世界を広げていく力を備えています。一方、孤高の存在ですので、他人の研究には関心が薄く、ゼミ生の研究にもあまり興味を持ってくれません。ただ、著名な先生ですので、それがある程度許される雰囲気があります。また、ファンクラブですから、指導教員がコメントを行うと、そのコメントがたとえ妥当なものでなくても、先生が下さったコメントだからという理由で過度な影響力を持ってしまうこともあります。

そうした「スタータイプ」の指導教員には、**一対一で直接コメントする**のが効果的です。「スタータイプ」の指導教員は遠巻きで賞賛されることに慣れてしまっており、核心を突く率直なコメントを言われると新鮮に感じるものです。また、高い研究能力を持つ指導教員ですので、筋の通ったコメントは率直に評価する傾向もあります。一度評価されてしまえば、その先生からも一目置かれた院生になりますので、よい関係を築きやすくなります。

「社長タイプ」の指導教員の研究室は、ゼミ生も個性的なことが多く、野武士集団のようになっています。「社長タイプ」の指導教員は成果主義の方針のもと、実際の指導は現場任せなので、ゼミ内には厳しい競争原理が働いており、ゼミ生同士が切磋琢磨しています。教員は必要以上に干渉しないので、先輩が後輩を指導する土壌があります。こうしたゼミがとくに勢いのある時代には、非常に抜きんでた才能を持つ院生を連続して輩出する傾向があります。健全な競争原理のなかで、有能な研究者が育ちやすいゼミと言えます。

一方で、ゼミ生の数が少なくなり、切磋琢磨する雰囲気が失われると、厳しい批判だけが横行する雰囲気の悪いゼミになることもあります。先輩からのハラスメントが起こりやすく、牢名主やお局さまのような長くいる先輩が強い発言権を持ち、指導教員もとくにそれに口を挟まないので、そうした状況が固定化されやすい体質もあります。成長も早い一方で、衰退も早いのも、こうしたゼミの特徴なのかもしれません。

こうしたゼミでは、先輩の厳しいコメントに傷つくことも起きやすいので、そうした場合は**指導教員のところへ直接コメントをもらいに行く**のが賢明です。先輩のコメントは妥当なこともある一方で、見当外れなこともあります。指導の院生が進むべき先を示す水先案内人は経験豊富な指導教員ですので、**指導教員の考えをきちんと確認する**のが肝要なように思います。

「不在タイプ」の指導教員の研究室は、指導教員の指導力に疑問がある研究室です。指導教員がゼミ生に積極的に指導しないのは、どう指導してよいかわからないためです。本来、こうした人は指導教員にならないほうがお互いのためなのですが、大学というところはさまざまな教員がいるので、指導に向かないこのような指導教員が一定数いるのもまた現実です。

博士号取得者が少なく、指導の体制が十分に整わなかった一昔前の大学院では、指導に当たれるだけの資格も見識もない教員が指導に携わることもあったため、なぜこの人が指導教員になってしまったのだろうという首をかしげたくなる状況もありました。しかし、現在の大学院にはさすがにそうした指導教員は皆無です。ただ、若いころにある分野で一定の業績を上げて大学院の教員になったものの、就職したとたんに研究にたいする意欲も好奇心も失ってしまい、研究をするにしても、昔取った杵柄で似たような研究を繰り返して最低限の業績を生みだす教員もいないわけではありません。

こうした指導教員は、研究や指導にたいする情熱をもはや失っていますので、自分の仕事を増やされないことに一番の関心を持っています。院生指導も、仕事だからやむなく関わっているにすぎず、できれば関わらずに済ませたいと思っています。ほんとうに自由に自分の研究を進めたいので、籍だけ置かせてもらえればよいという人は別として、こうしたゼミは、研究指導をきちんと受けたいと思っている院生にはお勧めできないゼミです。さいわい、こうしたゼミの見分け方は簡単で、**指導教員のここ５年の研究業績を見れば、その内実の乏しさからすぐに判断がつく**はずです。

放牧型の指導教員の３タイプ

- 「スタータイプ」の指導教員：ゼミが著名な指導教員を囲むファンクラブのよう。指導教員の影響力は強いが、孤高の存在なので、筋の通った率直な思いを直接伝えたい。
- 「社長タイプ」の指導教員：指導教員は有能だが、現場任せなので、ゼミに競争原理が働く。先輩からの厳しい批判に晒されがちなので、指導教員の穏当な考えを直接聞きたい。
- 「不在タイプ」の指導教員：指導教員の研究能力に疑問があり、ゼミでも指導にたいする熱意が感じられない。籍を置く目的以外では学費に見合うだけのご利益はなさそう。

コラム 10 指導教員の選び方

ここまで見てきたように、指導教員にはさまざまなタイプがあります。そこで、どのようなタイプの指導教員が自分との相性がよいのか、自分自身の性格も考慮して指導教員を選ぶとうまくいきやすいことがわかります。

それ以外にも指導教員の選び方で気をつけたい点が二つほどありますので、ここで紹介しておきましょう。一つは指導の方法です。ここまで、ゼミによる指導を前提として説明してきましたが、なかにはゼミという集団指導を取らずに、個人指導のスタイルをとる教員もいますし、私のようにゼミという集団指導と個人指導を併用する教員もいます。

なぜ私がゼミによる集団指導で完結させず、必要に応じて個人指導を併用するかと言うと、ゼミという集団指導の場では、ほかのゼミ生の手前、言いにくいこともあるからです。ほかのゼミ生のまえで発表者のメンツを潰してしまうのは好ましくない場合があります。また、ゼミで出された参加者からの多様なコメントの整理がつかず、どう対処してよいかわからずに混乱してしまっている場合には、その整理と対処法を一緒に考える必要があります。さらに、そもそもゼミで発表できる状況まで考えをまとめること自体が大変で、事前にそのお手伝いが必要だということも少なくありません。その結果、集団指導の前または後に個人指導を併用しているわけです。

もちろん、学生によっては指導教員と一対一で指導を受けるのが苦痛という人もいますし、反対に、ゼミ生のまえで研究発表を行い、コメントをもらうのが苦痛という人もいます。いずれにしても、苦痛なことをさせられるのはしんどいので、集団指導と個人指導の向き不向きを考え、自分に合った指導スタイルのゼミに参加したほうがよいでしょう。

▶指導教員の指導のスタイル

- **集団指導スタイル**…個人的な指導は行わず、ゼミでの指導で完結する。
- **個人指導スタイル**…ゼミで指導は行わず、対面の個人指導で完結する。
- **ハイブリッド・スタイル**…集団指導をベースに、必要に応じて個人指導を織り交ぜる。

一方、指導教員の選び方で考えておきたいもう一つは、指導にたいする考え方です。放牧型の指導教員の場合、そもそも指導という発想はあまりなく、「院生とは、教わるものではなく自ら学びとるものである」という姿勢が徹底しています。私のような囲い込み型であっても、指導という発想が薄い場合もあります。

私はある院生に「厳しいご指導をお願いします」と言われて、「お断りします」と答えたことがあります。断ったのはそもそも自分には指導はできないという自覚があるからです。私ができるのは、せいぜい院生が持ってきた研究相談について、一緒に考え、それをめぐっておしゃべりする程度のことです。研究についてはわからないことだらけで、指導などという大それたことができる自信がありません。院生の問題解決につながるような提案をあれこれ示して、それを材料に自分で問題解決の糸口を見つけてほしいと願っているだけです。教員に教える力がなくても、院生には学ぶ力があるので、院生自身の問題解決力を信じてお付き合いしています。

また、ある教員と研究のことについて話したことがあります。その教員は日本語のことについてどのぐらい知っているかと言うと「100 のうち 50」、私自身は「100 のうち 2～3」でした。もちろん、その教員は著名な研究者であり、私とのあいだに力の差があったのかもしれませんが、それでも私の 20 倍、その教員がものをよく知っているとまでは思いません。ただ、その教員は研究の道筋がかなりはっきり見えており、「指導」ができると考えているのにたいし、道筋がぼんやりとしか見えていない私には「指導」はできず、できるのはせいぜい学生の「支援」だけだと考えているということです。私自身は、現実世界の現象はかなり複雑で奥深いものであり、研究によって見えるのはそのごく一部にすぎないと考えていますので、そうした考え方ができる院生と相性がよいのだと思います。

このように、教員には研究の勘所を一方的に教えてくれる「指導」型と、一緒に相談しながら解決していく「支援」型とがいますので、自分の好みに合うタイプを選ぶのがよいと思います。

▶指導教員の指導にたいする考え方

・「指導」型…院生の弱点を見抜き、積極的に矯正するタイプ
・「支援」型…院生の考えに耳を傾け、院生と一緒に考えるタイプ

7.1.4 修士 1 年目の人間関係

Q 大学院に進学したいのですが、友人ができるかどうか不安です。どうしたら友人ができますか。

A 修士課程の入学後数ヶ月間、少しだけ積極的な自分になることです。

大学院に進学したいけれども、人間関係が不安という方は少なくないでしょう。大学院への進学を希望する人は、どちらかと言うと、一人でいることが好きで、自分の時間を大事にしたい人が多い傾向があります。もちろん、友人の数が多い社交的な人もいますが、私の周囲を見ているとそれは少数派です。内向的な、似たタイプの人が集まっている集団ですので、とくに無理をしなくても自然に友人はできていくように思われます。

また、年齢が上の人の場合、自分の子どもに近い年齢の人たちと始終行動をともにすることへの不安を覚えることもあるでしょう。しかし、これも杞憂に終わることが多いというのが実感です。私のゼミでもこれまで 60 代、50 代の方を過去何人も受け入れていますが、年の差で友人ができず、寂しさを覚えたという話は聞いたことがありません。新しいことを学びはじめるのに年齢は関係なく、中高年の学生も、年齢のことなど意識せず、若い学生と楽しそうにやっています。事実、若い学生とのコミュニケーションのなかで、若さを取り戻す人も少なくありません。自分のほうから壁さえ作らなければ、年の差のある若い友人を作ることは難しくないと考えてよさそうです。

このように「案ずるより産むが易し」というのが大学院での人間関係ですが、横のつながりを作りやすい時期というのはたしかに存在します。それは、**修士課程入学後の最初の 1 年間**です。友人関係が飛躍的に広がるこの時期を逃すと、友人関係が限られがちになるのが現実です。新しい環境で迎える最初の 1 年は誰にとっても新鮮な経験で、履修する授業も多いので、修士 1 年生同士自然と顔が合いますし、慣れない生活のなか、おたがいの情報と不安を共有し、友人としての結束力が固くなるものです。この時期を基盤としてその後の人間関係が築かれます。このため、入学後の最初の数ヶ月は、今までの引っ込み思案な自分を少しだけ変えて、積極的な自分になってみましょう。無理をして、自分らしくない行動をする必要はないのですが、最初の数ヶ月で出遅れてしまうと、すでにできてしまった人間関係のなかに入っていかなくてはいけなくなるので、少々面倒です。もちろん、出遅れても、人間関係を作りたいという気持ちがあれば、次第に友人はできていくものですので、深刻に悩む必要はありません。

大学院によっては、大学院生の自主的な研究会が開かれているところがあり、先輩から声がかかるかもしれません。あるいは、積極的な友人が新たに勉強会をしようと呼びかけてくるかもしれません。そうした機会は活用し、顔を出しておく心がけは大事です。**最新の研究情報を伝えてくれるのは、教員ではなく、学生のことが多い**ものです。学生同士のネットワークのなかで最新情報への感度を磨いておくことも、修士１年目に求められることです。

社会人になって職場で気の置けない友人を作ることの難しさは、多くの人が痛感していることだと思います。**学生同士というフラットな人間関係のなかで、何でも話せる友人を作れるのが修士１年の特権**です。

7.1.5　修士２年目の人間関係

Q　修士２年になって、突然孤独になった気がします。どうすればよいですか。

A　ときどき同期と連絡を取って近況を交換し、悩みを共有して励ましあいましょう。

修士２年になると、履修する講義の数も少なくなり、修士論文の準備に時間を割くことになります。修士論文を書くことは、誰かと一緒に行う共同作業ではなく、一人で行う孤独な作業になります。自分がやりたいと考えてきた研究テーマに没頭できるまとまった時間は、何ものにも代えがたい貴重な時間であると同時に、長く続く苦しい時間でもあります。修士論文に夢中になるのはよいのですが、**生活のバランスを崩しやすい時期**でもあります。

そうしたとき、修士１年で培った人間関係が生きてきます。**たがいに連絡を取ることで、苦しいのは自分だけではない、仲間がいるということに気づく**ことができます。同じ境遇にあるもの同士、愚痴をこぼしあい、励ましあうことで論文を書こうという元気が湧いてきます。行き詰まっているときに友人に話を聞いてもらうことで、混線していた考えが整理でき、研究がふたたび進みはじめることもあります。忘れていた締切などに気づかされることもあるでしょう。

連絡を取るだけでなく、実際に会うことも重要です。たまに食事に一緒に行ったり屋外で遊んだりすることで、気分転換が図れます。デスクワークを続けていると、どうしても健康に悪影響が出るものです。ときには机のまえを離れる機会を作ることもまた、研究を活性化させる秘訣の一つです。

7.1.6 博士課程の人間関係

Q 博士課程から別の大学院に進学しました。人間関係に不安があるのですが、やっていけるでしょうか。

A 一人でもよいので、深く語れる友人を見つけだすことです。

博士課程の人間関係は希薄になりがちです。修士１年は人数も多いですし、ほぼ同じ授業を履修しているので、友人と語りあう機会は頻繁に訪れます。修士２年は授業のコマ数は減りますが、それでも修士１年のときの関係が残っていますし、今年度かならず修士論文を書くという共通の目標もありますので、交流は続きます。しかし、博士課程になると、ゼミ以外に履修しなければならない授業数は少ないので、大学に現れるのが週1〜2回という人も少なくなく、修士課程の同級生とも顔を合わせなくなります。また、そもそも博士課程への進学者の人数は少ないですし、博士号は最短年限の３年で取れる人はまれであり、友人と同じペースで研究が進むということはまずありません。とくに、博士課程から別の大学院に進学した人の場合、ゼミ以外で友人を作るきっかけとなる出会いはほとんどありません。修士のときと異なり、**博士課程で広い横のつながりを作ることに大きな期待を抱かないほうがよい**でしょう。

しかし、友人ができないかというと、そんなこともありません。人数は少ないかもしれませんが、深く語れる友人ができるのはむしろ博士課程のときのほうが多い印象があります。知り合うきっかけが少ない分、ほんとうに親しくなれる人は気の合う人であることが多く、一生続く人間関係に発展しやすいからでしょう。**博士課程の友人関係は少数精鋭で、狭く深く付き合える友人を見つ**

けるのに適したときだと考えておくとよいと思います。

7.1.7　先輩との付き合い方

Q　先輩にたいしてコメントをするとき、偉そうと思われたくないのですが、どうしたらよいでしょうか。

A　偉そうに思われるのを恐れる必要はありません。偉そうと思われるぐらいでちょうどよいと思います。

高校の部活動や大学のサークル活動と同じように、**大学院の研究室にも上下関係が存在**します。先輩のほうが研究の経験値が高いので、ゼミでの発言に重みがありますし、とくに博士課程の在籍期間が長い上級生は指導教員との付き合いも長く、研究室でも中心的な役割を果たしているものです。そのため、頭の切れる憧れの先輩からは自分の研究に的確なアドバイスがほしいと思いますし、大御所の先輩からはできるだけ嫌われたくないと思うのが後輩としての本音です。そこで、新入生の場合、できるだけ素直な後輩と思われるよう、先輩の目を過剰に意識した行動を取りがちです。

ゼミのなかで優秀な後輩だと見られたいと思い、がんばって発言したものの、その発言が相手にされずに流されてしまうこともあります。親切なコメントをしたつもりが、先輩のプライドに火をつけてしまい、ムキになって反論されることもあります。それ以来、ゼミで発言するのが怖くなってしまったという経験をした人も少なくないでしょう。

しかし、**発言するときは、先輩の評価をあまり気にしない**ことです。先輩だって、いつも鋭いコメントをしているわけではありません。Twitterでつぶやくとき、気の利いたツイートをしたつもりでも、まったく反応が得られないこともある一方、深く考えずにツイートした言葉が読み手の心に届き、たくさんの「いいね」がもらえることもあります。ゼミでの発言もそれと同じです。**発言してみないと、その発言の真価は誰にもわからない**のです。たとえ、先輩の発表にたいしてコメントし、それが偉そうと受け止められたら、その反省を次回のコメントに生かせばよいだけです。

ゼミの参加者は一人ひとり個性を持っており、その個性は他のメンバーに受け入れてもらうしかありません。先輩の目が怖いときはあるのですが、そうした評価を恐れすぎず、**自分の考えを率直に発信していくことで発信能力は磨かれます。**積極的な発言を繰り返すなかでその言葉は磨かれ、いずれその個性は貴重なものとして先輩からも一目置かれることにつながると思います。先輩になったとき確実に伸びる院生は、修士課程で生意気に見えた院生です。生意気だと思われることは伸びしろがあることと同義だと思っていてよいと思います。

7.1.8　後輩との付き合い方

Q　後輩のゼミでのコメント姿勢が偉そうで鼻につくのですが、どうしたらよいでしょうか。

A　温かく見守りましょう。

大学院は、実力至上主義の体育会系の部活動に似ています。大学院進学者は研究至上主義の人が多く、そこで抜きんでた才能として認められれば大学等の専任職に近づきます。その意味で、有名大学の大学院はスポーツ強豪校のようであり、そこで大学院生はレギュラーを目指してしのぎを削っているわけです。

スポーツ強豪校における切磋琢磨の環境はすばらしいものですが、上下関係の厳しい実力至上主義の部活動ではしばしばブラックな人間関係が生まれがちな点に注意が必要です。先輩が後輩にたいして上から目線になり、高圧的な態度を取ったり、一方的に説教をしたりしはじめたら黄色信号です。先輩のそうした**上から目線の姿勢が後輩によい影響を与えることはありません。**後輩が先輩の顔色を窺うようになるとゼミの雰囲気は悪くなり、なかには大きなストレスを感じてゼミに出てこられなくなる人も現れるようになります。

誰もが最初は未熟な後輩として大学院に入学してきたという初心を忘れないほうがよいでしょう。偉そうにしているのは、じつは後輩ではなく、先輩である自分自身なのです。後輩のことを生意気だと感じるようになったら、自分のなかに「先輩風を吹かせたくなる病」を発症したぐらいに思っておいたほうがよいかもしれません。

一方、後輩から慕われるよい先輩は、後輩だったころの悩みや苦労を忘れない先輩です。そうした先輩は、後輩たちの偉そうなコメントも、かつて自分が通ってきた道として温かく見守ることができます。また、後輩にたいしても、自分の主張を一方的に押しつけるのでなく、後輩の話にきちんと耳を傾けて共感したうえで、適切なアドバイスを与えられます。

そうした先輩が備えているのは、**メンターとしての資質**です。後輩の面倒を見たり、後輩の研究にアドバイスをしたりするなかで、先輩自身も協働的に学びなおします。そして、そこで得た学びを将来、**自分が専任教員になったときも生かせる**ようになるのです。

先輩として振る舞うということは、後輩にたいして偉そうに指導することではありません。後輩たちが自身の研究能力を引きあげるために支援する、いわばコーチングのスタンスを取ることです。将来、自分が学生を指導する立場に立ったとき、学生たちのパフォーマンスを最大限引き出すためには何をすればよいのか。その訓練の場としてゼミを捉えられるかどうかで、その人の研究者としての器の大きさが決まってくるのです。

7.2　学会でつながる

7.2.1　学会とは何か

Q　学会とは何ですか。

A　学術研究を促進するために作られた研究分野別の研究者の集まりです。

5.2「学会発表」、6.3「学術雑誌への投稿」について説明したものの、学会とは何かについてきちんと説明していませんでした。ここで、あらためて学会について定義しておきましょう。

学会とは、**学術研究を促進するために作られた研究分野別の研究者の集まり**です。研究者が、関連分野の研究者と議論を重ねながら研究内容の学術的妥当性を高め、その成果を公開する場です。多くの学会では、年会費を払えば会員になることができます。会員には次のような特典があります。

学会員の特典

①学会誌に投稿できる
②学会の大会で発表できる
③学会が発信する研究情報にいち早くアクセスできる
④学会の運営に参加できる

①「学会誌に投稿できる」というのは最大の特典です。投稿した論文が査読を通って学会誌に掲載されると、業績として評価され、大学をはじめとする研究機関に採用されるさいに有利に働きます。もちろん、学会誌に投稿しても不採用になることはありますが、その場合でも自分の足りなかった点について詳しいコメントを得ることができ、今後の研究改善に役立てることができます。

②「学会の大会で発表できる」というのも大きな特典です。学会の発表は、論文の掲載とくらべて、業績としての価値は低いのですが、当該分野の著名な研究者に自分の研究内容を知ってもらうよい機会となります。運が良ければ、研究改善のためのコメントをその場でもらい、その後も研究のアドバイスをもらったり研究会に誘ってもらったりするなどの関係に発展することもあります。

③「学会が発信する研究情報にいち早くアクセスできる」というのは①と関連するものです。学会員になると、学会誌が刊行されると同時に自宅に最新号が送られてきます。最近は学術情報の電子化が進んでいるので、紙媒体ではなく、学会の会員専用ページに入って電子ジャーナルとして見ることも増えてきています。いずれの場合でも、掲載論文をはじめとする当該分野の最新の研究成果にアクセスすることが可能になります。最近は、会員でなくても、電子ジャーナルの無料公開システムである **J-STAGE** 等にアクセスすれば、**学会誌のバックナンバー**が読める時代になりつつありますが、刊行後数年間は会員のみが最新の情報にアクセスできる仕組みになっていることが多いようです。

④「学会の運営に参加できる」というのも学術評価につながる特典ですが、このことを理解するには学会の組織について知る必要があるので、まずはその点から説明します。

学会には、理事会、評議員会、委員会、事務局が置かれ、その四つの組織によって学会の運営が行われます。学会の最高責任者は会長（代表理事）であり、会長（代表理事）が理事会を組織し、学会の運営を行います。理事会は、副会長をはじめとする数名の理事、委員会の委員長、事務局長から構成されるのが一般的です。評議員会は会員のなかから互選で選ばれ、理事会の諮問機関として理事会の活動を支えます。委員会は学会によって異なりますが、学会誌編集委員会と大会運営委員会はほとんどの学会に存在します。学会活動の柱は、学会誌の刊行と大会の開催だからです。事務局は会員や予算の管理をはじめとする事務全般を担当しますが、近年では外部の業者に委託するのが一般的です。

駆け出しの研究者にとっては、あまり関わりがないように思えるかもしれませんが、学会には総会が置かれているため、学会の運営についてはそこで意見を述べることが可能です。また、学会である程度の知名度が出てくると、学会誌編集委員会のメンバーとして査読をしたり、大会運営委員会のメンバーとして大会の企画運営に携わったりするようになります。そうすると、人間関係も広がりますし、研究業績として評価されることにもなります。

7.2.2　学会への参加

Q　高い年会費や大会参加費を払ってまで、学会に参加する意味はありますか。

A　意味はあるものでなく、作るものです。学会に積極的に参加することで、意味を自ら作りだしましょう。

研究費から学会の年会費や大会参加費を支払える専任の研究者とは異なり、学費を自ら支弁している大学院生にとって経済的な負担はけっして軽くありません。それでも、学会に参加する意味がありますかと問われれば、**参加する意味はある**と答えたいと思います。

まず、年会費を払うことで**学会誌への投稿資格**が得られます。博士課程の院生の場合、そこに論文が掲載され、それが何度も続くようになると、専任職への道が開けます。そこで得られるようになる定収入と比較すれば、年会費は安いものです。

また、大会に出ると、**さまざまな研究の刺激**が得られます。私の研究室にいる院生が**「学会は昔のアイドルに会える会」**だと言っていました。言いえて妙です。高名な先生の今の姿に出会うことができるからです。自分の好きなアイドルやバンドのコンサートを聞きに行くとき、高いお金を払って、さまざまな手段を駆使して、プレミアム・チケットの入手に努める人は少なくありません。学会も春と秋、年に2回開催される**学術研究のライブ・イベント**です。研究というのは、どうしても論文を読むことに意識が向きがちで、鮮度の高い刺激を得ることが少ないものです。しかし、学会というライブに行けば、そこでは論文でしか知らない先生たちの真剣勝負が見られるわけです。運が良ければ、高名な研究者同士の、お互いに一歩も引かない白熱した論争の場面に出会えたり、長きにわたって語り継がれる伝説のシンポジウムの現場に立ち会えたりするのです。研究というかなりディープな世界ではありますが、玄人好みのイベントが目白押しなのが学会です。

また、学会に出たら、**懇親会**にもぜひ参加しましょう。高名な先生方が集まるイベントを若い院生は避ける傾向がありますので、積極的に参加すれば名前と顔を憶えてもらえます。一人で参加するのが不安な場合、顔の広い知り合いの教員や先輩についていくと、自然と知り合いが増えますので、**頼りになる人についていく**のも一法でしょう。そうして知り合いになった先生が、就職先を探している自分に何かのきっかけで声をかけてくれるという僥倖につながるかもしれません。

7.2.3　学会の役職

Q　学会の役職を依頼されました。引き受けるべきでしょうか。

A　事務作業で貴重な時間が奪われることは事実ですが、事情が許すならば、できるだけ引き受けましょう。それに見合うだけの報いがあるからです。

学会は基本的にボランティア組織です。学会の役職を引き受けたからと言って、金銭的な報酬が得られることはありません。自分の研究時間も奪われますし、人間関係も複雑になりますし、苦労が多いものです。正直言って、私自身も本書を書いている今年、ある学会の学会誌編集委員長と、別の学会の大会運営委員長を依頼され、ほんとうに悩んで両方引き受ける決断をしたところです。悩んだのは、本務が忙しすぎて、体力的に持つかどうか自信が持てなかったからで、今でも持てていません。

しかし、学会の役職を依頼されたならば、**体力と気力が許すかぎり、できるだけ引き受けていただきたい**と思います。学術の世界はすべてピア・レビューという仲間内の相互評価によって成り立つ**「もちつもたれつ」**の世界です。学会にお世話になり、学会誌に論文が掲載されて定職につきながら、学会の役職を引き受けないと、学術研究の衰退を招いてしまいます。自分が引き受けないと、かならず誰かがその負担を引き受けることになります。その結果、優秀な一部の研究者がそうした学会関係の負担をすべて引き受けざるをえなくなり、その人の研究時間が奪われてしまうのです。

それに、学会の役職を引き受けることは、デメリットばかりではありません。デメリットを補ってあまりあるメリットがあります。役職として依頼される学会の典型的な三つの仕事、**学会誌編集委員、大会運営委員、事務局担当**について考えてみましょう。

学会誌編集委員を引き受けるメリットは、**査読というシステムがどのように行われているかを間近で見ることができる**点です。何より自分が査読を担当しますので、**査読者の心理**がよくわかります。査読者が論文のどこを見ているのか、論文のどのような点を評価するのか、査読を通る論文と落ちる論文の違いはどこにあるかなどが手に取るようにわかります。そうした経験は、自分が論文を投稿するときにも、後輩や教え子の投稿論文にアドバイスするときにも役立ちます。

大会運営委員を引き受けるメリットは、**分野や学閥を越えた研究仲間ができる**ことです。大会を開催することは、高校や大学で文化祭や学園祭を開催するのに似ています。イベント当日までの準備はほんとうに大変なのですが、一緒に苦労して準備している者同士に仲間意識が芽生え、結束力が生まれます。そして、無事にイベントを終えたあと、開放感のなかで迎える乾杯はたまらないものがあります。

事務局担当を引き受けるメリットは、**学会や会員の動向に詳しくなれる**ことです。どのような研究者がどのような点で評価されているのかなど、人間としての研究者の姿を知ることができる立場にあります。共同研究が華やかなこの時代、研究者の評価を広く知る立場にある事務局担当としての経験は、ある種の業界コネクションとしてのちにかならず別の形で役に立ってくるものです。

こうした業務をつうじてネットワークができることは、研究者にとって大きな財産です。学会への恩返しという意味でも、学会を盛りあげるという意味でも、ぜひ学会の役職を進んで引き受けてくだされればと思います。

7.2.4　研究会でつながる

Q　学会と研究会の違いは何ですか。

A　学会は規模が大きく、公的な性格が強いのにたいし、研究会は規模が小さく、私的な性格が強いという違いがあります。

研究者がある分野の研究水準の向上のために研鑽する場として、学会と研究会があります。この違いは何なのでしょうか。

学会というと、比較的規模が大きく、公的な性格が強いのにたいし、**研究会というと、規模が小さく、私的な性格が強い**という印象があります。規模が大きいということは研究者がたくさん集まるということであり、そこには知り合いでない研究者も数多く存在します。したがって、**学会の場合、属人的な運営は困難で、規則を作って組織的に運営する**必要が出てきます。たとえば、大会を開催する場合、発表者は匿名の審査を経て決める必要がありますし、発表時間は厳格に守ることが求められます。一方、**研究会の場合、むしろ属人的な運営が一般的**であり、中心的な人物の主導的な働きによって運営されるのが一般的です。また、お互いが顔見知りであることが多く、希望すれば誰でも自由に入れるというものでもありません。かりに大会に類する企画を立てた場合は、比較的自由にプログラムを組むことができます。

しかし、名称だけで内容を判別できるとはかぎりません。学会は、じつは誰でも自由に名乗ることができるので、学術性に乏しい、実体を伴わない学会も存在します。一方で、学会と呼んでもおかしくない規模と実体を備えた、歴史ある研究会も存在します。学術団体として機能している学会を見分ける方法は、日本学術会議が日本学術会議協力学術研究団体規程に基づき、「日本学術会議協力学術研究団体」として認めた団体かどうかです。

「日本学術会議協力学術研究団体」一覧

http://www.scj.go.jp/ja/info/link/link_touroku_na.html

「日本学術会議協力学術研究団体」として認められるためには、次の四つの条件を満たすことが必要です。

「日本学術会議協力学術研究団体」として認められる条件

①学術研究の向上発達を主たる目的として、その達成のための学術研究活動を行っていること

②活動が研究者自身の運営により行われていること

③構成員（個人会員）が 100 人以上であり、かつ研究者の割合が半数以上であること

④学術研究（論文等）を掲載する機関誌を年１回継続して発行（電子発行を含む）していること

また、分野ごとに、学術団体のコンソーシアムを形成していることもあります。たとえば、私の専門とする日本語学・日本語教育学では「言語系学会連合」(http://www.nacos.com/gengoren/) という組織があり、重要な学会の多くはその連合に加盟しています。

このように、学会というのは、研究者が自主的に運営しているもので、政治的圧力など、外部からの学問への干渉をできるだけ防ぎ、学問の自由が堅持されるよう、研究者の仲間同士の評価（ピア・レビュー）をベースに成り立っているものです。

7.3　社会とつながる

7.3.1　社会との連携

Q　研究者が社会とつながると、どのようなメリットがありますか。

A　活躍の場が広がるだけでなく、社会への貢献の仕方に多様性が生まれます。

大学院に入学すると、修士課程のあいだはその大学院の環境に慣れ、そこで力を発揮することが中心となります。しかし、博士課程に進学し、2年、3年と学年が上がると活躍の場は学会に移ります。学内だけに留まっていては研究職に就くことは困難だからです。そして、大学等の研究・教育機関に無事就職すると、さらに社会へと活躍の場は広がります。

研究する人生のつながり方

- 修士院生時代…学内とつながる
- 博士院生時代…学外（学会）とつながる
- 大学教員時代…社会とつながる

大学という世界は、つねに外部の評価にさらされています。とくに、国立大学法人の大学はどの大学も受ける**認証評価**にくわえて、**法人評価**も受けなければならず、評価漬けの日々を送っています。そうした評価システムにおいて、研究と教育が評価基準の柱になるのは当然のことですが、それ以外でも重視されているのが、**社会連携**と**国際連携**という二つの観点です。しかし、研究や教育にくらべて、社会連携と国際連携がピンとこないという大学教員は少なくありません。とくに社会連携がやっかいで、人文学系の場合、自然科学系や社会科学系と異なり、民間企業と協力して何かを創りだすという経験をする機会が少ないため、何をしてよいかわからないという声がしばしば聞かれます。

社会連携とは何かを考える場合、**「産学官民」**という枠組みで考えるのがわかりやすそうです。「産」は民間企業等の産業界、「学」は大学等の学術機関、「官」は中央省庁や地方自治体の官公庁、「民」は一般の市民です。

大学の社会連携「産学官民」

「産」…産業界（民間企業等）

「学」…学術機関（大学等）

「官」…官公庁（府省庁・地方自治体等）

「民」…一般の市民

6.6.1「修士論文と博士論文の違い」で「論文はその『まだ見ぬ読者』を宛先

にした『贈り物』」という内田樹氏の言葉を紹介しました。その言葉を拡張すると、研究活動それ自体が他者へのプレゼントであり、論文はその一つにすぎません。研究者が開発したものが製品化されて多くの人に役に立つことは「産」における他者へのプレゼント、研究者が考えたアイデアが政策に反映されて社会生活が改善されることは「官」における他者へのプレゼント、研究者が熱く語った内容に触発されて一般の人が興味を抱くようになることは「民」における他者へのプレゼントなのです。論文という「学」同士の他者へのプレゼントだけでは、象牙の塔のなかだけの成果に留まります。**他者へのプレゼントである研究という活動は、本来もっと射程の広いものであり、その射程を広げるのが社会連携**だと考えるとわかりやすいでしょう。

7.3.2　産業界とつながる

Q　研究者が産業界とつながることにどんな意義がありますか。

A　企業が研究者のアイデアを実用化する手助けをすることで、研究成果が社会的に広く活用される可能性が高まります。

研究者は研究の成果を論文という形にするのが一般的で、とくに文系の研究者の多くはそれ以外の方法が思いつきません。しかし、自然科学系の研究者がよく知るように、研究の成果は論文だけでなく**特許**という形にすることもできます。論文で大事なのは学術上の「発見」ですが、特許で大事なのは実用化につながる**「発明」**です。もし人文・社会科学系の研究者が特許という発想を持ち、学術研究の成果を「発明」として考え、その「発明」をもとに実用化に向けた研究開発を行うならば、その学術研究の成果が社会に還元される可能性が高まります。とくに、企業という、「発明」を製品化するノウハウを備えた組織とコラボすれば、その「発明」の実用化は大きく前進すると思われます。これが産学連携の意義でしょう。

私自身も企業からアドバイスを求められたことがあります。ある大手航空会社と機内放送の改善に取り組んだこともありますし、ある大手自動車会社とは自動車と人との対話の可能性を検討したこともあります。つまり、日本語研究者であってもその専門的知見が社会に役立つことがあるわけです。もし「一度で確実に乗客が理解できる機内放送」「運転手とごく自然で和やかな会話が続けられる自動車」などが開発できたら、これは十分特許の対象になるのではないでしょうか。そう考えると、産業化のアイデアはどこにでも転がっていそうな気がします。

私自身が産学連携として研究を行ったのは、株式会社富士通研究所（現在は富士通株式会社の傘下）、株式会社クラウドワークス、国立国語研究所の3者で行ったクラウドソーシングのビジネス文書の研究です（石黒編 2020）。クラウドワークスから約10万件のビジネス文書の提供を受け、富士通研究所のWide Learning™というAIの技術と国立国語研究所の日本語の分析力を融合させ、クラウドソーシングのビジネス文書の問題点と改善法を探る研究を行いました。特許を取るところまでは至りませんでしたが、発注文書のどのような表現が受注者に好まれたり嫌われたりするのか、その傾向をある程度明らかにすることはできました。

クラウドソーシングはインターネット上の仕事マッチングサイトです。そこにアップされた仕事の発注文書を見て、受注希望者が気に入った仕事に応募するしくみになっています。しかし、クラウドソーシングの受発注案件は残念ながら「安かろう悪かろう」のものがかなりの数を占める現実があります。その背景の一つに発注文書の質の低さがあり、それを目にした大手企業や官公庁が参入に二の足を踏み、良質の案件が集まらないという実態があるためと思われます。そのため、発注文書の質を改善することが、発注業務自体の質を改善し、クラウドソーシングの業務に信頼を与えることにつながると考え、私たち研究グループは「仕事は言葉でできている」という合い言葉のもと、日本語の面からビジネス文書の質的改善を目指しました。もちろん微力ではありますが、クラウドソーシングの日本語の問題点を分析・改善することで、社会の形をよりよい方向に変えていくことに貢献できるのです。

産学連携はけっしてやさしいものではありません。目指す目的もアプローチも異なる両者が協力関係を長く続けるには不断の努力を伴います。また、産学連携に慣れていない文系研究者の場合、自分たちの不利にならない契約をきちんと交わしておかないと、おいしい成果をそっくり持っていかれかねません。しかし、企業は産業化のプロであり、特許権や意匠権の取得、商品の開発技術、市場での販売戦略などのノウハウを蓄積しており、その協力や支援などが得られれば、こんなに心強いパートナーはいないということも事実です。産学連携の先駆者である理系の研究者に学びつつ、文系研究者も文系らしい産学連携のあり方を模索すべき時期に来ているように思います。

南（2021）は文系の産学官連携の現状を分析した論文であり、全体にたいする人文・社会科学系の占める割合が、共同研究の金額で 2%、公的機関の研究者が 3%、企業の研究者が 1% 強、専門支援者が 8% というきわめて厳しい現状にあることが述べられています。しかし、同時に「人文・社会系分野は、理工系・生物系分野のように明確な依頼に対し技術解決をする点では限界があるが、技術課題に先立つ課題設定やコンセプト提案には適しており、無から有を生み出すことに長けている」（南 2021: 91）と評価しています。その言葉に勇気を得て、文系研究者も機会を見つけて産学連携に少しずつチャレンジしていければと思います。

7.3.3　官公庁とつながる

Q　研究者が官公庁とつながることにどんな意義がありますか。

A　研究の成果やそこから得られる提言を政策に反映させられること、また、一般には手に入らない貴重なデータや人脈にアクセスできることです。

「産学」のつぎは「学官」の連携を検討しましょう。大学等の学術機関の連携先である官公庁は、**中央政府の府省庁**（**内閣府、文部科学省、文化庁など**）や**地方の自治体**（**東京都、横浜市、宮崎県東臼杵郡椎葉村など**）の二つに分かれます。

官公庁とのつながりはおそらく分野によって多様でしょうが、たとえば私の専門である日本語学・日本語教育学関係で言うと、**文化庁**が代表的です。文化庁には文化審議会国語部会（旧国語審議会）というところがあり、国語課題小委員会と日本語教育小委員会とに分かれます。国語課題小委員会は常用漢字表の改定や敬語指針の作成など、いわゆる国語施策への提言を行う委員会、日本語教育小委員会は日本語教育の専門家養成やプログラム作成など、日本国内の日本語教育推進を支援する委員会です。

私自身は前者の国語課題小委員会に委員として参加しています。委員は15名で、会議を定期的に開催し、その年度に取り組むべき課題や各回の審議内容についてそれぞれの専門的な見地から発言を行い、取りまとめの方向性を固めていきます。そこで発言したことはすべて議事録に残され、その時々の政策に直接的・間接的に反映されます。行政に関わる現場で専門家として発言することは、いわば研究者を代表して発言していることにもなるので、専門性を意識しつつ明確かつ慎重に発言するように心がけています。それはやりがいのあることでもありますし、同時に重い責任を伴うことでもあります。

人文系は社会とのつながりが薄く見られがちですが、日本語学や日本語教育学のような人文系の一分野であっても、行政と結びつく場面が案外少なくないものです。文部科学省で言えば、日本語学と国語教育の親和性は高いですし、外国人児童生徒の学校教育や大学での留学生教育、民間の日本語教育機関での語学教育は日本語教育と密接な関わりを持ちます。日本語学と日本語教育学は文化庁と文部科学省が2本柱ですが、よく見ていくと他の官公庁ともつながりを有しています。

たとえば、日本語学では、漢字という観点で、常用漢字表を管理する文化庁にくわえ、人名用漢字を管理する法務省、日本産業規格（JIS）の文字コードを管理する経済産業省とつながりを持っています。一方、日本語教育では、学校教育の日本語教育を管理する文部科学省、生活者の日本語教育を検討する文化庁にくわえ、海外での日本語教育を推進する国際交流基金を擁する外務省、地域社会における多文化共生を目指す総務省、日本語ツーリズムなど海外からの観光客誘致を目指す国土交通省（観光庁）などが視野に入ります。日本という国が有する知的なインフラは、文学、映画・写真、美術・音楽、漫画・アニメ、歴史・文化遺産、伝統芸能など多岐にわたり、それらは行政と密接に結びついています。人文系の専門家は政治にコミットすることにアレルギーを持ちがちですが、その高度な専門性に基づいて積極的に政策提言を行うことは、不要論を唱えられがちな人文学自体にとってきわめて大事なことですし、人文系の私たちが社会に贈り物ができる貴重な機会だとも思います。

一方、地方自治体との関わりも大学にとって重要な役割を果たします。日本全国の大学は存在する地域と密接に関わり、そこに暮らす人々によって支えられていますので、機会を見つけてできるだけ交流を重ね、日ごろのお世話にたいする感謝を込めて、地域振興の支援をするのは大学の義務であると考えられます。地域が抱えている課題に耳を傾け、その解決を支援するなかで研究の新しい種が生まれ、それが大きな樹へと育っていくことも珍しくありません。

ほかにも、国立国語研究所のようにフィールドワークを行うところでは、宮崎県東臼杵郡椎葉村、鹿児島県薩摩川内市(甑島)、鹿児島県大島郡和泊町・知名町(沖永良部島)などと連携交流協定を結び、山村や離島における包括的な方言調査を行うと同時に、方言に関わる資料集を共同で作成したり、方言復興の取り組みを支援したりしています。これもお世話になっている地域に研究成果を還元する一つの試みと言えます。

そうした地域で親しい交流を重ねていると、地元の名士と言えるような人と知己を得て広範囲のフィールドワークが可能になったり、調査で何年も通い詰めることで家族のように親しい地元の友人ができたりすることもあります。そうした人脈形成もまた、地方ならではの魅力でしょう。

私自身は、東京都教育委員会が主催する「学びの基盤」と呼ばれるプロジェクトに関わり、都内6校の都立高校生の読み書き能力向上のための活動を行っています。東京都は地方自治体のなかでもかなり特殊であり、中央政府に近い性格を持っています。ここで私自身が勉強になっていることは、プロジェクトのなかで都立高校の生徒が書いた作文を分析させてもらっていることです。通常、都立高校の教育現場に外部のものが入っていくことは不可能なのですが、私の場合は東京都教育委員会から依頼された強みを生かして都立高校の教育現場で高校生が書いた生の作文を大量に読ませてもらい、その困難点を定量的に分析しています。こうしたデータにアクセスすることは一研究者の立場では本来できないことであり、これもまた東京都教育委員会とのつながりを得て享受できるメリットだと感じています。

7.3.4　マスメディアとつながる

Q マスメディアから取材の依頼が舞いこみました。断ったほうがよいでしょうか。

A 人文系の社会的意義を一般に PR するよい機会ですので、積極的に応えたほうがよいのですが、研究者として譲れない一線を考え、慎重な対応が必要です。

テレビを見ていると、どのチャンネルをつけてもよく見かける芸能人のような大学教員がいます。いつ研究をしているのだろうか、いつ授業の準備をしているのだろうか、大学の会議にはきちんと出席しているのだろうかと、見ていて心配になりますが、おそらくは周囲から広告塔として認知されているのでしょう。しかし、研究者としての一線を踏み越えてまでテレビに出演しているバラエティ教員はごく一握りで、多くの教員はまったくテレビに出ていないか、専門分野の関係でたまに声がかかってテレビに出るのが一般的かと思われます。

私個人としては、テレビ局から声がかかったとき、自分の専門性が認められて、その専門性が一般に広く認められる可能性があるときには出演したり取材を受けたりするようにし、それ以外の場合はお断りするようにしています。今までお断りしたものを思いだしてみると、日本語の研究が単なる知識として扱われたクイズ番組、日本語のゲームに参加することが求められたバラエティ番組、小室圭という人の書いた文章を分析するように求められたニュース番組などがあります。クイズ番組やバラエティ番組は論外として、ニュース番組はじつは専門性を生かせるような内容ではあったのですが、専門家も日本語としてわかりにくい文章だと言っているというコメントが欲しかっただけだと想像され、政治的に利用されるのが目に見えていたのでお断りしました。テレビ番組には制作意図があり、編集という名のもとで、プロデューサーやディレクターの意図に合うように内容が取捨選択されます。テレビに出演したり取材コメントを出したりすることは、視聴者の見たいもの聞きたいものを提供することが期待されますので、**こちらが提供したいものがその期待に合致していれば積極的に関わって損はありませんが、編集されて自らの意図が曲げられるおそれがあるときは関わりを控えたほうが賢明**かと思います。

また、テレビ局だけでなく、ラジオ局からも出演依頼が来ることもありますし、新聞社、雑誌社などからの取材依頼はより多くの研究者に依頼が舞いこむでしょう。そこに共通して見られる傾向は**締切の短さ**です。研究者が研究をするときは、納得の行く論文が書けるかどうかがすべてですので、十分に時間をかけて資料を集めて分析することができます。しかし、マスメディアに情報提供をする場合、瞬発力が求められ、短期間で先方の意向にあった内容をそろえて示さなければなりません。つまり、資料などを集めている余裕はなく、その瞬間にその研究者の頭のなかにあるものだけで勝負しなければならない、いわばアドリブの世界です。厳密さを大事にする研究者らしい研究者は、忙しくて時間が取れないなか、そうした急な対応が求められるのが苦痛で断るケースが多いのだろうと想像します。依頼されたらその数日は資料準備や取材対応で時間が取られ、本務の一時的な中断を余儀なくされますので、時間に余裕がないときは無理をしないほうがよいでしょう。また、忙しいなか貴重な時間を割いてお付き合いしても、ボツになり準備が無駄になることが多いのがこの業界の特徴です。**せっかく準備した内容が紹介されずに埋もれることにたいする覚悟も必要**でしょう。

私自身は短期間でのとっさの対応を苦にしないタイプですが、それでも気をつけているのは、嘘や危ないことはできるだけ言わないことです。あの人があのような場で明らかな嘘を口にしたという風評が広がると、研究者仲間のあいだで信用を失いかねないからです。マスコミ受けするのは断言調の派手な内容であることが多いのですが、研究の世界では断言できることは少なく、内容も地味なものが多いのが現実です。過激な内容をズバッと言うほうがマスコミ受けするのはわかっているのですが、エビデンスがあることだけを主張するのが研究者の仕事です。**先方の期待に合わせてエビデンスをないがしろにしてしまうと、研究者としての魂を売り渡すことになりますので、注意が必要**です。

マスメディアとお付き合いするときのマイナス面ばかり強調してしまいましたが、現代社会においてとかく軽視されがちな人文学系の学問の社会的意義を一般の方に PR するよい機会ですので、出演や取材の依頼があれば可能なかぎり応えたほうがよいと思います。ただし、迅速な対応が求められること、研究者として不確かな内容を伝える状況に追いこまれがちなこと、先方の意向で編集されたり利用されなかったりする可能性があることなどがあり、慎重な対応が求められることは留意しておくべき点だと感じます。

ここまで研究者としてのメリットという観点から、民間企業とのつながり、府省庁や地方自治体とのつながり、テレビ局・ラジオ局・新聞社・雑誌社等、マスメディアとのつながりについて述べてきました。民間企業とつながるとお金が稼げ、府省庁や地方自治体とつながると地位や名誉が得られ、マスメディアとつながると知名度が上がります。

しかし、こうした自己の利益を優先する考え方は、研究する人生にとってプラスに働きません。目先の利益に囚われ、研究者としてもっとも大事なものを失ってしまうおそれがあるからです。研究者と社会とのつながりは、あくまで研究をとおしてのつながりであり、**社会という場は、研究の成果を還元し、広く生かしてもらう場**として考えるべきでしょう。社会を自己実現の場として考えると深い落とし穴にはまるおそれがあります。その意味で、自己実現とは適度な距離を置くことが、研究者に求められる節度だと言えるでしょう。

7.3.5 市民とつながる

Q 研究者が研究に興味のある市民と協力することにどんな意義がありますか。

A 市民の協力のもと、これまでにないデータを広範に収集し、研究に役立てることができます。

「産学官民」という枠組みで考えたとき、「学民」のつながりも欠かすことができません。**シチズンサイエンス**という言葉を聞いたことがあるでしょうか。日本学術会議（2020b: i）では、次のように定義されています。

> シチズンサイエンスは、職業科学者ではない一般の市民によって行われる科学的活動を指す。我が国では、社会課題の解決に重きを置く「市民科学」と呼ばれる活動が既にあるが、シチズンサイエンスは、市民科学に加えて、学問体系における科学的規範に則った知識生産も包含する、より広範な科学的活動とされている。

また、NHKのシチズンラボというサイトの「シチズンサイエンスとは？」というページには、次のようにわかりやすく示されています。

> 科学者と市民が協力して、プロジェクトを進めていく研究手法。市民の力を借りて一度に大量の情報を集めたり、何かを長期間モニタリングしたりすることで、これまで科学者だけでは得られなかった知見を得ることを目指しています。
>
> インターネットやスマホの普及により、2000年代から欧米を中心に世界中で広がっていて、天文学、鳥類学、心理学、地理学などあらゆる分野で行われています。
>
> これまでにも、シチズンサイエンスによって宇宙で新しい銀河が見つかったり、自然保護や多様性保全のために役立つデータを構築したり、数学者がたてた命題を大勢で証明したりと、科学や社会に貢献しています。

シチズンサイエンスは、もともとは職業科学者ではないアマチュア科学者による研究への取り組みだったのですが、現在では職業科学者とのコラボも増えてきています。上記では、天文学、鳥類学等の例が上がっています。シチズンサイエンスの老舗である天文学ではアマチュア天文家の分析力は侮りがたく、たとえば、国立天文台のすばる望遠鏡が撮影した写真をもとに銀河の解析を行っています。また、鳥類学ではeBirdという世界の野鳥の膨大な観測記録をまとめたサイトがあり、そこに世界中の市民が野鳥の目撃情報記録を日々投稿しており、その記録をつなぎ合わせることで渡り鳥の生態が明らかになっています。今、日本各地では異常な気象現象が頻発し、外来生物が生息地を広げていますが、そうした実態も市民科学者の力で明らかになりつつあります。

もちろん人文系であっても、シチズンサイエンスは威力を発揮します。有名な例は市民参加型翻刻プラットフォーム「みんなで翻刻」です。一般の市民が古文書の解読と翻刻に参加することで、歴史資料の解読を一挙に推し進めるプロジェクトで、2017年1月に公開された「みんなで翻刻」では、約5,000人の市民の参加により600万文字以上の「くずし字」で書かれた史料が解読されました（国立歴史民俗博物館 2019）。

このような大型プロジェクトでなくても、人文系におけるシチズンサイエンスへの期待は高まります。たとえば言語学では、日本各地で失われつつある方言の話者が、日常生活における自らの自然な発話を記録・保存することで、方言研究や方言復興の貴重な資料が整います。また、歴史学では、日本各地の郷土史家がその土地に残された郷土資料の収集・保存に努めることで、貴重な資料の散逸を防ぎ、歴史研究に貢献できるでしょう。そして、こうしたデータが一定の手続きに基づいてデジタルな形で公開され、多くの研究者が利用可能な時代がすぐそこまで来ています。この点については7.4の「デジタルでつながる」で詳しく述べたいと思います。

7.3.6　世界とつながる

Q　日本語しかできない私でも、国際連携ができますか。

A　できます。もっとも大事なのは語学力ではなく、連携する意思です。また、連携した結果、先方にどんな貢献ができるかを考えることも重要です。

「産学官民」の社会連携と並び、重要視されているのが、世界とつながる**国際連携**です。ここでは、国際連携について簡単に触れておくことにしましょう。

人文系研究者のなかに「私は日本語しかできないから国際的な活動はできない」と言う人がときどきいます。口にはしなくても、そうした姿勢が見える人まで入れると、かなりの数になるでしょう。もちろん、日本語以外の言語ができるにこしたことはなく、私たちも現地の言葉を少しでも学ぶ姿勢は必要なのですが、たとえ日本語しかできなくても、世界とつながれないわけではありません。

私自身は現在、世界の大学で日本語をゼロから学んでいる学習者が日本語をどのように習得していくのかを縦断的に調査するため、中国、韓国、台湾、ベトナム、タイの大学と共同研究を進めています。そこでコミュニケーションに用いている言語は日本語です。窓口になってくれている現地の大学の先生方はみなさん日本語ができる方だからです。人文系研究者がつながろうとする場合、こうしたケースは少なくないものです。**海外には日本語ができて、日本との研究交流を求めている組織が一定数存在します。**興味を持ってそうした組織を探す目を持つことが大事です。

国際連携ができるかどうかのカギは**語学力ではなく、連携しようという意思**です。コミュニケーションは、日本語でできることは日本語で済ませればよいですし、日本語が通じなければ、日本にいる留学生の協力を仰いで通訳・翻訳をお願いすればよいのです。留学生の多くは、自分の国とつながろうとする人を邪険にしたりしません。むしろ、喜んで手伝ってくれることのほうが多いというのが私の実感です。

海外との連携を進めるうえで大事なことは、**連携して何をしたいのかという明確な目的意識**です。日本の大学が国際連携先を求めているように、海外の大学も適当な国際連携先はないか、つねに探しています。このため、国際交流を行うことは両者にとってWin-Winの関係になりやすいものです。しかし、国際連携を結ぶこと自体が目的になってしまうと、その連携は空洞化し、内実を伴わないものになりがちですし、国際交流は業務負担が大きいので、当初はよくても次第に関係が悪くなることもあります。そうなると、せっかく努力して締結した協定が意味を失ってしまいます。したがって、協定を結ぶときには、何のための連携なのかをはっきりさせるとともに、**双方のメリットとデメリット**が何なのかを考えておくことが重要です。

たとえば、私の場合、協定を結ぶ目的は先方の大学で日本語学習者の調査をすることなのですが、それは基本的に先方の大学の先生にも学生にも負担をかけることです。このため、次のような原則に従って行動するように心がけています。

海外での調査の心がけ

①先方の大学、教員、学生の都合を最優先に考える。
②なぜその調査が必要か、調査の意義を明確に伝える。
③先方の負担ができるだけ軽減される調査設計を心がける。
④負担の配分や成果のあり方をあらかじめ決めておく。
⑤先方の教員や学生にとって魅力的な提案をする。
⑥こまめに連絡を取り、顔の見える関係を継続する。

①**「先方の大学、教員、学生の都合を最優先に考える」**というのは、基本中

の基本です。調査には計画を伴いますので、その計画どおりに調査を進めたいというのが調査をする側の心理ですが、国際的な調査の場合、それをしてしまうととくに歪みが出やすく、その後の調査の継続が困難になってしまいます。

②「なぜその調査が必要か、調査の意義を明確に伝える」ことも重要です。私の行っている調査の場合、学生の日本語習得の実態を知ってもっとも役に立てられるのは、その学生を教えている現場の先生です。また、その学生自身にも後輩たちにも研究の成果は還元されます。調査をされた学年は学習のモチベーションが自然と高まる傾向があり、学習にもプラスに作用します。

③「先方の負担ができるだけ軽減される調査設計を心がける」ことも必要です。調査は基本的に相手に負担がかかることですので、無用の負担をかけるべきではありません。こちらが事前に努力して軽減できる負担はできるだけ軽減したうえで調査に臨むべきでしょう。

④「負担の配分や成果のあり方をあらかじめ決めておく」ことは国際的なコミュニケーションでは必須です。調査に伴う負担、とくに**予算面での負担の配分**はもめる原因になりやすいものです。また、共同研究の成果、すなわち収集した**データの所有権**や、**研究成果の公表の方法や分担**、**謝辞の記載**の仕方などについてもきちんと決めておいたほうが、後々のトラブルにならずに済みます。双方が互恵的な精神をもって問題解決に当たることが国際連携でとくに求められることでしょう。

⑤「先方の教員や学生にとって魅力的な提案をする」ことも大事です。調査をしてもらった相手に何か希望があれば、それにできるだけ応えるようにすると関係がよくなります。共同研究として先方の教員の業績になるようにしたり、先方の学生に向けた学習支援サービスを提供したり、先方の大学で講演や授業を担当したりするなど、役に立つことがないか考えてみるという姿勢が求められます。

⑥「こまめに連絡を取り、顔の見える関係を継続する」というのも、調査継続には欠かせません。一方的に依頼されて終わりという調査では長続きしないことは言うまでもありません。オンライン・コミュニケーションが容易な時代なので、積極的に連絡を取り、相手の顔を見ながら話をすることで信頼関係を保つことができます。

国際連携だからと言って、何か特別なことがあるわけではありません。ベースにあるのは**草の根の人間関係**です。相手の望むことを進んで行い、相手の負担になることはできるだけ控えるという人間関係の基本を守って付き合えば、信頼関係は自然と醸成され、良好な関係が継続し、今までにないような研究の形ができるのではないかと思います。

異文化にあるもの同士が調整をしながら協力関係を構築することは多くの困難を伴いますが、得られる実りもまた大きいものです。日本国内での協力以上に楽しみも刺激も大きく、やってよかったと思えるのも国際連携の特徴です。積極的に取り組まれることをお勧めします。

7.4　デジタルでつながる

7.4.1　オープンサイエンスの時代

Q　オープンサイエンスの普及によって研究環境はどう変わりましたか。

A　研究の成果のみならず、研究のデータやプロセスも、インターネット上に広く公開されるようになっています。

研究というと、「象牙の塔」という言葉に象徴されるように、閉ざされた空間で科学者がひそかに行う営みというイメージがありました。しかし、**オープンサイエンス**（**Open Science**）という概念の普及により、そうした概念は過去のものになりつつあります。オープンサイエンスの考え方自体は古くからあるのですが、近年のデジタル革命がオープンサイエンスのあり方を大きく変えたことは事実です。日本でも、オープンサイエンスの国際的な動向を踏まえ、2015 年 3 月に内閣府主導でオープンサイエンス推進のあり方を取りまとめ、第 5 期科学技術基本計画においてオープンサイエンスへの対応の重要性を明記したことで潮目が変わりました。また、翌 2016 年 5 月に開催された「G7 茨城・つくば科学技術大臣会合」における「つくばコミュニケ（共同声明）」においてオープンサイエンスの推進と活用が謳われたことで、オープンサイエンスの概念が広く一般に知られるようになりました。

オープンサイエンスとは、**オープンアクセスとオープンデータ**を含む概念で、研究における大きなイノベーション創出につながることが期待されています。

オープンアクセスはインターネットをつうじて論文をはじめとする学術情報の成果に誰もが自由にアクセスできるようになること、**オープンデータは研究に用いるデータを誰もが自由に入手・利用できる**ようになることを指します。

オープンサイエンスが進むことには、大きく三つのメリットがあります。

オープンサイエンスのメリット

①研究作業の効率化：研究成果を誰でもどこでも迅速に共有することで、研究の無駄が少なくなり、研究が加速すること

②研究過程の透明化：研究の具体的な手続きが可視化されることで、そのプロセスが透明化され、研究の精度が高まること

③研究交流の促進：国内の研究者のみならず、海外の研究者、さらには市民も参加し、研究の裾野が広がること

現在、研究者の研究活動は、意識するとしないとにかかわらず、オープンサイエンスの波を大きく受けています。私たちが研究を進める場合、研究の成果である論文、および、その研究が依拠するデータ、さらにはその研究のプロセスを広く可視化することが求められています。2013 年 4 月から、文部科学省の省令により、博士論文全文を学位授与から 1 年以内に、インターネットをとおして公表することが義務づけられたのもその一環です。私たちが活字にした論文という研究成果は、世界中の人がいつでも目にすることができます。言い換えれば、いつどこで誰に論文を見られるかわからない時代になっているわけです。私たちは不特定多数の厳しい目に触れるという前提で、研究を進める必要があります。

7.4.2　研究者の自己発信

Q　研究者として自己の存在を社会的に認知してもらうためにはどうすればよいですか。

A　researchmap やホームページで自分の研究業績をまとめ発信することです。

大学等の研究機関が適切な採用候補者を探す場合、あるいは公募に応募してきた候補者を選考する場合、専任教員はもちろん、非常勤教員であっても、インターネットで検索するのが一般的です。どのような研究をしてきたか、研究業績が一目瞭然ですし、その候補者についての評判がわかったり、社会発信の姿勢がわかったりするからです。

著名な学会誌に掲載された優れた研究業績があればそれで十分だとする考え方は、もはや過去のものです。自分の研究業績をどのように見せるか、研究者としての見せ方のセンスが問われる時代になっています。

大学院の博士課程に進学したら、**researchmap**（https://researchmap.jp/）への登録は必須です。researchmap は、研究者自身が自分の業績を管理・発信するために、また、ある研究者の詳しい情報を収集・閲覧するために作られた研究者情報の**ポータルサイト**（検索の入り口となるサイト）で、科学技術振興機構が運営しています。ここには日本じゅうの研究者が自己の研究情報を登録しており、巨大な研究者データベースになっています。論文や口頭発表がないと、登録しても寂しいものがあるのですが、自分には業績がなくて恥ずかしいから登録は止めておこうとするのではなく、今は業績がなくても、将来一つひとつ業績を加えていくことを楽しみに、**早めに登録**しておくのがよいでしょう。

もちろん、自分でホームページを作ってもよいでしょうし、私自身も作ってはいます。しかし、ホームページを作るのは、あくまで研究者以外の一般の方に自分のことを知ってもらうことが目的であり、研究者コミュニティ内での知名度を獲得するのであれば、researchmap で十分です。研究者として必要な業績項目が決まっており、それに沿って入力すればよいので、短時間で研究者としての業績を発信することができます。

さらに、今後のことを考えると、**ORCID**（https://orcid.org/）に登録するのもよいでしょう。ORCID（Open Research and Contributor Identifier）は、世界のあらゆる分野の研究者に一つの ID を与えることを目的としている組織で、researchmap と同様、無料で登録できます。英語で研究を発信する可能性のある人は、研究者向けの SNS である **ResearchGate**（https://www.researchgate.net/）とともに登録することをお勧めします。

7.4.3 機関による研究成果の発信

Q 研究者として自身の研究成果をどのように公開していけばよいですか。

A 機関リポジトリをフル活用しましょう。

オープンサイエンスのところで紹介したように、現代では**オープンアクセス（Open Access、略称：OA）**が標準になりつつあります。一昔前は必要な論文をコピーするために図書館に足を運んだものですが、今では**研究業績の多くがインターネット上に存在**しており、現実の図書館に足を運ぶ人は少なくなったのではないでしょうか。

学会誌論文は最新のものは会員にしか手に入らないケースもありますが、数年経ったものは **J-STAGE** に収録され、インターネット上で見られるのがふつうです。また、大学等が発行している紀要等の研究論文は、各大学の**機関リポジトリ（Institutional Repository、略称: IR）**に収録されており、そこで内容を確認することができます。一部の学会誌、一部の大学の紀要、そして、出版社が発行している商業誌だけはインターネット上に公開されていないので、現実の大学図書館に足を運ぶ必要があります。私などはそれが当然だと思うのですが、若い世代の大学院生はそうしたことに慣れていないので、苦痛に感じるかもしれません。

このような時代になると、大学図書館は要らないと感じるかもしれませんが、実際は大学図書館の役割はけっして減じてはいません。そもそも機関リポジトリは、デジタル化の時代になって紙の図書・論文の需要が下がったことで、存在意義が薄れ、予算が削減されることを恐れた大学図書館の生き残りをかけた戦略でありました。

現在の大学図書館は、紙の図書・論文を所蔵・管理する物理的な保管庫から、デジタルのテキストを管理・発信する電子図書館に変わりつつあります。大学の研究活動には税金が投入されている以上、大学はその研究成果を発信する責務があります。そのため、当該の大学に属する専任教職員が研究活動を行った場合、機関リポジトリという大学等の機関が有するデジタル資料保管庫に、研究を登録するというルールがあります。学術論文の全文を載せるのは必須であり、出版社の権利を侵さない範囲で、学術図書なども載せることが期待されます。そのほか、研究成果報告書、研究発表用資料、研究データ、教材などを載せることも可能です。非常勤教職員の場合は義務でないことが一般的ですが、希望を出せば載せられる機関も少なくありませんので、希望する人は図書館の担当者に尋ねてみるとよいでしょう。

機関リポジトリに学術論文を登録すると、**DOI（Digital Object Identifier）**と呼ばれる、国際基準に則った恒久的な識別子がつけられます。これは、書籍のISBNと同じように、ある学術論文と識別子が１対１で対応するものです。論文を載せたURLはホームページの改修や閉鎖によってリンク切れを起こしがちで、せっかく書いた論文が迷子になってしまうことが多いのですが、DOIがあれば、その論文に確実にアクセスすることができるので便利です。DOIは学術論文のみならず、論文以外の学術的なデジタルコンテンツにつけることが可能です。

なお、IRという略称は、機関リポジトリ以外に、**機関調査（Institutional Research）**という意味でも使われ、むしろIRと言えばこちらのほうが一般的かもしれません。大学をはじめとする研究機関において、その機関の管理・運営に関わる戦略を立て、意志決定をするのに必要な情報を収集・分析する業務を指します。この二つのIRの普及は、今や、個人だけでなく、大学という機関そのものも、自らの研究成果を取りまとめて発信し、国際的な競争に勝ち抜くことが求められるという厳しい時代状況を反映していると思われます。

7.4.4　研究活動の効果的発信

Q　イベントなどの広報はどのようにすればよいですか。

A　学会のサイトやMLに掲載してもらったり、SNSで発信したりしましょう。

私たちが研究成果を発信するのは、論文のような文字媒体とはかぎりません。口頭で発表したい場合は、学会大会の口頭発表やポスター発表でその成果を公表すればよいのですが、自分たちで、研究発表会（シンポジウム）、研究講習会（セミナー）、体験型研修会（ワークショップ）などを開催したいと思いたつこともあるでしょう。せっかく自主開催するのであれば、多くの方に集まってもらいたいと考えるのが自然です。そこで、どのように広報すれば集客につながるか、その効果的な戦略を立てることが重要になります。

まず考えつくのが、**学会や出版社のイベント情報のページ**です。学会の場合は学会員に資するイベントとして、出版社の場合は関連する分野のイベントとして判断されれば、そこに掲載され、多くの人の目に留まる可能性があります。また、大学院生の場合、自分の所属する大学、あるいは友人が通う大学や大学院のメーリングリストに流してもらえれば、そこでも集客のチャンスは生まれます。

もちろん、**SNS** も有効です。Twitter はもちろん、Facebook や note などによる発信も考えられるでしょう。自分の発信だけでは効果に乏しいので、フォロワーの多い友人に頼んでみるのもよい方法です。また、Twitter でつぶやくタイミングも重要です。早すぎると忘れられてしまいますし、直前になるとスケジュールの調整は困難です。タイミングを上手に見計らい、一度ではなく、複数回、準備状況の進展も含めてつぶやくと効果的です。具体的な準備を進めている様子が実況されれば、より効果的な PR になるでしょう。

7.4.5 研究コンテンツの発信

Q 論文以外の研究成果はどのようにすれば使ってもらえますか。

A 専用のサイトに載せてもらいましょう。

研究者の研究成果は、後に続く人たちへの贈り物です。研究成果の典型は学術論文ですが、後に続く人たちが贈り物を自分の研究や教育に生かすという観点で考えると、研究結果を載せた学術論文そのものよりもむしろ、次のもののほうが重要になることも少なくないでしょう。

学術論文以外に役立つ研究成果

①調査で収集した生のデータ
②生のデータを加工・整理したリスト
③当該分野の研究文献一覧
④分析結果を生かした教材

収集したデータは研究者個人のものですが、社会の共有財産にすることもできます。とくに、科研費などの公的資金を投入してなされた研究の場合、社会の共有財産にすることが強く求められるでしょう。もちろん、公開するには、著作権の処理や、個人情報の保護に配慮する必要がありますが、その点をクリアして公開すると、後に続く研究者が活用することができます。

私の勤務する国立国語研究所のような研究所では、**「共同利用」**ができるような研究データを整備し、国内外の研究者と**「共同研究」**を推進するのが重要な仕事の一つです。つまり、研究所というところは、教育という仕事が免除されているかわりに、ほかの研究者のために共同で使える研究データを準備し、共同研究のネットワークの輪を拡大する仕事をしています。せっかく作ったデータが死蔵されないよう、研究者のニーズが高いデータを厳選して構築し、それを使ってもらって「役に立つデータを作ってくれてありがとう」と仲間の研究者に言ってもらうことが生きがいなのです。

研究は自己のためだけではなく、他者のためにするものでもあります。人に喜んでもらえると、自分もまた嬉しくなります。手塩にかけて集めた資料をほかの研究者が活用したとき、「使ってもらえて嬉しい」という感覚を持つこと。これもまた、研究の醍醐味です。

このように、多くの研究者に使ってもらえるまとまったデータを**データセット**と言います。こうしたデータセットを集めている研究機関や研究組織は増えつつあります。私の所属する国立国語研究所でも、研究資料室というところがあり、研究室に収蔵している資料を電子化して公開しています。その多くは国立国語研究所の所有している資料ですが、他所で作成されたデータセットを受け入れることがあります。現時点では、かなり限定的な受け入れですが、今後はより広くデータセットの受け入れを行うようになっていくのではないかと予想されます。4.5.1「デジタル・アーカイブのサイト」でも述べたように、アーキビストと呼ばれる専門職の人たちが永続保存の価値のある資料の収集・保存・管理を適切に行う時代であり、その中心はデジタル・アーカイブです。個人が作った資料でも、デジタル工房のようなところで適切な加工を施せばそこに付加価値が生まれ、今までにないデータセットが研究の俎上に載る可能性があるでしょう。研究者個人の持つ希少性の高いデータセットの適切な加工と永続的な公開を支援する役割を、言語学の分野で国立国語研究所が、文学の分野で国文学研究資料館が、歴史学の分野で国立歴史民俗博物館が、今後担う可能性は十分にありそうです。

また、民間でも、言語学分野では、たとえば、特定非営利活動法人言語資源協会が「言語資源カタログ」を構築し、言語資源のデータセットを提供しています。言語研究を進める場合、個人で大規模な音声・言語データを構築することは困難であり、やむをえず、出版社や新聞社で蓄積されたデータを利用したり、別の個人が開発した音声・言語データを借りたりすることが一般的でした。しかし、利用のためのルールが確立しておらず、個人が入手したくても、入手が困難であるケースが少なくありません。そのため、言語資源協会が橋渡し役となって、音声・自然言語処理の研究開発に不可欠な言語資源の流通を行っています。そうしたところでも、データセットの受け入れは進んでいます。

もちろん、余裕があれば、自分自身でホームページを開設して、そこに載せるようにしてもよいと思います。経済的な負担は伴いますが、種々の制約なく自分の自由にできるというよい面もあります。また、大学等の研究機関に籍のある人は、すでに紹介した機関リポジトリを経由して発信することも可能です。こちらは無料ですし、研究成果発信の一環として所属大学に見なされますので、それもまたよい方法だと思います。

7.4.6 研究コンテンツの利活用

Q 研究コンテンツを公開するうえで留意すべき点は何ですか。

A 静的コンテンツにすること、著作権と個人情報の保護に配慮すること、CCライセンスを付与することです。

このように、研究の過程で開発した個人のデータセットを多くの人に使ってもらうことには意義がありますが、データセットを公開するさいに、三つの重要な留意点があります。

留意点の一つ目は、可能なかぎり、**静的コンテンツとして開発しておく**ことです。コンテンツには大きく分けて、静的コンテンツと動的コンテンツがあります。静的コンテンツは、データそのものを閲覧したりダウンロードしたりするもので、いつ誰が見に行っても同じ内容が表示されます。これにたいし、動的コンテンツは、使用者のリクエストに応じて必要な内容を取りだすもので、リクエストの内容が変われば異なる内容が表示されます。静的コンテンツはホームページ、動的コンテンツは検索サイトや翻訳サイトをイメージすればよいでしょう。

研究コンテンツを多くの人に使ってもらいたいと考えると、つい力が入ってしまい、派手なビジュアルの動的コンテンツを作りがちなのですが、動的コンテンツを作ることはあまりお勧めしません。動的コンテンツは、操作が重く、トラブルが多く、管理に費用もかかり、時間が経つと、動的コンテンツの動作を支えるプログラムにセキュリティ上の問題が出てきたり、アップデートのコストがかかったり、サービスが終了してしまったりするからです。

研究者にとって大事なのは、コンテンツの中身であり、とくに人文系研究者にとって重要なのは**テキスト**です。究極的にはテキストファイルやcsvファイルに還元できるように作っておくことがデータを長持ちさせるコツです。その意味で、コンテンツを動かす動作環境の構築は工学系研究者に任せ、人文系研究者はコンテンツの中身の作成に注力することが大切だと思われます。

留意点の二つ目は、データセットに含まれる**著作権と個人情報の保護**です。データセットのなかに文学作品や芸術作品が含まれる場合には原作者の著作権に、また、インタビューなどの人を対象にした調査の場合には情報提供者の個人情報に、それぞれ配慮が必要になります。

たとえば、私自身は海外の大学で日本語を学んでいる学習者の書いた作文をインターネット上に公開することを計画していますが、作文の著作権はその学習者自身が持っています。したがって、作文を公開する場合、一般の人に作文を公開する公衆送信権を学習者からきちんと譲り受けておく必要があります。また、学習者の個人情報が入っている部分は削除するなど、誰が書いた作文なのかが特定できないような適切な処理を施したうえで公開する必要があります。

留意点の三つ目は、**CC ライセンス（クリエイティブ・コモンズ・ライセンス）を付与しておく**ことです。CC ライセンスは、インターネット上の著作権ルールで、公開するデータの利用条件をデータの作成者が示すものです。

CC ライセンス一覧

https://creativecommons.jp/

CC ライセンスを示すことには、作成者、利用者の双方にメリットがあります。作成者にとっては著作権を侵害されることなくデータを広く流通させることができますし、利用者はライセンス条件の範囲内でデータを活用することができます。

CC ライセンスには、作成者のクレジットを表示するか否か、営利使用を認めるか否か、データの改変を認めるか否か、改変後も元のライセンスを継承するか否かの四つの条件があります。もっとも一般的な組み合わせは **CC BY** と呼ばれるもので、原作者のクレジットを表示することを条件とし、改変も、営利目的での二次利用も許可するもっとも自由度の高い CC ライセンスです。研究情報を公開する場合は、この CC BY を基本に考えておくとよいでしょう。

最後に、データセットを公開するさいの、三つの重要な留意点をまとめておくことにしましょう。

データセット公開のさいの留意点

①可能なかぎり、静的コンテンツとして開発しておくこと

②データセットに含まれる著作権と個人情報を保護すること

③ CC ライセンスを付与しておくこと

第8章　生きる（生活）

いいことばかりでは無いさ　でも次の扉をノックしたい
もっと大きなはずの自分を探す　終わりなき旅
（Mr.Children「終わりなき旅」）

8.1　研究の中断

8.1.1　研究を中断するとき

Q 研究を中断するとしたら、どのような場合でしょうか。

A 研究の中断には、家庭の事情によるもの、健康上の理由によるもの、経済的な理由によるものの三つが考えられます。

「研究する人生」を歩む場合、つねに第一線で活躍しつづける人は少数派だと思います。もしそうした人がいるのなら、それはけっして当たり前のことではなく、かなりの強運の持ち主です。自分も家族も健康が守られ、経済的にも行き詰まらずに生活が続けられていることは、「有ることが難しい」、まさに「ありがたい」ことです。自分の置かれた境遇に感謝の気持ちを持ち、その気持ちを周囲の人たちに示しつつ、謙虚な気持ちで研究する人生を歩みたいものです。

研究する人生を歩む多くの人が、研究の一時的中断を余儀なくされます。生きているということは苦労が絶えないものであり、すべてが順風満帆に行くとはかぎりません。研究という道を志した以上、自分が大事にしてきた研究に心ゆくまで打ちこみたいと、誰もが願うはずです。ところが、研究を続けられない事情が突然襲ってくるのが人生というものです。そこで大切なのは、そうした一時的中断をもたらした理由に適切に対処し、一時的中断の期間をうまく乗りきることです。そうすれば、無事に復帰することができるでしょうし、復帰後にはまた、充実した研究する人生を歩むことができるでしょう。一方で、もし一時的中断の理由にうまく対処できないと、大きなストレスを抱え、研究する人生自体を断念せざるをえなくなるかもしれません。

もちろん、研究する人生が人生のすべてではありません。自分にとってさらに意味のある人生の別の目的を見つけたなら、そちらにシフトすることはむしろ望ましいことです。しかし、ほんとうに研究が好きで、研究の道に戻りたいと強く願っているにもかかわらず、復帰できないとしたら、それは不幸なことです。そこで、研究の中断を余儀なくさせる理由に適切に対処する方法を、そうした状況に陥るまえからつねに考えておく必要があります。

研究を中断する理由は、大きく分けて、家族に起因する理由、心身の健康に起因する理由、経済的事情に起因する理由の三つが考えられます。本節ではこれを順に見ていくことにします。

研究の一時的中断を余儀なくされる理由

①家庭の事情：結婚、出産、子育て、介護

②健康上の理由：身体の不調、精神の不調、ハラスメント

③経済的な理由：研究生活継続の資金

8.1.2　結婚と研究の中断

Q 結婚は、研究する人生にとってマイナスですか。

A 相手が自分の研究生活を大事に思い、支えてくれるのであれば、プラスに働きます。

ライフイベントの代表で、研究する人生における重要な時期と重なりやすいのが、**結婚、出産、子育て**です。長期的に見れば、どれもかけがえのない幸せを与えてくれる嬉しいイベントですが、その渦中にいると、いつも嬉しいと感じられないのもまた現実です。

結婚は、研究する人生にたいして理解のあるパートナーを選べば、研究の中断に直接つながるライフイベントではありません。したがって、配偶者の研究

生活を尊重してくれる相手を見つけることが何より重要です。とくに、大学院生という学生時代や、非常勤講師という常勤職に就くまえの生活を支えてくれるパートナーであることが大事で、そうしたパートナーが見つかれば、困ったときの相談相手にもなり、将来的には経済的に支えあうことも可能になり、家事も分担でき、むしろ研究する人生を加速してくれるでしょう。

ところが、人間同士のことですので、大事な相談相手とけんかが重なったり、一方の経済的困窮をもう一方が犠牲になって支えたり、家事を分担するどころか、かえって家事を増やしたりと、研究を減速させてしまうことがあるのもまた結婚です。

内田(2016)では、「一人で生きていれば、病気になったり、失業したり、おもいがけない出来事に遭遇したときに一気に〈生活の危機〉に追い詰められますけれど、二人で生きていければその危機は回避できます。二人同時に入院するとか、二人同時に失業するというようなことは確率的にめったに起こりません。時期がずれていればなんとかなります」と述べ、**結婚はリスクヘッジ**だとまとめています。たしかに、現代社会は、何があるか予想ができない状況にあり、自己責任の名のもとに弱者を切り捨てようとする冷たい社会です。私たちが生きていくうえで、相互支援のネットワークは欠かすことができず、その最たるものが結婚です。ただ、結婚は、研究者にかぎらず、リスク回避策であると同時に、リスク増大要因でもあります。それが結婚の難しいところです。

日本の研究者出版が出している『研究者の結婚生活』という、さまざまな研究者の結婚事情を集めた本があります(日本の研究者出版 2020)。この本を読むと、言うまでもなく、結婚の形はカップルの数だけ存在し、これが唯一の正しい形というものがないことがわかります。とくに研究者同士の場合、勤務地の関係で別居婚になることも少なくない一方、相手が企業勤めの場合、転勤に巻きこまれ、研究環境から一時的に離れることもあります。しかし、うまくいく結婚の場合、形が違えども、カップルがお互いに相手のことを支えている点では共通していることもわかります。現在の文系研究者はけっして恵まれた環境にはありません。そうした意味で、**支えあう相手がいることによるリスクヘッジ**として、有力な選択肢であると思います。

8.1.3　出産・子育てと研究の中断

Q　**出産や子育てをすると、研究ができなくなりますか。**

A　**周囲の理解と支えがあれば、研究の継続は可能です。**

出産や子育てにおいて、大きな負担を抱えるのは女性の側であるというのが日本社会の現実であり、その現実は近年問題視されつづけているにもかかわらず、なかなか変わりません。私の携わる日本語教育という分野では女性が多数派であり、大学院生や同僚の子育てを間接的に知る機会が多くありますので、その実感に基づいて記します。

出産においては、研究とうまく両立する人が多い印象です。もちろん、つわりの重い人は出産前の研究の効率は落ちますし、出産時や出産後は女性の身体が最優先ですので、その時期は積極的に中断すべきです。生まれてきた子どもが夜泣きの多い子どもだと、睡眠不足になり、研究どころではなくなる場合もありますし、半年ぐらい経って動き回れるようになると、何をするか怖くて目が離せない時期に突入します。しかし、すべてを捨てて出産に臨むよりも、**余裕のあるときに研究でもしようかというスタイル**はかえってよい気分転換になるようです。研究と向きあうだけの生活に息苦しさを感じていた人が、子どもと向きあうだけの生活に突然切り替わると、いままでつらかった研究生活に憩いを見いだし、短時間に集中して作業をすることを覚え、かえって研究効率がよくなり、研究の楽しさを再確認する人も多いように見聞きします。研究と出産とはかならずしも相性は悪くないというのが、傍で見ている私の印象です。

ただし、研究がこのように順調に進むには、不可欠な条件があります。**周囲のサポート**です。出産前は精神的に不安定な時期が続きますし、出産後は自分が机に向かって研究するあいだ、誰かが代わりに赤ちゃんを見る必要があります。その間、配偶者であれ、親きょうだいであれ、周囲のサポートが得られていれば研究に集中できますが、周囲の助力なしに孤軍奮闘するのは心理的な負担が大きく、研究にも子育てにも身が入らないというどっちつかずの状況にはまり、大きなストレスを抱えこみかねません。出産や子育てといったライフイベントに向かうときは、周囲のサポート体制を固めていく周到な準備が必要になると思われます。

一方、配偶者である男性は、出産や授乳の肩代わりはできませんが、それ以外の**育児は一通りこなすこと**が求められます。夫婦で研究活動を続けていく場合、家事についても育児についても**サポートではなく分担**という意識を持ち、共同で家庭を支え、子育てをするという意識を持つことが、温かい家庭を築くカギになりそうです。

8.1.4　親の介護と研究の中断

Q 同居する高齢の親が弱ってきました。どう手当てしたらよいですか。

A できるサポートをすると同時に、周囲のサポートを得る工夫を重ねて研究時間を確保するように努めます。

経済的に不安定ななかで研究活動を継続する場合、20 代、30 代、ときには 40 代になっても親と同居し、住居費を節約しつつ、また食事などの提供を得る人もきっといることでしょう。しかし、親も、いつまでも若く、元気でいるわけではありません。若い時代に親からサポートを受けていた以上、ある程度の年代になったら反対に親をサポートする立場に回ることもまた必然です。

同居する親の衰えを感じたら、日々の慌ただしい生活のなかで、親をサポートする時間を確保する必要がどうしても出てきます。同時に、すべてを自分でやることに負担を感じたら、他の親族やご近所の手を借りたり、民間の家事サービスなどで補ったりすることも考えます。介護保険の認定が下りた段階で、介護保険サービスを利用して、介護で親子が潰れないようにしておくことも重要です。親の介護である程度の時間を取られるという覚悟は決めつつも、一定の研究時間はかならず確保するような環境を整えないと、自分の研究生活が行き詰まり、大きなストレスを抱えてしまいます。

老いは徐々に、また確実に進行しますが、ある日突然起きることでも、急激に進行するものでもありません。大事なのは、**親とのコミュニケーション**です。親には親の思いがあり、子には子の考えがあります。親と話していても、いつも同じことしか言わない気がするもので、話すこと自体がおっくうになりがちですが、たとえ面倒であっても、折に触れて親の思いを確認しておくことが必要です。親子のコミュニケーションに立脚し、お互いの意見をすりあわせつつ、結論を急がずに進める心がけが肝要です。

8.1.5 身体の不調と研究の中断

Q 体調を崩さないようにするには、どうしたらよいですか。

A 休む勇気を持つことです。

ここまで、結婚、出産、子育て、介護など家庭の事情による研究の中断を見てきました。ここからは健康上の理由による中断について考えます。

身体の健康上の理由による中断は、突然襲ってくるものであり、避けようがないものではありますが、ある程度の予防は可能です。**規則正しい生活、バランスのよい食生活、適度な運動**の３点セットが、健全な「研究する人生」を形作ります。しかし、こんな当たり前の３点セットをともすれば阻害しがちなのが、研究する人生です。研究する人生は、生活習慣病を呼びこみやすい側面があります。

規則正しい生活を壊すのは**締切**です。研究生活は、締切に追われることの多い生活です。研究者の場合、のめりこんでしまう性格の持ち主が多いので、よいものを出そうと、細部にわたり徹底的に凝ってしまいがちです。しかし、どこかでブレーキをかけないと、身体を壊してしまいます。たまには締切に間に合わないこともあってよいでしょうし、ときには７割程度の出来のものを提出してもよいでしょう。もちろん、締切に間に合うにこしたことはありませんし、自信のある出来のものを提出できたほうがよいわけですが、すべてに完璧を求めると、どこかが破綻してしまいます。

こうした破綻を来したくない人は、**事前に断るという術**を身につけることが大切です。何でもやってみようとする意欲は大事なのですが、自分のキャパシティを超えることまで引き受けるのは危険です。頼まれても引き受けないという水際作戦が、自分の身を守り、功を奏することもあります。引き受けて人に迷惑をかけるぐらいなら、最初から引き受けないほうが賢明だと、大幅に遅れてしまったこの原稿を書きながら、我がこととして噛みしめています。

バランスのよい食生活をむしばむのは**ストレス**です。修士論文を書いたあと、提出にやってくる院生を見ていると、ぶくぶく太った人とがりがりに痩せた人に二極化する傾向があります。ストレスを感じると食欲が湧いてきて止まらなくなるタイプと、反対に、ストレスで食が細くなるタイプがあるようなのです。いずれも不健康であることには変わりないので、できるだけ**食以外のところでストレスを発散する**ことを心がけたいものです。同じ境遇に置かれた友人と愚痴をこぼしあうのもよいですし、ふて寝を決めこんだり、長く風呂に浸かったりするのも効果的です。漫画を読んだり、映画を見たりして気分転換を図るのもよいでしょう。

一方、お勧めできないこととして、**過度にお酒を読む、徹夜でゲームをやる、仕事で使うのと同じパソコンで長時間動画を見る**などがあります。身体に負担をかけてストレスを解消しようとすると、かえって身体に悪い影響が残り、体調の悪化を進行させてしまうものです。

研究する人生は引きこもりを要求するので、適度な運動も失われがちな習慣です。ただ、**研究者として優秀な人は、定期的に運動する習慣を持っていることが少なくない**ようです。これは、運動が体内の血のめぐりをよくし、脳を活性化する効果があるからでしょう。同じ姿勢でいると身体に負担をかけますが、身体を動かすことに決めていれば、机のまえから離れるきっかけとなり、身体をリセットできます。

仕事を始めると、「一区切りつくところまで何とかがんばろう」と思いがちですが、**区切りの悪いところで仕事を中断し、席を立つ**というのも悪くない方法です。中途半端なところで机の前を離れたほうが、キリが悪いのでかえって続きをやりたくなりますし、戻ったときに再開しやすいものです。キリの悪いところでCMを入れて、続きを見させるのと同じ論理です。

8.1.6　精神の不調と研究の中断

Q　メンタル面で問題を抱えてしまったときは、どうすればよいですか。

A　逃げる勇気を持つことです。

人間関係が苦手だから大学院に進学したいと考える人がいます。社会に出てもやっていける自信がなく、大学院ならば人付き合いも少ないだろうから何とかなるのではないか。研究者であれば多少変わった人でも受け入れられるので、内向きの性格である自分でも何とかなるのではないかと思う人もなかにはいるようです。

研究者に変わった人が多いのは事実ですが、研究者も残念ながら**人付き合いが要求される職業**です。人間関係にストレスを感じるのは人の常ですが、共同研究が前提となっている昨今、研究者はむしろ人とのネットワーク作りが好きな人に向いていますし、大学の教員はサービス業の側面があり、学生との信頼関係を築くスキルが求められます。人間関係が苦手だからという理由で志望すると、いずれ行き詰まることになります。

ただ、人間関係が苦手であることは悪いことではありません。人間関係が苦手な人はHSP（Highly Sensitive Person）、いわゆる「繊細さん」が多いものです。「繊細さん」は共感力が高く、周囲の人の感情を敏感に察してしまう人のことです。「繊細さん」は気配りの人ですので、周囲の人の気持ちを逆なですることが少ないものです。本人は疲れてしまいますが、周囲の人の目にはむしろ良好な人間関係を築きやすい人に映ります。人間関係のストレスに弱い自分を自覚し、そうした自分とうまく付き合っていけば、周囲の人に受け入れられ、信頼関係を得ることはそう難しいことではありません。

メンタル面でしんどくなってしまった場合、まずは**しんどくなる原因となった対象から距離を置く**ことです。研究者志望の人の場合、真面目で責任感が強く、完璧主義傾向が強いものです。そうした人は逃げることに抵抗を持つものですが、沈みゆく船からは逃げるしかありません。鬱症状を持つ人に「がんばれ」という声かけが厳禁なのと同様に、しんどくなってきた自分に「がんばれ」と声をかけるのは控える勇気を持ちましょう。とくに「繊細さん」の場合、周囲の人の気持ちを気遣うあまり、がんばりすぎて逃げ遅れがちなので、注意が必要です。

また、研究者は、人から依頼されたら断れず、人に相談するのが苦手な人が少なくないものです。人から強く言われて断れない人の場合、強く言う人の支配下に置かれがちで、自分のことが大事にできなくなります。また、人に相談したり頼ったりすれば解決できるものを、責任感の強さのあまり、自分で抱えこんでしまい、傷を深めてしまう傾向もあります(今野 2009)。どうにも身動きが取れない状況になった場合、たとえ迷惑をかけることになっても、**依頼してきた人に「申し訳ないけれども、どうしてもできない」と打ち明けたほうがよい**でしょう。正直に伝えたことで信頼関係が壊れることはまれですし、もしそれで壊れてしまうぐらいの関係であれば、その程度の関係だったという割り切りも必要です。切羽詰まったら思いきって相手の懐に飛びこんでみると、自然と解決策が見えてくるものです。

8.1.7 ハラスメントを受けたとき

Q ハラスメントを受けたと感じたときは、どうしたらよいですか。

A 信頼できる人に相談することです。

アカデミック・ハラスメント、いわゆる**アカハラ**という言葉があります。アカハラとは、大学等の研究・教育機関で、優位な立場に立つ者が権力を乱用して、構成員を傷つけるような言動を行い、研究・教育上の不利益を及ぼし、相手に身体的・精神的苦痛を与えることです。端的に言うと、大学内の権力関係を悪用したいじめです。典型的には、教授からその下にいる教職員、指導教員から大学院生という形で現れます。教授や指導教員の手には、多くの権限が委ねられているからです。

アカハラは、学位や単位の不認定、研究や就活の妨害、指導の拒否や放棄、研究成果の横取り、下働きの強要など、多岐にわたりますが、その背景にあるのは**マウンティングの心理**です。教員は自己承認欲求が高く、自分がすごい存在であると認めてほしい気持ちを抱きがちです。それが研究面での向上心に結びつくこともあるのですが、それが満たされないと、自分が偉いということを陰に陽にアピールして、相手を服従させる力として現れることもあります。

しかし、アカハラの難しいところは、それが指導である可能性が否定できない点です。学位の不認定は、当該院生の力不足が原因であり、学位取得に値しない論文であることもあります。研究の妨害は、そのまま調査に着手しても大した成果が期待されないため、ストップをかけているだけかもしれません。指導の拒否は、手取り足取り教えないほうが院生の力がつくという信念に基づくこともあるでしょうし、研究成果の横取りは、じつは当該院生の自己の役割への過大評価にすぎないかもしれません。下働きの強要と思えたことも、10年後は研鑽の機会を提供してくれたことへの感謝の気持ちに変わることもあるでしょう。セクハラの場合はグレーゾーンが狭く、白黒をはっきりつけやすいのですが、アカハラやパワハラは経験豊かな者の指導という側面を含むため、認定はかなり難しいのが一般的です。つまり、**アカハラやパワハラは認められにくい**のです。

しかし、アカハラだと感じたら、一人で抱えこまないことが大切です。**信頼できる友人**に相談し、その友人も同じような気持ちを抱いていたならば、複数で交渉に臨むとよいでしょう。単独で臨むと、権力関係は相手のほうが上ですので、一方的に傷つき、報復的な対応を取られるおそれもあります。また、**信頼できる別の教員**がいれば、その教員に相談に乗ってもらうことも可能です。教員は情報も経験も豊富に備えていますので、ハラスメントにたいする適切な対応を教えてもらえることもあります。さらには、どの大学でも**アカハラの相談窓口**を持っていますので、そうした公的な窓口に行って相談するのも一法です。

最初は相談から始めるのが賢明です。相談はさほど重く考える必要はありませんが、訴えは双方が深く傷つきますので、相当の覚悟が必要です。そこで、問題点が明確になり、第三者から見てきわめて悪質であると認定できる見通しが立てば、相談を訴えに変えることもできるでしょう。

8.1.8 逆ハラスメントを受けたとき

Q ハラスメントは上から下にたいして起こるものばかりでしょうか。

A 下から上にたいしてもハラスメントは起こりえます。

痴漢の冤罪が近年問題になっています。痴漢は重大な犯罪ですので、きわめて厳しく取り締まられます。そのため、痴漢をしていないにもかかわらず、痴漢だと疑われてしまうと、当人は悪くないにもかかわらず、取り返しのつかない事態を招きます。同じように、大学のなかでもアカデミック・ハラスメントが深刻な問題として捉えられていますので、教員は戦々恐々としているのが現状です。学生に訴えられることを恐れて、言いたいことを言わずに呑みこむ教員も少なくないように感じます。一旦、アカハラで訴えられると、ハラスメント教員というレッテルを貼られかねませんので、良識のある教員ほど、学生との対応は慎重です。その意味においては、教員よりも学生のほうが、立場が強いのです。

企業などで年配の上司にあまりにICTリテラシーがない場合、部下に馬鹿にされたり無視されたりするケースもあると聞きます。これも厚生労働省の定義に従えばハラスメントに相当します。私自身、スマホはおろか、ガラケーさえ持ったことがない人間なので、スマートデバイスのリテラシーはほぼゼロです。院生たちのあいだでは、LINEができない教員として有名で、そのことでよくいじられています。もちろん、それは院生が冗談でからかっているだけで、じゃれあっているにすぎないのですが、院生に私を心底馬鹿にする意図があり、それに私が本気で腹を立てたなら、ハラスメントになりかねません。立場が下であることの気の緩みから、きつい言葉を意図的に上の立場に浴びせるのは、周囲の人の信頼を損ねるおそれも含め、お勧めできる行為ではありません。

院生自身に明らかに非があるにもかかわらず、教員の指導力不足を糾弾し、公的な窓口に訴え、それが認められないと、中傷をSNSに書き散らす院生の存在も、私とは直接関わりのない大学で耳にしたこともあります。誰しも自分の与えた傷は小さく、受けた傷は大きく感じるものです。そのため、自分が受けた傷、与えた傷については、周囲の信頼できる人に打ち明け、それを相対化して見る作業が必要になります。

残念なことに、モンスター教員がどこの大学にも存在するように、モンスター院生も一定の割合で存在します。このため、院生を採ることは、そうしたリスクに自ら身をさらすことになり、躊躇する教員は少なくありません。これは残念なことです。こうした状況にたいする最良の手当ては、大学院生を指導できる指導教員の定員を増やすことなのですが、残念ながら日本の文教政策においては、正反対の方向に進んでいるように見受けられます。したがって、教員は自分の身は自分で守らなければならないという厳しい状況に追いこまれています。

指導教員、授業担当教員、研究室の助教など、強い立場に立つ人の場合、**ハラスメントで訴えられる可能性がゼロではない**ことを知っておく必要があります。とくに相手の学生が過激な言動を好む人の場合、強い立場にあるはずの側が追い詰められ、精神的な苦痛を受け、心を病んでしまうケースもあります。

しかも、強い立場にある者の場合、本人の指導力不足と受け取られ、周囲からの評価が下がる懸念から、周囲に相談することに躊躇し、相談の壁が高くなる傾向にあります。つまり、**教員は院生以上に孤立しやすい**状況にあるのです。しかし、院生対応でハラスメントを与えたり受けたりした可能性がある場合、同僚に話を聞いてもらうことで自分の置かれた状況を相対化することも大事ですし、業務の責任上、大学院の運営に責任を持つ研究科長や学生担当の教員など、学内のしかるべき部署に事前に報告をしておくことをお勧めします。公的な窓口は、学生だけでなく教員にも開かれていますので、相談に行くのも有効な方法です。

8.1.9 経済問題と研究の中断

Q 経済的な状況が厳しい人は、研究者の道に進むべきではないのでしょうか。

A 厳しい現実があるのは事実ですが、各種の支援はありますので、それらを調べてから進学の判断をするのが賢明です。

研究を中断する要因の三つ目、経済的な理由に進みます。家庭の事情による中断、健康上の理由による中断は個人の問題で、個人で解決するしかないものですが、経済的な理由による中断は、社会的な問題です。欧米の多くの大学院では、学費は低額であったり奨学金が充実していたりしますし、研究・教育関連の業務を担当することで、研究費や給与など一定の収入が得られ、経済的な理由による中断がないような制度が整っています。しかし、日本の場合、そうした公的支援が極端に乏しく、学費が払えないという理由での中断が多いのが実情です。最近では、文部科学省でもそうした問題の改善に本格的に着手し、問題が改善される兆しが出てきたのは喜ばしいことですが、それでも、日本学生支援機構（JASSO）の貸与奨学金のような、奨学金とは名ばかりの教育ローンでまかなってきた現状に、科学技術にたいする日本政府の冷たい姿勢を感じざるをえません。

そうはいっても、先立つものがない現状で進学することはできません。返済の義務はあっても日本学生支援機構の奨学金は助けにはなりますし、留学生の場合は日本留学奨学金の給付対象になります。また、大学によっては学費の減免が可能になる制度が整っていますし、民間の財団の奨学金も相当数存在しますので、そうした支援とアルバイトを組み合わせながら学業を続けることを考えるのが現実的です。経済的な問題については、次節で引き続き検討します。

8.2　経済的な問題とキャリア

8.2.1　修士課程の経済生活

Q　修士課程において、どのように生活費を得ればよいですか。

A　奨学金の受給、授業料の減免が 2 本柱ですが、現状は計算が立たず、アルバイトに頼らざるをえないと考えておくのが賢明です。

修士課程に進学する場合、勉学に集中する時間を確保するためには仕事を控えざるをえず、学費にくわえ、修士課程に在籍する期間の生活費が必要になります。本来であれば、一人前の社会人として生計を立てなければいけない年齢で親族の支援を当てにするのも気が引けます。修士課程に進学するまえに社会に一旦出て働き、ある程度の額の貯金を作ってから修士課程に入学する方法も考えられますが、決断してからの足踏みはできれば避けたいものです。そこで、親からの仕送りもなく、配偶者による支えもなく、貯金も少ない前提で、学業のための生活費を得る方法をここでは検討します。

まず、最初に思いつくのは**奨学金**です。**日本学生支援機構**（**JASSO**）の奨学金は貸与型が中心で、現時点では大学院生向けの給付型はありません。貸与型のうち、第一種奨学金は無利子なのにたいし、第二種奨学金は利子付になります。文系大学院の場合、修了後の生活にも不安がありますので、**利子付の選択はできるなら避けたほうがよい**でしょう。また、第一種奨学金の貸与を受ける大学院生のうち、業績優秀者を対象に、奨学金返還の全額または半額を免除する「特に優れた業績による返還免除制度」や、博士後期課程進学時にこの免除を内定する「返還免除内定制度」がありますので、積極的に申請しましょう。

一方、**民間や地方公共団体の奨学金**もあり、こちらは給付型が中心です。情報の一覧は大学がサイトにまとめてくれていることが多いので、こまめにチェックし、自分から積極的に応募する姿勢が求められます。ただし、一つひとつの枠は少なく、かなり高い競争率を勝ち抜く必要はありますので、**奨学金の受給を最初から計算に入れるのはリスクが高い**と思われます。

つぎに、考えたいのが**授業料の減免**です。多くの国立大学の場合、成績が優秀で生活が困窮している者にたいして、授業料にたいする半額免除、減額免除などの措置があります。私立大学でも、大学によっては同様の措置を講じているところもあります。これにはかならず応募しておいたほうがよいでしょう。

そして、最終手段が**アルバイト**です。大学院生のアルバイトの定番と言えば**塾講師**です。私の院生時代は塾講師だけで食べていける人も多く、知らぬ間に塾講師のほうが本業になってしまう人が少なくない時代でした。しかし、現在では少子化が進み、個別指導塾での指導の割合が高くなり、時給もかなり下がってきています。昔ほどのうまみはなくなっていると思ったほうがよく、とくに教育産業はブラックなことが多いので、働かされすぎないように注意することが必要です。しかし、教えるという経験を若いうちにすることは将来の財産になりますし、大学院生の備えている知性が発揮される場でもありますので、現在でも有力なアルバイト先の一つになるでしょう。

そのほか、考えられるのは、**大学で募集されるアルバイト**です。とくに、研究という点では、科研費などの教員の研究費による**研究支援者**として研究に従事すること、教育という点では、教員の担当する授業に**ティーチング・アシスタント（TA）**として参画することは貴重な経験ですし、履歴書に書くと、研究・教育の業績として評価されるものにもなりますので、機会があれば積極的に応募するようにしましょう。

もちろん、それ以外にも、ICT をはじめとする特殊なスキルを有する人は、それを活用すると効率よく収入が得られるでしょうし、小売店や飲食店で働くアルバイトも考えやすいものです。ただし、どのようなアルバイトにせよ、アルバイトに時間を取られて肝腎の本業がおろそかになることは避けなければなりません。アルバイトが忙しすぎて、身体を壊してしまう人もなかにはいます。当座の生活費が稼げればよいと割りきって、**アルバイトはできるだけ控えめにする**のが初志貫徹に必要な心構えです。

なお、大学院によっては、社会人を続けながら研究に励める制度設計を取っているところもあります。また、修士課程 2 年で済むところを最長 4 年かけて学位を取得し、授業料が同額である**長期履修制度**を国立大学は持っています。働きながら大学院に進学したいと考えている人は検討するとよいでしょう。

修士課程の経済生活

①奨学金（給付、貸与）
②授業料の減免
③アルバイト（学習塾関連、一般、大学関連）
④働きながら（夜間大学院、長期履修制度）
⑤その他（貯金、親からの仕送り、配偶者の援助）

8.2.2　博士課程の経済生活

Q 博士課程において、どのように生活費を得ればよいですか。

A 基本的に修士課程とさほど変わりませんが、生活費を支給する制度が充実しつつあるので、そうした制度を活用する可能性をまずは検討します。また、非常勤講師も視野に入れるとよいでしょう。

博士課程に進んだからといって、修士課程の時代と状況が大きく変わるわけではありませんが、少しずつ状況は変わりつつある部分もあります。

まず、奨学金としては、**「科学技術イノベーション創出に向けた大学フェローシップ創設事業」**が 2021 年度より新設されました。博士後期課程に在学する大学院生の待遇改善のために、180 万円以上の生活費相当額と研究費を支援する大型プロジェクトです。同年創設の**「次世代研究者挑戦的プログラム」**も、6000 名を対象に 220 万円以上を支給する一大事業となっています。現状を見ると、残念なことにどちらも理工系に選定対象が偏っている印象ですが、今後人文社会系にもよい影響が及ぶことを期待したいと思います。

また、昔からあるのは、**日本学術振興会特別研究員**で、1985 年に創設されました。博士課程の大学院生を対象にしたものは DC、博士課程を修了した博士号取得者を対象にしたものは PD と呼ばれます。DC は博士課程 1 年生を対象にしたDC1と、2年生を対象にしたDC2に分かれ、前者が3年間、後者が2年間、月額20万円の研究奨励金（給与）と年額150万円の特別研究員奨励費（研究費）が支給されます。採用率は20％前後となっています。

こうした制度は時が経つとかならず変わりますので、その年の内容をかならずホームページ等でチェックしてください。大事なことは、こうした2本柱の**制度の存在を知る**ことで、知っているか知らないかで博士課程の生活がまったく変わってきます。

一方、アルバイトとしては、**大学の非常勤講師**も視野に入ってきます。非常勤講師は、学籍のある人を認めていない大学もある一方、学籍のある人、すなわち大学院生を採用する大学も相当数あります。大学で教えたという経験は、履歴書に書いたとき次のキャリアにつながりますので、そうした機会はぜひ生かすようにしてください。

非常勤講師は、研究人材のマッチングサイト、**JREC-IN Portal**（https://jrecin.jst.go.jp）に掲載されることもありますが、その多くはいまだに**教員同士の紹介**が一般的です。私のもとにも時々「誰かいい人いませんか」という声が別の大学教員からかかります。私のところにたくさんの大学院生がいることを知っているからでしょう。そこで、自分の所属する大学院の教員や、学会で知り合った教員などに、「非常勤講師の口を探しているので、もしあれば紹介してください」と声をかけておくのがよいでしょう。そうすれば、非常勤講師の担当コマに空きができたとき、声をかけてもらえるかもしれません。

ただし、非常勤講師になるためには、**学位と研究業績**を持っていることが必須です。学位は修士でよいことが多いのですが、専門性の高い科目の場合は博士の学位が要求されることもあります。また、研究業績は過去5年以内に**学術論文3本が最低ライン**です。学術論文3本は紀要論文でもよいことが多いのですが、**1本でも学会誌論文があるとよりよい**と思います。提出された履歴書と研究業績表は大学の教授会で審査されますので、業績は多いにこしたことはありません。

なお、非常勤講師の担当授業の単価ですが、半年1コマ担当して18万円ぐらいが首都圏の相場です。非常勤講師は授業の準備や採点など、授業時間以外にも時間を取られる仕事です。そのわりには単価は安く、それだけで生活していくにはかなり厳しいですし、非常勤講師の経験はあるかないかが重要で、似たような科目をたくさん担当しても、経歴上プラスに働くわけではないので、**貴重な研究時間を割いてまで数を増やすのは避けたほうが賢明**です。

8.2.3　博士修了後の経済生活

Q　博士修了後は、どのように生活費を得ればよいですか。

A　定職に就けるのが理想で、任期付助教が主流です。任期付助教が難しい場合は日本学術振興会特別研究員（PD）、それも難しい場合は非常勤講師で食いつなぎ、業績を重ねて公募にトライしつづけます。

博士課程修了後、研究者を目指してきた人ならば、**常勤の専門職につくことが理想**であり、**大学の任期付助教**というのがもっとも考えられる選択肢です。今の時代、相当のキャリアがなければ、いきなり任期のない准教授として就職することは難しく、群を抜く高い業績を有する一部の人を除き、一旦、助教を経由するのが一般的です。**助教というのは、昔の専任講師と助手を合わせたようなポスト**です。

専任講師は最近では減りました。**専任講師は任期がないのがふつう**で、相当の業績を積み重ねれば、准教授に昇任できます。つまり、准教授―教授という任期のない研究教育職（**「テニュア」**と呼ばれます）に直結するポストです。一方、**助手**も最近では減りました。任期があるのが一般的で、古くからあるポストでは任期がないこともありますが、**どんなに業績を積み重ねても助手止まりであるのがふつう**です。

助教は、准教授―教授と直結まではしていませんが、准教授になれる可能性があるポストであることが一般的です。准教授になれる可能性が明示されている場合は、**テニュア・トラック助教**と呼ばれます。テニュア・トラック助教は就職したときは助教ですが、任期が来た段階で審査を行い、その審査に通れば准教授になれます。テニュア・トラックであることを明示していない助教でも、高い業績を上げれば審査を経て准教授に上がれるようになっている大学もあります。その場合、**公募には「教授・准教授・助教」と併記されていることが多く、一つの目安**になります。その意味で、助教は以前の専任講師に近いといえます。

しかしながら、一部の助教はいままでの助手と同じ待遇で、ただ教育業務が増えただけで、准教授にまったくつながらない助教もあります。また、**特任助教**と呼ばれる外部のプロジェクトを担当する専門性の高い助教もあり、こちらも任期付です。したがって、助教の公募では、**テニュアにつながる可能性のある助教か、単なる助手の言い換えとしての助教か**を確認することが必須になります。

今や、任期付助教になるのももはや難関で、博士課程修了後数年間の修行期間を経て任期付助教に採用されるのが一般的になっています。2.1.4 でも言及した「研究者になるリスク」です。その場合、恵まれている人は日本学術振興会特別研究員の PD に採用されます。教授・准教授・専任講師・助教でないものの、大学等で研究に従事している人を**博士研究員、通称ポスドク（ポストドクターの略）**と呼びますが、ポスドクの代表がこの PD です。PD は有力大学の助教の待遇には及ばないものの、DC よりも給与は高く、3 年間、月額 36.2 万円の研究奨励金（給与）と年額 150 万円の特別研究員奨励費（研究費）が支給されます。PD 以外にもポスドクはあり、大型プロジェクトが行われたときに採用されることはありますが、人文系の場合、待遇は学術振興会の PD よりもさらに厳しくなります。

しかし、ポスドクにもなれない人は、非常勤講師として食いつなぎながら公募に応募を出しつづけ、時が満ちるのを待ちます。任期付助教として、あるいは、直接准教授として採用される場合、博士号を持っているだけでは不十分です。非常勤講師として働いているあいだも研究時間を何とか確保し、適当な公募が出るたびに応募を続け、来たるべきときに備えます。

博士修了後の経済生活

①専任教員（任期付助教、テニュア・トラック助教等）

②日本学術振興会特別研究員（PD）

③大学等の非常勤講師の掛け持ち

8.2.4 専任教員になる準備

Q 専任教員になるための厳しい競争に勝ち抜くのに必要なものは何ですか。

A 質の高い履歴書です。

大学をはじめとする研究教育機関の常勤教員を目指して就職活動をする場合、高い競争率を抜けるのに必要なものは**質の高い履歴書**、それに尽きます。ただし、質の高い履歴書は競争を勝ち抜くための必要条件であり、十分条件ではありません。

十分条件はいろいろあります。年齢、性別、国籍といった本人ではコントロールできない要素もあります。公募にもよりますが、近年の公募では若いこと、女性であること、外国籍であることのほうが有利に働く傾向があります。文部科学省がそのように制度設計を行っているためです。また、たまたま有力な競争相手がいなかった、同時期に似たような公募が出てそちらに人が流れた、もっとも有力視されていた候補が辞退したなどの運やタイミングといった要素が働くこともあります。しかし、そうした要素は揃えようと思って揃えられるものではありません。私たちにできることは、質の高い履歴書を作り、公募に臨むこと。ただそれだけです。

質の高い履歴書は、**学歴、職歴、研究業績**から構成されます。**学歴**は言うまでもなく有名大学のほうが有利ですが、一般の人が思っているほど、偏差値の高い大学が有利に働くわけではありません。たとえ東京大学や京都大学の出身であっても、その分野で目立った業績がなければ相手にされません。むしろ、大学のブランドより、留学経験等による英語をはじめとする**外国語の運用力**や、**公募しているポストに専門性がぴったり合う研究科・学科の出身**であることのほうが大事です。

職歴は**大学で教えた経験**のことです。大学の人事というのは臆病なところがあり、大学で働いたことのない人を採用するのを怖がります。ある程度の年限、非常勤講師として大学で働いたことのある人が任期付教員となり、任期付教員として大学で働いたことのある人がテニュアの常勤教員となります。このため、**非常勤講師として働くことが大学教員としての入り口になる**わけです。同じ教育であっても、**高校までの学校の先生の経験や塾講師としての経験はまったく**

考慮されないのがふつうです。一方で、大学で働いた経験であれば、TA やポスドクとしての経験も重要視されますので、ともかく大学のなかで働くことが職歴を上げるコツになります。

研究業績は端的にいえば**論文の本数**です。常勤教員としての就職を期待するのであれば、**学会誌論文を複数本持っている**ことが前提となります。その学会誌論文は有名学術雑誌であることが望ましく、本数も多ければ多いほどよいことになります。紀要論文でも業績にならないことはありませんが、その評価はぐっと下がります。**査読がないものは業績としてカウントされない**と考えたほうがよいでしょう。また、人文系の場合、分野によっては**専門的な内容の単著**を持っていることが期待され、それも複数冊持っているほうが有利に働きます。研究業績は**書かれたものがすべて**です。口頭発表やポスター発表はたくさんあってもゼロと考えて差し支えありません。また、書かれたものであっても**学術的専門性の高いもの**でなければ意味がありません。随想のような体験を綴った内容のものや、私がよく書く一般向けの新書、今執筆している本書もまた研究業績にはなりません。

学会誌論文は掲載されるまでに時間がかかります。学会誌に何度も投稿し、厳しい査読者との何往復ものやりとりを経なければ掲載に至りません。また、学術的専門性の高い著書は 1 冊仕上げるのに途方もない労力が必要です。つまり、**これだけの学術業績を形にするには、博士課程在籍期間だけでは時間的に不可能に近い**のが現状で、博士課程修了後も数年間かけてさらに業績を積み重ねていかなければなりません。専任教員になるには、このような長い修業時代が求められます。そのため、研究者の道を安易に勧められず、相当の覚悟を持って挑んでほしいとお伝えしなければならないのが現状です。

46 歳という高い年齢で悲願の初タイトルをつかんだ将棋の木村一基九段が好んで使う言葉は**「百折不撓」**です。「百折不撓」は何度失敗しても志を曲げず、初志を貫徹することです。研究者になることも、この「百折不撓」の精神が必要なのだと思います。

コラム 11

研究者以外のキャリア

当初、常勤教員として大学等に就職を目指し、博士号まで取得した人も、そのあともさらに続く厳しい競争に疲れ、別の進路を歩む決意をするかもしれません。もちろん、それは悪いことではありません。博士号まで取得できた人は何かに没頭する高い集中力があります。研究する人生の入り口で培った能力はほかでもきっと役に立つはずです。研究者になることが幸せになる唯一の道ではなく、幸せの形は人によってさまざまです。

しかし、博士課程への進学は、潰しを利きにくくする進路選択です。もし研究への適性に不安を抱いたのが修士課程の段階なのであれば、修士修了後、一度社会に出ることをお勧めします。競争から抜けるのはできるだけ早いほうが賢明です。博士課程まで進み、学位を取得した人は、かえって進路を狭めてしまい、就職が難しくなっているのが現状です。そうしたなかで比較的考えやすいのは、専門性を生かした知的職業、いわゆる**高度専門職業人**です。中学・高校の教員、臨床心理士、日本語教師、図書館司書、博物館学芸員、アーキビスト、大学等の研究支援員などが考えられます。また、英語をはじめとする外国語のスキルや、データの統計処理をするデータサイエンスのスキルなど、社会で広く必要とされている特殊技能を備えている人は、就職にあまり困りません。博士号にふさわしい、広範で深い知識が求められる出版社や新聞社、教育関連産業などの中途採用も考えられる選択肢です。岩波書店編集部編（2021）を見ると、エンジニア、起業家、研究支援専門職、官僚、政治家に至るまで、博士号取得者が多様な業種に進出していることがわかり、勇気づけられます。しかし、最終的には個々人の人間力にかかっており、博士号そのものにそこまでの力を期待することは難しそうです。

〇〇でなければならない、という考え方は人生を苦しくします。自分の思いどおりにならないことは、当座はつらいことですが、それを乗り越えたときに一段階成長します。自分が進んだ道を受け入れ、そこで輝くように努力を続けられることが大事であり、博士号取得者は逆境のなかでも努力を続けられる粘り強さを備えていると思います。もし大学以外の就職先を考えるのであれば、社会にニーズのある専門性を早めに見いだし、それを身につける時間を取ることをお勧めします。

8.3　専任研究者として生きる

8.3.1　専任研究者の学内業務

Q　大学教員の学内業務にはどんなものがありますか。

A　研究、教育、雑務の三つが学内業務の大きな柱です。

専任研究者を大学教員と限定して考えると、大学教員の学内業務（いわゆる「本務」）の内容は次の三つに大きく分かれます。

大学教員の学内業務

①研究業務：調査、分析、論文執筆など、研究に関わる業務
②教育業務：授業、予習、採点など、学生の教育に関わる業務
③雑務：事務、会議、入試など、その他の業務

もちろん、大学と一口に言っても多様であり、国立大学の場合、世界水準型（総合的な教育研究大学：とくに優れた大学は指定国立大学の認定を受ける）、特定分野型（専門分野の研究大学）、地域貢献型（地域に貢献する研究教育大学）の三つに分けられており、世界水準型、特定分野型では①「研究業務」、地域貢献型では②「教育業務」の比重が高くなっています。

また、私立大学の場合も、学生の自主性に任せられる難関校、初年次教育（大学での学びを支援する新入生向けの導入教育）に力を入れる中堅校、リメディアル教育（高卒レベルの基礎学力の習得を支援する補習教育）に力を入れる教育集中校の三つがあるように見受けられ、難関校は①「研究業務」、中堅校は②「教育業務」の比重が高く、教育集中校の場合は②「教育業務」以上に③「雑務」の比重が高くなる傾向があります。教育集中校では事務体制が十分整っていない場合が多いことにくわえ、オープンキャンパスや高校訪問など、入学希望者のリクルーティングに時間を割かなければならないためです。

残念なことですが、**日本国内の大学は総じて、①「研究業務」よりも、②「教育業務」や③「雑務」に割く時間が長く、研究環境としてはあまりよくありません。**専任研究者になれば研究三昧の生活を送れるかというと、けっしてそう

ではなく、雑務の合間をぬって研究をするという意識を持ち、期待値を下げておいたほうが、実際に専任職に就いたときに理想と現実のギャップに苦しむことが少なくて済むでしょう。そうはいっても、自分の好きな研究を仕事とし、給与をいただきながら研究に集中できるという専任研究者の待遇は恵まれていると思いますので、専任研究者は目指すに値する職業であると思います。

8.3.2　専任研究者の学外業務

Q　大学教員の学外業務にはどんなものがありますか。

A　学会とのつながり、社会とのつながり、社会への発信、地域貢献の四つが代表的です。

高等教育機関である大学の教員の場合、初等・中等教育機関の教員、つまり小学校から高校までの先生に比べて**自由裁量が大きい**のが一つの特徴です（夏目ほか 2010）。所属大学によっても事情は異なるでしょうが、学内業務をきちんとこなしていれば、学外業務についてはかなり広い範囲で認められるのがふつうです。

学会とのつながりでいえば、学会に参加したり、学会の業務を引き受けたりすることは、広義の大学教員の業務として認められています。その業務の広がりについては、7.2「学会でつながる」をご参照ください。

社会とのつながりでいえば、産業界、官公庁、マスメディア、市民、海外との連携があり、これについては、7.3「社会とつながる」で詳しく説明しましたので、やはりそちらをご参照ください。

社会への発信でいえば、7.4「デジタルでつながる」で示したとおりであり、researchmap、ホームページ、機関リポジトリ、専用のサイトなどを用いた自己の研究業績や開発した研究用コンテンツの公開などが考えられます。

第７章「つながる（関係）」で触れられなかったもののうち、今後重要になってくると思われるのは、地域コミュニティへの貢献です。大学が特定の場所に物理的に存在する以上、地域コミュニティとの関係は避けて通れませんし、むしろ積極的に活用されるべきでしょう。地域に根ざした学園祭や、地域の住民を対象にした公開講座などは、これまでも行われてきましたが、今後は次のようなことが重要になりそうです。

期待される地域コミュニティへの貢献

①地域振興への協力（商店街・観光・地域ブランドの開発等）
②地域の子ども支援（子どもの居場所作りや学力向上支援等）
③地域の高齢者支援（高齢者の生活支援や就労継続支援等）
④地域の国際化支援（地域の国際ネットワークの形成等）

大学の重要な財産は、エネルギー溢れる若い学生です。**大学教員が学生と地域住民をつなぐネットワークの形成のお手伝いをする**ことで、学生、地域住民の双方にとって得がたい経験をすることができます。私が専門とする日本語教育で考えてみても、留学生がホストファミリーのお宅にお世話になったり、地域の公民館で日本語教育のサポートを受けたりする一方、留学生が自国の手料理を地域住民に振る舞ったり、日本の教室で苦労している同郷の児童・生徒をサポートしたりするだけで、さまざまな刺激や、机上の学びでは得られない深い学びが得られます。

地域コミュニティは身近な実践のフィールドです。こうした実践のフィールドに学生たちが入っていくこと自体、研究者にとって貴重な調査対象になりますし、そこで得られた学びは教室という場に環流してきます。**地域という生きた教室を大学が上手に活用する**ことによって、大学教育の質は確実に変わるように感じます。

8.3.3　専任研究者の研究力

Q　専任研究者にとって大事な研究力は何ですか。

A　規模の大きな共同研究を遂行する能力で、資金獲得力、研究組織力、人脈構築力、情報発信力の四つに分かれます。

専任研究者になると、研究スタイルが大きく変わります。大学院生時代は個人でこつこつ進めるのが研究だったと思うのですが、**専任研究者は共同研究が中心**となります。もちろん、専任研究者になっても、個人でこつこつ進める人もいますが、そうした研究スタイルではスケールが大きな研究をすることが困難です。

一人ひとりの人間には能力の限界があり、万能な人は存在しません。研究の構想を練るのが得意な人、鋭い着眼点を備えた人、文献を広く読んでいる博識な人、フィールドでのデータ収集に長けた人、工学的な分析処理の高いスキルを有する人、異なる分野のアプローチに精通している人、高い説得力を持って文章が書ける人、英語をはじめとする外国語に強い人、組織をまとめるリーダーシップのある人など、人によって能力はさまざまです。自分が苦手とするところでも、得意な人に穴を埋めてもらい、分業すれば大きな仕事ができます。

その意味で、現代は共同研究の時代であり、**共同研究の成否が研究者個人の市場価値を左右します。**人付き合いが苦手であっても、周囲の人と誠実に向きあえる人であれば問題ありません。しかし、人付き合いそのものを極力避けたいと思う人は研究者という道に進まないほうがよいかもしれません。研究者として一定の地位を得たいと願うなら、人付き合いがついて回るからです。

専任研究者として規模の大きな共同研究を遂行したいと考えた場合、**相当の額の研究予算（資金獲得力）、相当の規模の組織（研究組織力）、幅広い研究者のネットワーク（人脈構築力）、多方面への研究発信力（情報発信力）**が問われます。したがって、この四つが専任研究者として必要な研究力であるといえるでしょう。

専任研究者の研究力

①資金獲得力：科研費をはじめとする外部資金獲得を獲得する能力
②研究組織力：生産力の高い研究チームを組織・管理する能力
③人脈構築力：異分野融合も含む幅広い研究者と連携する能力
④情報発信力：研究成果を多方面に効果的に広報する能力

③「人脈構築力」については7.2「学会でつながる」と7.3「社会とつながる」で、④「情報発信力」については7.4「デジタルでつながる」で紹介しました。そこで、以降では、①「資金獲得力」について8.3.4「科研費を取得する」で、②「研究組織力」について8.3.5「研究チームを組織する」で、それぞれ詳しく

論じることにします。

8.3.4　科研費を取得する

Q 科研費で採択率を上げるコツは何ですか。

A 「何を明らかにしたいのか」という目的を明確にし、その目的が学術的・社会的に高い価値を有することを示すこと、また、それを実現する方法・計画・予算・実績に十分な裏付けがあり、実現性が高いことを示すことです。

科研費（科学研究費補助金）とは、**文部科学省、および日本学術振興会が大学等に勤務する日本国内の研究者にたいし、学術研究を支援する研究助成金**のことです。応募すればみんながもらえるものではなく、ピア・レビューによる審査を経て、学術的価値が高く、十分な成果を上げられると見こまれる独創的・先端的研究が採択され、高額な研究予算が配分されます。

科研費の種類（研究種目）は多様であり、詳しくは日本学術振興会の科学研究助成事業の制度概要のページ（https://www.jsps.go.jp/j-grantsinaid/01_seido/01_shumoku/index.html）を参考にしてください。

きわめて多額の超大型科研費や、反対に少額の奨励研究を除いてかいつまんで言うと、もっとも一般的な**基盤研究**（予算・研究期間によって（S）（A）（B）（C）の四つに分かれる）、潜在的な可能性を秘めた**挑戦的研究**（予算・研究期間によって開拓・萌芽の二つに分かれる）、若手研究者を対象にした**若手研究**、新人・復帰研究者を対象にした**研究活動スタート支援**に分かれます。採択率は、年度によって異なりますが、基盤研究が 30％ 弱（4 人に 1 人ぐらい）、挑戦的研究が 10％ 強（8 人に 1 人ぐらい）、若手研究と研究活動スタート支援が 40％ 弱（3 人に 1 人ぐらい）というイメージでよいと思います。なかなかの狭き門です。

大学等の研究機関では研究費の削減が進んでおり、科研費がなければまともに研究ができないのが現状です。このため、この狭き門を通ろうと、研究者は 1 年に 1 回の応募機会にすべてをかけます。そんな研究者にとって応募した科研費が採択されるかどうかは切実な問題です。

「科研費必勝法は何ですか。」そう質問をされた研究者は、たとえ有名な研究者でも、「必勝法があるのならばこっちが聞きたい。」と返すのではないでしょうか。投稿すれば確実に掲載される論文もなく、出版すれば確実に売れる本がないのと同様に、**応募すれば確実に採択される科研費必勝法は存在しません。**

ですが、採択率を上げる方法は存在します。それは、科研費を応募するうえで欠かせない**必要条件を満たす**ことです。科研費は限られたなかでの予算枠の奪い合いですので、優れた競争相手がいればかならず負けてしまいます。その年度の応募件数や応募分野のバランスによる影響も受けますし、担当する審査委員による運不運もあります。しかし、運が良ければ採用されても十分におかしくないレベルにまで達していたら、数年内に採択されるものです。したがって、大事なことは、**採用されてもおかしくないレベルにまで応募書類の質を高めておく**ことです。

科研費は審査における評定基準が公開されていますので、それを参考に探ることが第一です。2021 年度現在の評定基準は次の３本柱から成り立っています。今後小幅な手直しはあるでしょうが、当面は大きく変わることはないでしょう。

科研費の評定基準となる三つの評定要素

(1) 研究課題の学術的重要性

(2) 研究方法の妥当性

(3) 研究遂行能力および研究環境の適切性

以下、順に説明していきます。(1)「研究課題の学術的重要性」は、税金を投入するに値する社会的価値がその研究課題にあるかということです。もちろん、学術研究ですので、社会的価値のなかでも学術的価値が優先されます。審査委員の仕事は予算の配分ですから、「この研究は税金を投入するだけの学術的価値の高い研究かな」と自問自答しながら、応募された研究に順位をつけていきます。そのときに重視されるのは次の４点です。

研究の価値を測る四つの指標

①研究の明瞭さ：何を明らかにしたいかが明確な研究であること

②研究の新規性：あまり見たことがない斬新な研究であること

③研究の希少性：珍しい対象を扱った研究であること

④研究の応用可能性：社会的に役に立つ研究であること

①**「研究の明瞭さ」**とは、**その研究が何を目指しているかが明瞭である**ことです。研究上の問いである研究課題が明確なものは評価が高くなる一方、いくら立派そうなことが書きこまれていても、何がやりたいのかよくわからない研究は評価が下がります。とくに、分野が異なる専門家が読むと、ある分野での常識も理解できないことが少なくありません。異なる分野の審査委員が読んでもわかるように、前提となる部分をきちんと書きこむ必要があるでしょう。

②**「研究の新規性」**も重要です。審査委員をやっているとわかるのですが、**じつは流行している研究ほど、新規性に乏しい**のです。流行している研究には応募が殺到します。その結果、「またこの研究か」という似たような研究を何度も目にすることになります。既視感がある研究はどうしても評価が下がるものです。そうしたなかで**新たな研究領域の創造につながる新規性の高い研究**があれば、相対的に評価が高まります。

③**「研究の希少性」**は研究の対象と深く関わるものです。たとえば、希少性が高く通常入手しがたい資料、その研究者でないと収集が困難な独自のデータ、早急に記録・保存を行わないと消滅するおそれのあるデータを扱うなど、**歴史的・文化的価値の高い珍しい対象を扱う研究**のほうが、ありきたりの対象を扱う研究よりも優先度が高くなるものです。

④**「研究の応用可能性」**は応用研究にかぎらず重要です。一部の理論研究では評価の仕方は異なりますが、多くの研究においては、教育活動、文書作成、デザイン、製品開発、システム開発など、**波及効果の高さが見えるもののほうが有利**になります。税金を投入する社会的正当性が得られるからでしょう。

つぎに、**(2)「研究方法の妥当性」は、示された研究方法で研究成果が上がるかどうかの見通し**です。(1)「研究課題の学術的重要性」で問題にされたのは「研究としての価値が高いか」ですが、(2) で問題にされているのは「研究としての成果が上がるか」です。このときに重視されるのは次の四つです。

方法の妥当性を測る四つの指標

①研究方法：研究の方法は適切か
②研究計画：研究の計画は適切か
③研究経費：研究の予算は適切か
④研究倫理：研究倫理への配慮は十分か

①**「研究方法」**は研究の基本なのですが、応募書類を読んでもよくわからないものが多いのが現実です。研究には目的と方法があります。目的が達成でき、成果が上がるかどうかは、研究方法の選択にかかっています。しかし、その方法の記述があいまいになってしまいがちなのは、これから始める研究なので、研究方法がまだ固まっていないということが背景にあるのでしょう。

しかし、研究方法が十分に固まっていない段階で応募された研究は、採択になる可能性がほぼゼロだと考えてよいでしょう。科研費取得が得意な研究者のあいだで共有されているコツは、**早めに研究に着手しておき、10～20％ぐらい進めた段階で研究を申請する**ことです。「今から着手して、ゼロからすべて構築します」という研究は不安です。見通しが立っていない研究は成果が上がりにくいからです。したがって、**少しでも実際に研究をやってみせ、このような興味深い結果が出ているので、この続きをするにはこのぐらいの予算が必要**という形で申請するのが採択率を上げるコツです。

②**「研究計画」**は、科研費が採択された場合に当該の研究を継続する数年間の研究期間のなかで、何をどこまで進めるのかという年度ごとの計画のことです。科研費の申請で大事なのは、成果が上がるかどうかという見込みを見せることですので、**研究計画はできるだけ具体的に示し、実現可能性の高さをアピールすることが大事**です。若い研究者ほど、研究計画に何でも詰めこんでしまいがちですが、研究者は超人ではなく、ふつうの人間であり、できることには限界があります。あえて**研究計画を限定し、実現可能性を高める工夫もあってよい**かと思います。

③**「研究経費」**は、研究に必要な予算です。科研費は研究費がほしいから応募するはずのものなのですが、最近では大学等の研究機関が間接経費（研究者が使う直接経費と所属機関が使う間接経費がある）を必要として研究者に応募を促すせいか、予算を確保する情熱があまり感じられない応募がしばしば見受けられます。しかし、科研費の申請はあくまで研究経費を求めて申請するものですので、研究経費の必要性と使途が明確でなければなりません。文献の引用がいい加減な論文が簡単に不採用になるように、**研究経費の使途がいい加減な科研費の応募は簡単に不採択になります**。つねに判断に迷う審査委員にとって、この研究経費の部分は不採択にするよい口実になるのです。ですから、応募者としては研究経費の記入にはとりわけ神経を使う必要があるでしょう。

④**「研究倫理」**は、とくに人を対象にした調査のときに配慮が必要な内容です。研究というのはときに暴力的で、調査協力者にたいし身体的・精神的に厳しい調査を強要することがあります。また、調査協力者への個人情報への配慮を欠いた結果、個人情報が流出する可能性もゼロではありません。しかし、研究という名のもとに**調査協力者の人権が侵害されるようなことはあってはなりません**。人文・社会科学系の研究には、放射能が漏れるとか、ウイルスに感染するなどといった調査協力者の身体的安全を脅かす調査は皆無ですが、調査協力者の心を傷つけてしまうようなリスクのある調査は存在します。そうしたリスクが十分に取り除かれているかどうか確認する必要があります。

三つ目の**(3)「研究遂行能力及び研究環境の適切性」**のうち、「研究環境の適切性」は文系研究者にとって関係は薄いでしょう。フィールドワークの場所が地元であるとか、貴重な資料が学内や近隣の研究機関にあるとかいった場合は書くことがありますが、多くの文系研究者が書く内容は限られます。むしろ、**重視すべきは「研究遂行能力」**です。科研費応募と論文投稿のもっとも大きな違いは応募者が匿名かどうかです。科研費の場合は匿名ではありませんので、応募者である研究代表者と研究分担者がどのような研究実績を残してきたかが可視化され、それによって研究遂行能力の有無が判定されます。たとえ、研究代表者が当該の研究遂行に必要なスキルを十分には有していないとしても、そうした高いスキルに関わる優れた研究業績を有する研究分担者がメンバーに入っていれば、科研費の採択に有利に働きます。**研究遂行能力は実績によって測られるため、研究代表者と研究分担者の陣容を早めに固め、一人ひとりの応募課題に関連する最近の研究業績を上げておく準備が大事**です。

以上まとめると、採択率の高い科研費申請書の特徴は、「何を明らかにしたいのか」という目的が明確であり、その目的が学術的・社会的に高い価値を持つこと、また、それを実現する方法・計画・予算・実績に十分な裏付けがあり、実現性が高いことです。こうした一見当たり前の条件をすべて満たすことは困難ですが、その条件を満たした研究だけが審査の当落線上に上がるのです。

ただし、これ以外にも、採択のための隠れた条件が二つほどありますので、最後にそれに触れて終えることにしましょう。

一つは、審査委員の立場からすると、きわめて短時間で書類を読むことを要求されるということです。審査委員のもとに応募書類は大量に送られてきます。

しかも、審査委員になるような研究者は多忙を極めているため、隅から隅まで丁寧に読んで審査が行われることは期待できません。ぱっと見て内容がわかるかどうかが勝負です。そのためには、**審査委員の視線の動きを考え、目立つところにポイントとなる表現を置き、ポンチ絵や図表も活用しながら、一目で理解できるように内容を配置する**ことが重要です。見やすさを計算して作りこまれている応募書類は、採択してほしいという熱意が審査委員の目に行間から伝わってくるものです。

もう一つは、**科研費の種類（研究種目）によって戦略を変える**ことです。**基盤研究（S）**は金額も巨額であり、「大区分」という文系（人文科学系・社会研究系）全体を一括りにした申請です。つまり、その年度の文系の代表的な研究が取得できる科研であり、本書の読者のほとんどは対象外でしょう。また、**基盤研究（A）**も金額がかなり大きく、「中区分」、たとえば「文学、言語学およびその関連分野」のような括りでの申請ですので、やはりその年度の文学・語学研究の代表的な研究が取得する科研となります。そのため、有力な競争相手がいるかどうかがカギとなり、有力な競争相手が少なく、相対的に上位にいけば取得できるといった運任せになります。

一方、**基盤研究（B）**や**基盤研究（C）**は「小区分」で申請ができ、「日本文学関連」「日本語学関連」「日本語教育関連」といった私たちにもなじみのある分野での応募が可能です。このうち、基盤研究（B）はそれでも難関で、「日本文学関連」「日本語学関連」「日本語教育関連」といった各分野のその年度の代表的な研究という意味合いを持ちます。応募書類はどれも優れたものであり、そうした優れたもの同士の競争になりますので、採択レベルに達していても不採択となることも少なくありません。まずは、基盤研究（C）で実績を積んだのち、数年連続して基盤研究（B）に応募して採択の機会を窺うのが通常の姿です。**基盤研究（C）は応募件数も多く、応募書類の質も玉石混交ですので、採択レベルに達していれば比較的採択が期待できます。**基盤研究のなかでは、まずは基盤研究（C）の取得を目指しましょう。

挑戦的研究（開拓）と**挑戦的研究（萌芽）**は、すべてではないのですが、基盤研究との重複応募ができることもあり、いずれも激戦となります。すでに示したように、採択率は基盤研究の30%弱にたいし、挑戦的研究は10%強ですので、かなり厳しそうな印象です。しかし、私自身はありがたいことに、挑戦的研究との相性がかなりよいのです。その理由を考えてみると、挑戦的研究の場合、かなり広い分野の審査委員が読むので、私のような比較的広い読者層を対象に書くのに慣れている人間は有利に働くのかもしれません。つまり、挑戦的研究の採択のコツは、**専門が異なる異分野の研究者に読んでもらっても、十分に学術的・社会的意義が伝わるように書くこと**だと思われます。

若手研究と**研究活動スタート支援**はいずれも若い研究者を対象とした研究です。この二つの研究の応募でしばしば失敗するケースは、自分がやってきた博士論文の続きを書くことです。博士論文は立派な業績ですが、研究としてはそこで一旦完結しています。博士論文を書くと、かならずそこには積み残した課題があり、それを今後の課題としていつかやろうと思うのはわかるのですが、そのような小さなことを達成するために貴重な税金を使えるかというと、審査委員は後ろ向きになるでしょう。どんな映画でも本編よりも続編のほうが面白くはなりません。そうした今後の課題型の申請は博士論文の焼き直しや発展の可能性が低いものと見なされ、不採択とされがちです。しかし一方で、博士論文で書いたことが一段落したために、まったく新しいテーマの研究に走る若い研究者の申請も不採択になりやすいものです。理由は単純で、新しいテーマの研究の実績がないからです。また、新しい研究テーマの場合、博士論文の続編の持つきめ細かさがなく、荒削りになりがちです。したがって、若い研究者が若手研究や研究活動スタート支援に応募する場合、もし博士論文のテーマの延長線上で研究を続けたいのなら、博士論文の積み残した課題を解消するだけでなく、**次の研究ステージに進めるような斬新な観点やアプローチを導入し、新たな発展の方向性を示すこと**です。一方で、もしまったく新しいテーマに着手するのであれば、そうした新研究に着手する自己のなかでの内的必然性を示し、また、**そのテーマでも十分に通用することを示す一定の実績をあらかじめ上げておくこと**です。**博士論文に囚われすぎず、離れすぎないこと**。この微妙な距離感が、若い研究者の採択率を上げるコツだと思われます。

なお、ここまで科研費を対象に論じてきましたが、研究のための競争的資金は科研費だけではありません。近年では、民間の研究助成も充実しています。残念ながら、その多くは自然科学系を対象としたものですが、なかには人文・社会科学系を対象にしたものもあり、競争率のさほど高くないものもあります。資金獲得のノウハウはそれほど変わりませんので、興味のある人は調べて、積極的に応募されることをお勧めします。

8.3.5　研究チームを組織する

Q　共同研究を遂行するための研究チームを組織するさいに注意すべき点は何ですか。

A　最終的な成果であるゴールをつねに意識して考えること、何でも言いあえる風通しのよいチームを作ること、すぐに参照できる形で作業や議論の過程を記録することです。

大きな規模の共同研究を行う場合、そのプロジェクトを遂行するための研究チームが必要です。とくに、基盤 (A) や基盤 (B) といった相当額の予算を有する科研が採択された場合、その予算を用いた研究チームを組織することになります。そのチームには研究分担者である他大学の専任教員が入っていたり、非常勤研究員、リサーチ・アシスタント、大学院生等が入っていたりします。そうしたチームを組織・運営していくときに大事なことをここでは確認しておきます。

もっとも大事なことは、**「最終的に何を明らかにしたいのか」というゴールを共有し、すべてそこから考えるようにすること**です。それができていれば、チームのメンバー一人ひとりが今何をすべきか、自分で適切に考えられるようになります。研究者の優れた特徴は、自分の頭で原理的に考える習慣を持っていることです。とくに、共同研究は既成のレールに乗って進むことはできず、自分たちの頭で考えてレールを敷かなければなりません。そこで、自分の頭で考えるという研究者の特徴を最大限に引きだすほうが効果的です。そうした習慣をつけておくと、最終的にはリーダー不在でも、その場にいるメンバーで問題が解決できるようになります。言い換えると、メンバーの誰もがリーダーの代わりが務まるぐらい、ゴールに向かう過程を熟知するようになりますので、そのチームは優れた成果を確実に上げることができます (胡 2018)。

つぎに大事なことは、5.1.11 でも述べたように**「風通しのよいチームを作る」**ことです (The Google re:Work team 2015)。風通しのよいチームとは、**おたがいに何でも言いあえるチーム**です。チームになると人は、ポジティブなことは言いやすく、ネガティブなことは口にしにくくなるものです。とくに、チームのリーダーが力のある研究者の場合、なかなか意見が言いにくくなります。しかし、リーダーに何でもお伺いを立てたり、その指示に無批判に従ったりするのはチームとして不健全です。もちろん、研究チームの責任者はチームのリーダーなので、最終的にはその指示に従うことは必須なのですが、そこに至る過程では議論があったほうがよいのです。リーダーよりも現場をよく知っているメンバーのほうが、適切な判断ができる場面は多く、そうした現場の声が作業の効率化や作業の質の改善を図ることにつながります。

大事なことの三つ目は**「作業や議論の過程を記録に残す」**ことです。人間はかならず忘れる生き物で、作業の過程をそのときは憶えていても、時間をおいて見返すとかなり記憶から抜け落ちています。また、メンバーが替わり、前のメンバーの作業を引き継ぐ場合も何をどこまでどのようにやってあるのかがわからないと、引き継いだメンバーはかなり苦労します。作業の過程は記録に残し、作業結果が入れてあるフォルダと同じフォルダに残しておくと便利です。また、議論の過程も議事録に残しておくことが大事です。長い時間をかけて行われた議論も、メンバーが忘れてしまうと、ゼロからまたやり直しになり、時間の無駄になります。記録に残しておけば、チームでよくある「言った言わない問題」にも適切に対処できます。議論を議事録に残す場合にとくに大事なのは、**みんなで決めたことは一つのファイルに集約し、それを共有しておくこと**です。共有するファイルの数はできるだけ少なくしてそれを頻繁に更新するようにし、それさえ見れば大丈夫という形にしておくことが、共同研究の意思統一において重要な心がけです。

成果の上がる研究チームが満たす条件

- ゴールの共有：「最終的に何を明らかにしたいのか」というゴールを共有し、メンバー一人ひとりがつねにそこから原理的に考えること
- チーム内の風通し：何でも言いあえるチームを形成し、ネガティブな内容も含めて、現場の声を広く共有できる土壌を作ること
- 作業や議論の記録：作業や議論の過程を参照しやすい形で記録・共有し、引き継ぎや意思統一のさいにぶれないようにすること

8.3.6　研究会を主催する

Q　研究会を始めました。研究会を長続きさせるコツを教えてください。

A　研究会の目標を明確にし、ゴールを設定することです。

研究会を主催したり参加したりすることは、人脈構築のために有効な活動です。研究会については、7.2.4「研究会でつながる」で説明しましたが、そこで紹介した研究会と、ここで考える研究会はやや性格が異なります。前者は学会組織に発展する可能性のある公的な性格の強い研究会であるのにたいし、後者はあくまでも個人が主催する私的な性格の強い研究会です。公的な性格の強い研究会は40～50名を超える規模であり、おたがいに知らないメンバーが一定数いるのにたいし、私的な性格の強い研究会は人数が一桁であることがふつうで、せいぜい20～30名が上限の規模で、メンバー同士がすべて顔見知りであることが前提です。

以下で考えるのは、私的な性格の強い、規模の小さな個人研究会です。そうした個人研究会もさらに二つに分けることが可能です。一つは、**興味ある研究課題について発表したり議論したりする課題中心の研究会**、もう一つは、**人とのつながりを楽しむ親睦中心の研究会**です。

課題中心の研究会の場合は、研究会の目標を明確にし、ゴールを設定することが大事です。ゴールを設定すれば、そこに至る方法、それを達成するための計画、参加するメンバーに求められる作業量が決まってくるからです。また、ゴールは、著名な学会誌に共著論文を掲載する、シンポジウムや学会のパネルディスカッションを開催する、学術出版社から論文集を出版することなどが考えられます。こうした課題中心の研究会は、大型科研を取得した場合の打ち合わせがその典型ですが、新領域の開拓をもくろむ研究者が集まって集中的に議論したり、共通の問題意識や分野的関心を有する研究者が集まって定期的に議論したりする場合も当てはまります。

課題中心の研究会の場合、無理に長続きさせる必要はありません。課題中心の研究会では、課題解決がメインですので、**目標を明確にし、短期集中でやったほうが、効率が上がる**からです。せっかく集まるのですから、知的好奇心が刺激され、活発な議論が行われるような研究会でなければ意味がありません。

課題中心の研究会を義務感でだらだらと続けていると、研究会を継続すること自体が次第にメンバーの負担になってきます。時間の無駄と考えるメンバーが欠席がちになり、議論される内容が過去の内容の繰り返しとなってきたら黄色信号です。メンバーは多忙ななか、貴重な時間を割いて出てくるわけですので、研究会にたいする準備の熱量が下がり、研究会を開催すること自体が目的となってくるようであれば、自然消滅させたほうがおたがいのためでしょう。そうならないために、**明確なゴールを設定し、それが実現すれば解散とする時限付き**としたほうが、メンバーはそれぞれ気持ちよく次のステージに移れます。

もちろん、研究会の質が非常に高く、別れがたくなる場合もあるでしょう。その場合は、個人研究会ではなく、将来的には学会の創設につながる、規模の大きな公的な性格の強い研究会にシフトしていくことも考えられます。また、人間関係がよければ、課題中心ではなく、親睦中心の研究会にしていくのも一法でしょう。

さて、その親睦中心の研究会に話を移しましょう。親睦中心の研究会であっても、ある程度似た関心を有する研究者の集団ですので、おたがいに研究した内容を持ち寄り、それについて議論するれっきとした研究会です。しかし、そのテーマは幅があってよく、共通の課題を解決しようという意識が薄くても問題はありません。**研究をネタに楽しく話をし、気の置けない仲間との交流を深められればよい**ので、居心地のよい研究会であることが大事で、ゆるゆるでかまいません。

親睦中心の研究会の場合、非常に影響力の強い魅力的な人物がいて、その先生を囲む会になることもあります。かつてのゼミの指導教員が引退したあとも教え子たちがその先生を慕い、定期的にOB・OGゼミを開いたりするのも、こうした研究会の一例です。また、学会などで知り合った仲間と意気投合し、気の合う仲間数名で学会で集まるたびに研究に関わる近況報告を交換するのも、こうした研究会の一例です。

課題中心の研究会にしても、親睦中心の研究会にしても、研究会であることには変わりなく、そこから研究のアイデアなどを発見し、発展させられるところに意義があります。**課題中心の研究会はテーマ中心、親睦中心の研究会は人間中心**であり、あるテーマをめぐって人間が集まり対話をするところに研究の原点があると考えると、研究会は研究を遂行するうえで重要な意味を持つものです。その意味で、**規模の小さな私的な研究会は、参加はもちろん、一度自分で主催してみるのもよい経験になる**と思います。

しかし、研究会自体は、大学での業務とは異なり義務ではありません。いつでもやめられるという自由度の高さがその魅力でもあります。そのため、研究について仲間と話しあえることを心から楽しむことを念頭に置き、**「来る者は拒まず、去る者は追わず」という寛容な心構え**で挑むことが肝要です。そうした寛容な心構えが、かえって研究会を長続きさせるコツなのかもしれません。

8.3.7　イベントを開催する

Q　イベントを成功させるコツは何ですか。

A　ターゲットとなる参加者像を明確にし、開催の形態を検討することです。

ここからは情報発信力について考えます。研究情報を社会に発信する場合、7.4「デジタルでつながる」で述べたように、Webサイト等をつうじた発信がまず考えられますが、リアルな情報発信を考える場合、5.2で論じた学会での発表、6.3で論じた学術雑誌への投稿の2本柱にくわえ、イベントを開催して発信する方法、書籍を出版する方法の二つが有力です。前者はこの8.3.7で、後者は次の8.3.8でそれぞれ検討します。

イベントを開催する場合、イベントの主催者はつい「イベントを開催すること自体」に気を取られがちですが、イベント開催で大事なことは、**「どんな人にどんな情報をどんな形で届けたいか」**です。しかし、イベントを開催する以上、「どんな情報を届けたいか」はある程度決まっているはずですので、**「どんな人に届けたいか」「どんな形で届けたいか」**です。

まず、**「どんな人に届けたいか」では、ターゲットとなる参加者像をイメージすることが重要**になります。その参加者像が、ある学会の会員像と重なる場合、学会で発表するとよいでしょう。5.2で紹介した口頭発表やポスター発表もありえますし、個人発表ではなく、企画発表やパネル発表と呼ばれるまとまった共同発表の枠を設けている学会もありますので、そうした枠を使うのも一つの方法でしょう。

そうでない場合、**大学等に会場を借りて、あるいは、オンライン会議システムを用いてイベントを自分たちで開催する**こともできます。そのほうが自由度も高く、思い描いたイベントを開催することが可能です。しかし、怖いのが、イベントは開催したけれど、参加者が集まらないという事態です。そこで、ターゲットとなる参加希望者に必要な情報を確実に届け、参加を促すことが重要になります。そのための方法はすでに7.4.4「研究活動の効果的発信」で紹介したので、そちらをご参照ください。

また、**「どんな形で届けたいか」では、開催の形態が問題**になります。あるテーマをめぐって専門的な話題提供を行うイベントの形態は大きくは五つに分かれます。**シンポジウム、フォーラム、パネルディスカッション、セミナー、ワークショップ**です。

シンポジウムは規模が大きい総合的なイベントで、研究講演会に近いイメージです。ある専門的なテーマをめぐって講演者が基調講演を行い、聴衆からの質問に答えるセッションを中心に、数名の発題者がそれぞれの観点から発表を行い相互にコメントするセッションや、大勢の発表者が個別にポスター発表をするセッションが加わるなど、多様な情報交換を行い、テーマの理解を深めます。

フォーラムはシンポジウムに似ていますが、フォーラムはさらに規模が大きく、広く一般に向けられた公開講演会というイメージです。市民が参加して専門的なテーマにたいする理解を深め、意識を高めて社会の流れを決めたり変えたりしていくときに開催されるものです。

パネルディスカッションは、パネリストと呼ばれる複数の討論者による発題と、その内容をめぐる相互のディスカッションが中心の研究討論会です。パネリストは立場や専門が異なる人が登壇することが多く、議論をとおして互いの立場や観点の共通点や相違点が明確になります。進行役のコーディネーターが、いかに聴衆の興味を惹くような話をパネリストの議論から引きだし、テーマについての理解を深められるか、その手腕が問われます。

セミナーは、比較的少人数で行われる講習会です。ある専門的なテーマについて集中的に講義を行い、理解を深めます。活字よりも講演者の話を聞いたほうが頭に入りやすく、人数も少ないので質問がしやすいというメリットがあります。

ワークショップは、比較的少人数で行われる研修会で、主体的に参加して体験することに主眼があります。実際に作業を行うので達成感があり、グループによる共同作業も多く、参加者同士が親しくなれるメリットもあります。

専門的な話題提供を行うイベントの種類

・シンポジウム：規模の大きな研究講演会。基調講演を中心に、研究討論会や研究発表会を兼ねることもある。ある研究テーマをめぐる専門的な情報交換の場として機能する。

・フォーラム：規模のきわめて大きな公開講演会。市民が参加することで専門的なテーマへの意識を高め、社会を変えていくねらいがある。

・パネルディスカッション：中規模の研究討論会。異なる立場や専門の討論者が議論をする過程で、互いの立場や観点の共通点や相違点が明確になり、専門的なテーマへの理解を深める。

・セミナー：比較的小規模の研究講習会。ある専門的なテーマをめぐるまとまった話が聞ける場であり、質問もしやすい雰囲気がある。

・ワークショップ：比較的小規模の体験型研修会。実際に作業を行うので達成感があり、グループワークも多いので参加者が親しくなりやすい。

この5種類のイベント形態では、それぞれ勘どころが異なります。シンポジウムやフォーラムでは**誰を基調講演者に立て、どんな話をしてもらうか**が重要になります。とくにシンポジウムでは、研究討論会的要素や研究発表会的要素をどのように取り入れ、自分たちの研究発信をそこにどう組みこむのか、**プログラム全体の構成を総合的に検討する**必要があるでしょう。パネルディスカッションでは、自分たちの研究発信を効果的にするため、**どんな人をパネリストとして組み合わせるのか**が重要です。また、建設的な議論を引きだすために**誰をコーディネーターに立てるか**も大事になるでしょう。一方、セミナーやワークショップでは、少人数であるため、**参加者一人ひとりのニーズ**にとりわけ気を配ります。セミナーでは、参加者の専門性や習熟度を考え、当日配布する資料を慎重に作成します。ワークショップでは、参加者がやってよかったという達成感が得られるよう、個人で、またグループで、**楽しく作業できるしかけ**を入念に準備します。

この5種類のうちからどれを選ぶかは、主催者が**どのような情報発信をしたいのか**、その目的によるでしょう。あるテーマを広く多角的に扱いたいのか、ある側面を狭く集中的に掘り下げたいのかによっても異なりますし、知識の伝達を重視するのか、情報や意見の交換を活発にするのか、実際に体験してほしいのかによっても異なります。大事なことは、**参加者に満足して帰ってもらい、その研究情報をそれぞれの知の現場で役立ててもらう**ことです。そこで、参加者像を明確にして、その属性や専門分野を想定し、どのイベント形態を選ぶかが大事になってくると思われます。

8.3.8　書籍を出版する

Q　博士論文など、研究成果を1冊の本にまとめて出版するにはどうすればよいですか。

A　出版社が損をしない工夫をして、出版社に相談することです。

博士論文など、研究成果を学術図書、いわゆる研究書の形にまとめて出版するのは、研究者の夢の一つです。理科系の評価は被引用率が高い学術雑誌に掲載された論文がすべてですが、文系、とくに人文学系の場合、**研究書**という書籍の形の業績が高い評価を受けることが可能です。人文学系は資料などが膨大になることが多いため、研究成果をまとめると、資料が膨大な研究は必然的に大著になります。また、学際性の高い分野では、適切な評価が受けられる学会誌自体が存在しないことも多く、新たな分野を開拓する研究の場合、著作の形を取らざるをえないという事情もあります。このため、専門の研究書が高い評価を受ける人文学系では、多くの研究者が博士論文の刊行に憧れます。

しかし、研究書の出版はけっして易しいものではありません。商業出版は営利事業であり、売れない本ばかり出版している出版社は潰れてしまうからです。このため、出版社は利益が出る形で出版しなければならず、自身の研究成果の出版を志す研究者は、自己の、出版によって利益を出す方策を考えなければなりません。

その一つの方法は、**公費の出版助成費を獲得すること**です。具体的には、**科**

研費の研究成果公開促進費の「学術図書」の種目に応募し、採択されることです。この科研費に採択されれば、日本学術振興会から出版助成が受けられ、出版社が不利益を被ることなく、研究書が刊行できるようになります。8.3.4「科研費を取得する」で紹介した一般の科研費は、大学等の研究教育機関が研究者に付与する科研費の研究者番号を持つ者だけが応募できるルールとなっており、所属先を持たない者は蚊帳の外なのですが、**研究成果公開促進費の「学術図書」にかぎり、日本国内に居住している研究者であれば誰でも応募可能**です。留学生は国へ帰った場合は資格がありませんが、大学院博士課程修了後も引き続き日本国内に留まっていれば申請が可能です。この科研費の応募にさいしては、出版にかかる費用を記した書類が必要になりますので、必然的に出版社に相談することになります。良質な博士論文であると出版社が判断すれば、科研費の応募に必要な書類を作成してくれるでしょう。

ただし、ここで気をつける点が三つほどあります。一つ目は、**依頼する出版社が学術出版社でないと引き受けてくれない**ということです。しかも、学術出版社の場合、分野によって得手不得手があります。自分がよく読む分野の研究書を精力的に刊行している学術出版社であれば可能性がありますので、そうした出版社に直接相談するとよいでしょう。出版社のなかには**科研費による出版相談会**を設けているところもありますので、そうした機会を積極的に使うとよいでしょう。

二つ目は、**博士論文そのものは、この科研費の審査対象にはならない**ということです。6.6.5「博士論文の公開」で述べたように、博士論文は学位を授与した大学の機関リポジトリで公開されるのが原則となっています。このため、博士論文の内容をそのまま公開することは意味がなく、博士論文の内容を大きく前進させたもの、博士論文の研究を異なる観点から補完したもの、博士論文とは別に進めてきた研究をより広い視野で融合させたものなど、博士論文を発展させた別の論文でなければ審査対象にはなりません。その意味で、出版を考えている人は、**博士論文を執筆している段階で、博士論文のその後まで見通していなければならない**ことになります。

三つ目は、**この科研費は採択率が高くなく、その採択基準もはっきりしない**ということです。基本的に、独創的・先駆的な成果を上げたと判断されたものが採択され、学術的価値に乏しいものが不採択になりますが、分野を越えた競合になるので、そもそも横並びでの比較は困難だと思われます。過去の採択傾向を見ていると、**伝統的な分野の本格的な研究か、他分野でもその価値がわかりやすい研究が有利なよう**に感じられます。審査委員は伝統的な分野の大御所の先生方が多いので、自分の専門分野における研究の価値を相対的に評価しやすいこと、自分の専門分野以外では学際性が高いものを評価しやすいことがその背景にありそうです。私の教え子の傾向を見ていると、伝統的な分野の研究者が少ないためか、残念ながらあまり採択率が高くありません。そうしたなかで採択された例を挙げると、井上裕之さんという人が2021年に出版した『ニュースの談話構造の総合的研究』(井上 2021)があります。井上裕之さんはNHK放送文化研究所にお勤めで、かつてNHKの記者としてニュース原稿を書いていた方です。その本の紹介文にはこのように書かれており、その学際性の広さが窺われます。

> 日々、テレビやラジオを通して見聞きするニュース。しかし、その身近さや公共性の高さに反し、ニュースの報道文は言語研究のテーマとしてあまり取り上げられてこなかった。本書では、報道文を音声言語である“ニュース談話”とし、その構造に注目。戦前から戦中、そして現在に至るまでのテレビ・ラジオのニュース談話について幅広く調査を行い、ニュースの談話構造を総合的・多角的に分析している。言語学、日本語学だけでなく、メディア研究、ジャーナリズム研究にも資する１冊。
>
> https://cocopb.com/books/978-4-86676-030-8/
>
> (最終閲覧日：2021 年 8 月 14 日)

それ以外の教え子のものは、研究助成をしなくても十分に市販できるものと判断されました。内容はけっして悪いものではないのですが、そこそこ売れる可能性のある本なので、商業出版として元が取れると判断されたようです。応用的性格を持つ研究成果は、科研費の研究成果公開促進費では不利に扱われやすいのかもしれません。

なお、科研費の研究成果公開促進費の採択率は、年によってかなり上下しますが、**およそ３分の１**と考えておけばよいでしょう。このため、科研費の研究成果公開促進費をあてにしていると、平均３年はかかりますし、３年続けて申請したからといって採択される保証はありません。そのため、勤務校に出版助成の制度がある場合、そちらのほうでも応募してみたり、研究費が潤沢ならば、自分の研究費を使って出版費用を補填したりすることも並行して考えたほうがよいでしょう。

一方、そうした恵まれた環境にない人は、その業績が専任のポストにつながることを信じて、自費で出版することを検討する必要も出てきそうです。しかし、出版費用は最低でも 100 万円、出版社によっては 200 万円以上かかります。そのうちの何 % を著者が自費で引き受ければ出版してくれるのかは出版社によって異なりますが、けっして安くはないうえに、それで専任のポストが約束されるわけではありません。個人的には、全額自己負担による出版は、リスクとリターンを天秤にかけると、あまりお勧めできないのが現状です。

ただし、現在では、注文者の依頼に基づいて必要な部数だけ製本・印刷する**オンデマンド出版**が普及しつつあり、出版のコストも下がってきています。また、7.4.1「オープンサイエンスの時代」で紹介したオープンアクセスが主流になってきており、学術図書が**電子書籍**としてのみ刊行される動きも進んできています。そうすれば、出版の製本・印刷・保管に関わる費用がかからなくなるので、出版のコストが劇的に下がるかもしれません。紙の本に愛着のある人はオンデマンド出版で、そこをドライに割り切れる人は電子書籍で出版することで、夢の実現へのハードルがさほど高くない時代を迎えつつあることは確かです。

ここまで検討してきたことは、出版にかかる費用を科研費の研究成果公開促進費等、研究助成費で補填するという方法でした。しかし、出版社が利益を出せる工夫は、もう一つあります。それは、**売れる本にして出版する**という方法です。商業出版はそもそも書籍を市販して利益を得る営みですので、こちらが本線と言えるでしょう。

研究書の場合、定価がそれなりに高いので、500 部売れれば元が取れるようにできています。したがって、数年以内に 500 部売りきれる本だと判断できれば、出版社は出版してくれます。しかし、500 部売りきるのは大変なことです。たとえば、5,000 名の学会員を擁する学会に所属していたとして、その学会員のうち、自分の本を買ってくれる人はおそらく 100 人に 1 人でしょう。そこで 50 部です。また、関連の大学図書館等が購入してくれるかもしれません。そこで

50 部です。そう計算したとして、あと 400 部はどこに販路を求めたらよいでしょうか。

そこで考えなければならないのが、**自分と異なる分野の人にも買ってもらう**戦略です。日本語学を専門にする人であれば、日本語学だけでなく、言語学、英語学、中国語学、ドイツ語学、フランス語学などの他の言語の研究者にも購入してもらわなければなりません。また、日本語教育、国語教育、英語教育などの言語教育の研究者にもぜひ購入してもらいたいところです。さらに、言語に関心のある心理学者、工学者、哲学者、社会学者、文学者、文化人類学者にも届くとよいでしょう。そして、できれば研究者ではない、日本語に興味のある一般の人にも手に取ってもらえれば言うことはありません。言うまでもなく、博士論文自体がこうした広がりを持つことはありません。しかし、**博士論文を出版したいのであれば、このように多くの読者に届くようなしかけが必要**です。もちろん、その分野の専門家からの評価が第一なので、その核となる部分の専門性を下げた議論をする必要はありません。しかし、読者の範囲が広がるようにタイトルを考えなおし、章立てを再検討し、本文の加筆・修正を重ねなければ、多くの人が本を手に取ってくれることはないでしょう。

厳しいことを言うならば、博士課程を修了するまでの大学院生時代に研究書を自費で 100 冊も購入していない人が、本を出版して大学院生に自費で買ってもらおうという考えを持つことはありえないことです。また、その 100 冊のうち、他分野の本がそこに 20 冊も含まれていないとしたら、他分野の人に手に取ってもらえる本を作ることは絶望的だと思います。**研究書を読むことは、研究書を書くための最良の勉強法**です。これまでその努力が足りなかった人は、面白そうな研究書を手当たり次第購入し、自分が研究書を書くときの参考にしましょう。「大学院生時代にこんな本と出会えていればよかったのに」と思えるような、かつての自分が自腹を切ってでも読みたいと感じるような本を書けば、その本はきっと多くの読者に届くはずです。私自身も本書をそうした気持ちを込めて書いています。

本の販促を考えるうえで大事なもう一つのことは、**自著を自分で宣伝すること**です。現代において、本を書いた筆者もまた、本を売る出版社の営業チームの重要な一員です。自分のホームページ、**Twitter、Facebook、note 等による自著の内容紹介**はもちろん、**Youtube に自著の紹介動画**を載せ、出版社のホームページからリンクを張ってもらうという積極的な戦略を試みることも、自分のメールアドレスの署名欄に自著の紹介を埋めこむという地道な戦術を取ることもできます。**知り合いの著名な先生に献本**し、機会があったら紹介してもらうように依頼する方法もありますし、**学術雑誌の書評やレビュー論文で取りあげてもらう**のも効果的な方法です。自分なりのアイデアで出版社の出版リスクを少しでも下げることに協力するのが、自著出版における著者の務めだと考えておくとよいでしょう。

書いた本が売れることはステキなことです。著者としては自分の考えを多くの人に知ってもらえる機会になりますし、出版社としては本が売れることで経営が安定します。そうすれば、また新たな本を書き、新たな考えを知ってもらえる機会が生まれる好循環につながります。

なお、自分の分野にかぎらず、近隣の分野の研究者に読んでもらえるように間口を広げる方法については、鈴木・高瀬（2015）に詳しく書かれていますので、一読をお勧めします。

8.3.9　次世代の研究者を育てる

Q　初めて大学院生の指導を担当することになりました。何をすればよいでしょうか。

A　子育てと同じだと考え、子どもの成長する力を信じ、子どもを見守る温かい目とクールな目を持ち、必要なときに必要な声かけをすることです。

長かった「研究する人生」の旅もそろそろ終着駅に近づいてきました。現在どんなに偉くなっている先生にも大学院生の下積み時代がありました。つまり、卵の時代があったわけです。卵が割れて（大学院入試合格）ヒヨコが生まれ（修士課程進学）、ヒヨコが若鶏になり（博士課程進学）、若鶏が成鶏になり（博士号取得）、その成鶏がいつの間にか卵を産み（テニュア取得）、ヒヨコを連れています（大学院教育参画）。現在、学会で中心的な役割を担っている教員もこうした一連の歩みを辿ってきたわけです。また、現在のヒヨコたちのうち、選ばれたヒヨコたちは、いずれ若鶏になり、成鶏になり、子連れになっていくでしょう。こうした営みの繰り返しのなかで、研究は確実に次の世代へと受け継がれていきます。

子連れになった大学院の指導教員の悩みは、まさに**子育ての悩み**です。親の思うとおりに成長する子どもはいません。親の悪いところばかり引き継いでしまうのが子どもです。生まれてきたときの子どもはみんなかわいいものですが、徐々に本性を現すようになります。思春期には反抗期がつきものですし、無気力になって引きこもってしまう子どももいます。外でけんかをしてよその子をいじめてしまう子もいれば、よその子やその親にいじめられて傷ついて帰ってくる子どももいます。親だって欠点を抱えている人間です。機嫌の悪いときもありますし、理不尽なことを言って子どもを傷つけてしまうときだってあります。親にも子どもにも個性があり、その個性のぶつかりあいが子育ての現場です。しかし、大事なことは、そうしたなかでも子どもは着実に成長し、自分なりの人格を徐々に形成し、いずれは親を越えていくということです。子育てに心配はつきものですが、**大きなところで間違えなければ、この子はいつかきっと立派な大人になる。そう信じることが、大学院における院生指導においてもっとも大事なこと**だと思います。

大学院における院生指導が子育てである以上、子育てでやってはいけないことは院生指導でもやらないほうが賢明です。やってはいけない第一は**きょうだいの比較**です。「お兄ちゃんは何をやっても優秀なのに、おまえは何をやらせてもだめだな」と能力を比べたり、「お姉ちゃんはいつも締切をきちんと守れるのに、なぜおまえは守れないのか」と姉を基準に妹を責めたりするのはご法度です。そうした比較はコンプレックスを生むだけでよい結果を生みません。

やってはいけない第二は**短所ばかり挙げること**です。人には誰でも短所はありますが、その裏返しとしての長所はあるはずです。「作業は遅いけれども丁寧」「着手するまでは遅いけれども書きはじめたら速い」「局所的なミスは多いけれども大局を見る力がある」などというように、短所と長所は表裏一体であることが多いものです。それを、「作業が遅い」「着手が遅い」「局所的なミスが多い」などと欠点ばかりを責められては、院生のほうもたまったものではありません。もちろん、すべてが表裏一体をなしているわけではなく、欠点ばかりが目立つこともあるでしょうが、それでも大きな目で見れば、欠点を補ってあまりあるよい点は誰にでもかならずあるものです。研究者はミスを潰して論文を書きすすめる職業上、とかく短所に目がいきがちですが、研究と子育ては違うということは強く意識しておく必要があると思います。

もちろん、院生一人ひとりの欠点を知ることは重要ですし、ときには指摘することも必要です。たとえば、論文を書くこと一つとってみても、タイトルの付け方が甘くなる院生、要旨と本文の内容が合わなくなる院生、「結果」の示し方で図表が見にくくなる院生、「考察」で論理の飛躍を起こしがちな院生、「まとめ」で今後の課題ばかりが長くなる院生など、それぞれやりがちな癖があるものです。こうした癖は繰り返し指摘し、自分で直せるようにしておかないと、後の研究者生活に支障を来します。大事なことは、**短所だけでなく長所を見ること、院生一人ひとりの癖を把握する人間観察を怠らないこと**です。子育てにおいては、「子どもを背後から見守る温かい目」「子どもの将来のために長所・短所を見極めるクールな目」の二つが重要になります。これは院生指導においても同じことで、院生をつねに視野のなかに入れるように心がけ、**必要なときに必要な声かけを怠らないこと**が指導教員としての務めになると思います。

ここでは、大学院で指導教員として指導に携わる方向けの心構えについて述べましたが、大学院生は指導教員の指導のなかでだけ、成長するわけではありません。学部時代の指導教員がその基礎を作ったわけですし、大学院のゼミでの先輩・後輩とのやりとりや、学部や大学院の講義での一期一会の出会いが研究の方向性に強い影響を及ぼすこともあるでしょう。学会や研究会での発表・投稿・懇親会の場でその院生を支援した他大学の教員や研究仲間も相当数に上ると思われます。そう考えると、大学院生が成長するにあたっては、**院生自身の成長する力**と、**その成長を支える多様な学術ネットワーク**の二つが必要であるということがわかります。指導教員という親の存在はたしかに大事なのですが、子どもは親の目の届かない学校や社会のなかで自律的に成長するのです。

コラム10「指導教員の選び方」でも述べたように、私は「指導」という言葉を好みません。「教育」は「学習支援」に、「指導」は「研究支援」に置き換えるべきだと考えています。最終的に成長するのは本人の力であり、周囲にできることは成長のための環境を整えること、それだけです。経験上、優秀な院生を輩出する研究室は、指導教員が強いリーダーシップを発揮している研究室ではなく、ゼミの運営がうまくいっていて、対話のなかで先輩が後輩を育てる雰囲気のある研究室です。5.1「ゼミ発表」でかなりの紙幅を割いてゼミについて書いたのもそのためです。ですから、**院生自身の成長する力を信頼し、力むことなく、研究支援のための環境整備にいそしむこと**が、真の「指導」への近道であり、また王道であると私は考えています。

なお、大学院指導を将来的に担当したいという希望者向けに、参考となる情報を示します。大学院指導を担当するのには必要な条件があります。それは、**○合（マルゴウ）**と呼ばれる文部科学省による業績評価です。これはとくに新たに大学院を設置する場合に必要となるものです。

大学院を新設する場合、大学院設置基準にしたがい、文部科学省が新設研究科に所属する全教員にたいして博士論文の指導のための業績判定を行います。その結果、博士課程の研究指導を担当できると認められた教員には**D○合**、修士課程の研究指導を担当できると認められた教員には**M○合**という評価を与えます。その評価基準は外部の者には明確にはわからないのですが、分野ごとに必要な論文や著書の数が決まっているようです。なお、マルのつかないD合やM合も存在し、それぞれの課程の研究指導補助を担当できると認められた教員となります。

こうした業績評価は新設大学院の完成年度（修士課程2年、博士課程3年）を過ぎると緩くなるので、実際にはD○合・M○合の評価を受けていない教員が研究指導を担当することも起こりえます。しかし、大学院の博士課程、修士課程を指導するには相当の業績が求められているという原則は知っておいて損はないと思われます。

8.3.10　研究者の使命

Q　研究者の使命とは何ですか。

A　それは研究者一人ひとりが考えるべきものです。

研究者の使命ということを考えたことがあるでしょうか。大学院生の方は自分の研究で精一杯、非常勤講師の方は食べていくのに精一杯かもしれません。任期付教員の方は任期のない常勤教員になってから落ち着いて考えるつもりかもしれません。しかし、研究者として生きる道を選んだ以上、どの段階にあっても、つねに考えつづける必要があるのが研究者の使命です。使命を考え、発信していかないと、研究、とくに文系の研究は不要なものとして社会から捨てられかねない状況にあるからです(吉見 2016)。自分の取り組みが否定され、自分の職が奪われ、後に続く世代の将来も奪われかねない乱暴な議論がまかりとおる昨今、事態は緊迫の度を増していると言わざるをえません。

私が考える研究者の使命はきわめて単純です。

研究者の使命

それぞれの学術分野において、先入観や思いこみに基づく主張を排し、データやエビデンスに基づく学術的に価値のある主張を社会に発信すること。また、そうした発信ができる人材を育てること。

インターネット社会の到来によってたしかに便利になりましたが、弊害も広がっています。個人が自分の考えを手軽に発信できるようになったため、先入観や思いこみに基づいた情報を深く吟味せずに発信し、インターネット上はそうした情報の大洪水になっているからです。偏見を広めたり、自己の利益になるように誘導したりする悪質な書きこみも後を絶ちません。SNS等で自分と似た考えの人ばかりを集約してしまうエコーチェンバー現象が、そうした状況に拍車をかけています。このような情報の大洪水のなかで私たちはいったい何を信じてよいかわからなくなるときもあります。

しかし、そうした状況のなかで、研究者や学術コミュニティにできることがあります。それは、**データやエビデンスに基づく確かな主張を発信すること**です。研究者の発信する情報は「調べて確かめて書く」ところに特徴があります。そうした情報は調べた事実に依拠していますので、信憑性が高いのが特徴です。したがって、私たちが何か重大なことを判断する場合、頼りにする情報は研究者の発信した情報です。自然災害、異常気象、感染症、食品ロス、経済格差、自殺、ハラスメント、識字など、現代社会には問題が山積しています。もしこの世界から研究者がいなくなってしまったら、情報の信頼性を担保することができなくなり、こうした諸問題を解決するすべを失ってしまい、世界は大混乱に陥るでしょう。

私の専門は日本語です。日本語をめぐっては、私のような研究者だけでなく、誰もが自由に議論できます。それは一面ではたいへんすばらしいことです。日本語は研究者のものではなく、それを使う一人ひとりのものだからです。研究者が日本語をめぐる知見を独占するようなことはあってはなりません。

しかし、日本語をめぐる誤った考えや偏見を広める人がたくさんいるのも事実です。そうした人に限って自分の考えている日本語が正しく、周囲が間違っていると思いこむ傾向があります。そこに共通して見られるのは、日本語という言語事実を見ずに、先入観や思いこみに依拠して語るという特徴です。そうした人が、かりに国語教育や日本語教育の政策決定や指導を行う立場に立つと、教育を間違った方向に導いていってしまうことになります。

もちろん研究者にも先入観や思いこみがあります。しかし、**研究者の先入観や思いこみは、データやエビデンスによって確かめられ、是正され、更新されるもの**です。学問の優れたところは、正しさを補強するところにあるのではなく、誤りを素直に認められるところにあります。

著名な学術雑誌に掲載された論文が正しいとは限りません。もちろん、その論文は、優秀な研究者がその時点で全力を振り絞ってデータを収集し、それをもとに正しいと考えた主張です。しかし、後世の研究者がその主張の誤りに気づき、別のデータからより正しい考えを導きだし、それが定説になってもよいのです。データやエビデンスに基いて自己訂正できること、これが学問の優れた点です。このように研究者が切磋琢磨して信憑性の高い主張を築きあげていくところに研究の意義があり、だからこそ、その情報を多くの人が正しいと信じて活用するわけです。

大学教育・大学院教育も同じです。**大学や大学院は、データやエビデンスに基づいて思考し、発信できるように学生を徹底的に教育するところ**です。人間は、自分の考えを正しいと思いこみ、自分と異なる考えを間違っていると判断して排除しがちな生き物です。しかし、大学教育・大学院教育では、自分の考えの正しさをカッコに入れることを学び、ほんとうに自分の考えが正しいかどうか疑うことができる、実証的な思考を訓練する場です。したがって、大学を卒業、大学院を修了して社会に出た人が、先入観や偏見にまみれた主張を繰り返しているならば、大学教育・大学院教育の敗北を意味します。**先入観や偏見を排し、実証的に思考・発信できる人を社会に送りだすことが大学教育・大学院教育の使命**だからです。

以上は私の考える研究者の使命です。研究者の使命はきっと人によって考えが違うでしょうし、違ってよいものです。大事なことは、研究者の使命という大きな社会的課題を、研究者一人ひとりが自覚的に考えつづけることです。考えつづけることで、研究の未来はきっと明るいものになっていくはずです。

8.3.11　人文学研究の評価

Q　研究論文は英語で書かなければだめだと言われました。日本語で書かれた論文は価値がないのでしょうか。

A　そんなことはありません。英語で書かれた論文にも、日本語で書かれた論文にも、それなりの価値があります。そのため、それぞれにたいして正当な評価ができる評価システムの確立が必要です。

研究はグローバル化しています。グローバル化するということは、世界が同じ物差しのうえで競争するということです。大学評価ランキングが作られ、10位までをアメリカとイギリスの有力大学がほぼ独占し、アジア圏ではシンガポール、北京、香港の有力大学が上位を占め、日本、韓国がそれに続くというのが近年定着している構図です。国内に目を向けると、旧七帝大が強く、東京大学、京都大学の東西の両横綱に、東北大学、名古屋大学、大阪大学という本州の3大学がそれに続き、九州大学と北海道大学が第三グループを形成する。ランキングのタイプや種類によっては、東京工業大学と東京医科歯科大学、慶應義塾大学と早稲田大学も健闘するという順位が一般的です。この順位の意味するところは、英語を得意とするところが有利に働き、文系大学・学部はまったく評価されていないという事実です。

英語の重要性も自然科学の重要性も否定はしません。自然科学のさらなる発展は人類に幸福をもたらす可能性がありますし、文系研究者も英語ができるにこしたことはありません。英語で発信することで、その研究成果が世界で広く共有されるからです。しかし、人文学・社会科学のさらなる発展も人類に幸福をもたらす可能性がありますし、文系研究者が日本語で研究することにも意味はあると思います。私は英語で論文を書いたことがありませんが、もし私が英語で論文を書けたとしてもあまり意味がありません。英語で論文を書くよりも、日本語で論文を書くほうがはるかに多くの読者が獲得できるからです。日本語学に興味のある海外の研究者は日本語がよくできる一方、英語の苦手な研究者は英語で書いた論文が視野に入りませんので、英語で書くと読者をかえって大幅に減らしてしまうのです。この点は日本語学に限らず、多くの人文・社会科学分野に共通して見られる現象でしょう。大事なことは、自然科学系の研究業績を評価する物差しをそのまま人文・社会科学系に当てはめて研究業績を評価しないこと、英語で書かれた業績だけを研究業績の評価対象にしないことです。

人文・社会科学分野の研究業績評価で大事なこと

- **自然科学系の研究業績を評価する物差しをそのまま人文・社会科学系に当てはめない**
- **英語で書かれた業績だけを研究業績の評価対象にしない**

一方、私は中国人留学生に手伝ってもらい、中国語で論文を発信しているのですが、そちらには一定の意味があると考えています。なぜなら、中国には相当数の日本語の研究者がおり、中国語で日本語の研究を行っているからです。

中国は研究者の数自体が多いので、中国語で書かれた中国の国内雑誌のランキングが存在します。そのランキングに用いられる代表的な評価指標は **CSSCI（Chinese Social Sciences Citation Index）**と呼ばれる、南京大学中国社会科学研究評価センターが開発したものです。そこには中国語で書かれた人文・社会科学分野の論文が収録され、それらの被引用状況が検索できるようになっています。つまり、中国は、人文・社会科学分野の中国語での研究を奨励している国であり、英語で研究を行う自然科学系とは異なる評価システムを用いているわけです。日本は公用語である日本語で学問ができる恵まれた国ですが、中国もまた公用語である中国語で学問ができる恵まれた国であり、人文・社会科学分野はそのメリットを最大限享受しています。

中国国内は日本語研究者の数が多く、日本語の論文を読みこなす力がある研究者であっても、CSSCI が整っている国内的事情から中国語で書かれた国内雑誌の論文をまず読みます。また、日本国内の有力雑誌に掲載されても、中国では高く評価されることはありませんので、優れた業績は通称 C 刊と呼ばれる CSSCI のランキングの上位の雑誌にこぞって投稿されます（6.3.3「投稿先の選び方」参照）。私自身も、中国では多少知名度があり、また中国人日本語学習者を対象にした数々の研究を手がけている関係で、私の論文が多くの人の目に留まる可能性を考え、中国語でも発信しているわけです。

論文は、その論文を読む必要がある人が読んで初めて意味を持つものであり、どんなに内容が優れた論文でも、読者がいなければ紙くずにすぎません。少数であっても、読者がいる論文は価値のある論文です。英語で書かれた論文を読者の数だけで評価する現行のシステムが、日本の人文・社会科学分野の評価になじむとは思えません。しかし、研究という営みが国民の貴重な税金を投入して行われるものである以上、客観性の高い一定の評価システムはどうしても必要になります。日本の人文・社会科学系の諸分野は、中国の CSSCI に相当するような業績評価指標の整備を怠ってきました。その結果、自然科学用の業績評価指標を押しつけられてしまった経緯があります。

また、博士号取得者が大学の採用人事に臨むときも、ある権威ある学会誌に掲載された論文の価値が他分野の選考担当者に理解されずに苦労したり、帰国した留学生が自国の大学の採用にあたり、人事担当者に「日本国内の学会誌のランキングを示してほしい」と言われて戸惑ったりするのも、自前の業績評価指標がないことによる弊害です。このため、**日本語で書かれた人文・社会科学系の論文を測る業績評価指標の策定が喫緊の課題**となっています。

現行の評価システムは、**インパクト・ファクター**(Impact Facter、略称:IF)と呼ばれる指標に依拠しています。インパクト・ファクターは、ある特定の学術雑誌に掲載された論文が 1 年あたりどのぐらいの頻度で引用されているかの平均を示す尺度で、当該分野における学術雑誌の影響度を表します。インパクト・ファクターの計算には、文献間の相互引用の関係をまとめた**サイテーション・インデックス**(引用索引)が用いられます。

こうした評価を用いて学術雑誌の影響力を測る学術雑誌データベースとしては、トムソン・ロイター社が提供し、インパクト・ファクターの算出のもととなるサイテーション・インデックスを作成している **Web of Science** や、Elsevier 社が提供する **Scopus** がよく知られています。先ほど挙げた中国の CSSCI もやはりインパクト・ファクターのような被引用率を用いて有力な学術雑誌を算定しています。

インパクト・ファクターは一面では合理的で客観的な評価指標であり、これだけ広く普及したのもうなずけます。しかし、少し考えてみればわかるように、インパクト・ファクターにはいくつかの問題があります。広く引用された論文が優れた論文とは限りませんし、被引用率を高めようとすれば相互引用を無駄に増やせば済むことです。多数の執筆者が関わっている論文や、専門誌よりも総合誌のほうが有利に働きますし、研究者はインパクト・ファクターの高い雑誌にばかり投稿しますので、勝ち組と負け組の差を助長します。つまり、本来は内容という質で測られるべき論文の価値を量に置き換えてしまった結果、数々の弊害を生みだしてしまっているということです。

研究者はそうした現状に手をこまねいていたわけではありません。なかでも、**「研究評価にかんするサンフランシスコ宣言」**や**「研究計量にかんするライデン声明」**がよく知られており、文系研究者としても首肯するところが多いものです。

新たな研究評価指標の模索

- 研究評価にかんするサンフランシスコ宣言（San Francisco Declaration on Research Assessment）
  https://sfdora.org/read/read-the-declaration-japanese/
  （最終閲覧日：2021 年 8 月 16 日）
- 研究計量にかんするライデン声明（The Leiden Manifesto for Research Metrics）
  http://www.leidenmanifesto.org/ （最終閲覧日：2021 年 8 月 16 日）

「研究評価にかんするサンフランシスコ宣言」では、予算配分、人事の採用や昇任においてインパクト・ファクターのような評価指標を排除するとともに、研究が掲載された学術誌ではなく、研究自体を評価する必要性を説き、オンライン出版物の特性を活用した新たな指標の探求などを求めています。

また、「研究計量にかんするライデン声明」では、次のような 10 の原則が掲げられています。

ライデン声明――10 の原則

原則 1　定量的評価は、専門家による定性的評定の支援に用いるべきである。

原則 2　機関、グループ又は研究者の研究目的に照らして業績を測定せよ。

原則３　優れた地域的研究を保護せよ。
原則４　データ収集と分析のプロセスをオープン、透明、かつ単純に保て。
原則５　被評価者がデータと分析過程を確認できるようにすべきである。
原則６　分野により発表と引用の慣行は異なることに留意せよ。
原則７　個々の研究者の評定は、そのポートフォリオの定性的判定に基づくべきである。
原則８　不適切な具体性や誤った精緻性を避けよ。
原則９　評定と指標のシステム全体への効果を認識せよ。
原則10　指標を定期的に吟味し、改善せよ。
https://www.nistep.go.jp/activities/sti-horizon/vol-02no-04/stih00050
（最終閲覧日：2021年８月16日）

私たち日本の文系研究者にとってとりわけ重要なのは「原則３　優れた地域的研究を保護せよ」です。その説明には次のように書かれています。

ライデン声明「原則３　優れた地域的研究を保護せよ」

世界の多くの地域で、優れた研究は英語で発表されると見なされている。例えば、スペインの法律は、同国の学者が高インパクトの雑誌に発表することを望ましいとしている。インパクトファクターは、米国中心で、いまだにほとんどが英語であるWeb of Science収録の雑誌を対象に計算されている。こうしたバイアスは、国・地域についての研究が多い人文・社会科学において特に問題が大きい。他の多くの分野でも、国・地域という側面を持つ。例えば、サハラ以南アフリカにおけるHIVの疫学などの例がある。

しかし、このような多元性や社会的関連性は、高インパクトのゲートキーパーたる英語雑誌の関心を得るような論文を創出するために抑制される傾向がある。Web of Scienceで高引用を得ているスペインの社会学者たちは、抽象モデルに長年取り組んでいるか、米国のデータの研究を行っている。高インパクトのスペイン語論文では、地域の労働法、高齢者のための家族健康管理、移民の雇用などのトピックについての社会学者の独自性が失われている。優れた地域的研究の発見・それらへの報奨の付与のためには、高品質の非英語文献に基づいた計量が有用であろう。

https://www.nistep.go.jp/activities/sti-horizon/vol-02no-04/stih00050
（最終閲覧日：2021 年 8 月 16 日）

以上、英語中心、自然科学中心、インパクト・ファクター中心の研究業績評価の弊害について述べてきました。食べログの評価ランキングを見て、和食の名店、フレンチの名店、ラーメンの名店が同じ尺度で測られることに違和感を覚えた人は少なくないはずです。同じように、自然科学系、社会科学系、人文学系を同じ尺度で測ることに無理があると思われます。こうした一面的な研究評価システムの問題点を踏まえ、日本語で書かれた人文・社会科学系の論文を測る研究業績評価指標の策定が現在、喫緊の課題となっています。

こうしたなか、筑波大学の人文社会国際比較研究機構が公表している TSUKUBA index は参考になる指標です。TSUKUBA index は Ikeda & Morimoto (2015) によって提唱された DF (Diversity Factor) の改良版、iMD (index of Measuring Diversity) に基づくものです。人文・社会科学系の研究を測定するのに適切な国際的指標が、今後も各所で活発に開発・改良されることが期待されます。

8.3.12　人文学の未来のために

Q　人文学は役に立たないから要らないと言われました。人文学の未来は暗いのでしょうか。

A　人文学が人間を対象にした学問である以上、廃れることはありません。AI の登場で逆に「科学」の量的研究手法に陰りが見えはじめている今、未開拓の領域の多い人文学は今後注目を浴びる可能性が高いと思われます。

そもそもなぜ自然科学系が重視され、文系、とりわけ人文学系が軽視されるのでしょうか。それは、人文学系が社会の役に立たないからです。社会の役に立たないというのは、ありていに言えばお金にならない、もうからないということです。自然科学系の研究では、一つ革新的な技術を開発することが莫大な利益につながります。世界には人間が暮らすという共通性がある以上、同じように都市や郊外があり、工場や農場があり、病院やホテルが建ち、スーパーやレストランが賑わい、飛行機が飛び交い、自動車が走っています。自然科学の技術は容易に国境や文化を越え、世界のあらゆる地域を市場にします。そこで基軸となっている通貨は米ドルとユーロ、基軸となっている言語は英語です。

一方、人文・社会科学系の研究では、革新的な技術を開発することはまれです。また、国や言語、文化といった壁がその普及を阻みます。そうした違いを生みだしているのは人文・社会科学系の研究対象にほかなりません。自然科学の研究対象は大雑把に言えば「もの／こと」です。そこには「生物」や「生体」も含まれるでしょうが、対象としているものは物理的な存在や現象です。一方、人文・社会科学系の研究対象は「ひと」です。社会科学系はそのうち「ひと」が作りだす「社会」という集団を対象にしますが、人文学系は個としての「人間」を対象にします。このため、「もの／こと」を対象としている自然科学系ではそれらの共通点と、その背後にある一般性を重視するのにたいし、「ひと」を対象にする文系、とくに個としての「人間」を対象にする人文学系の研究ではその相違点と、その背後にある多様性を重視するわけです。

私自身は、相違点と多様性を大事にする「みんなちがって、みんないい」学問である人文学が大好きです。**人文学は、人間を「幸せ」にする、別の言葉で言えば「豊かさ（well-being）」を実現するための学問**だからです。お金や地位は幸せを与えてくれるかもしれませんが、一時の幸せしか約束しません。その幸せは他者との比較に由来する相対的な幸せだからです。他者よりもましという相対的な幸せは長続きしないものです。これにたいし、人文学の与えてくれる幸せは長続きする幸せです。他者との比較による幸せではなく、自分らしく自由に生きる絶対的な幸せだからです。

また、**人文学は多様性を重視する学問であり、社会的弱者や少数者を大事にする学問**です。社会的弱者や少数者を大事にすることは他者の個性や多様性を尊重することですので、当事者だけの幸せではなく、めぐりめぐってみんなの幸せにつながります。社会の真の「豊かさ（well-being）」につながるこうした考え方は、民主主義社会における基本的人権の尊重の理念に照らしても自然な考え方だと思います。もうけ話につながらないからといって、社会の役に立たないという強者の論理で切り捨てられてしまうのは残念なことです。

さらに、多様性は人類という種を強くすることも強調しておきたい点です。ダーウィンの自然選択による適者生存の考え方を持ちだすまでもなく、選択の余地がない種は環境の小さな変化にさえついていけないおそれがあります。発信が英語だけの社会、研究が自然科学だけの世界は短期的に見れば効率がよく見えるかもしれませんが、長期的に見ればリスクが高い選択です。多様な考え方を共存させておくことが環境の変化に対応するために必要なことであり、現代の社会的文脈のみに過剰適応することが日本という国の将来にとってほんとうに望ましいことなのかどうか、慎重に検討すべきでしょう。

さて、自然科学系と人文・社会科学系、とくに人文学系の対立として注目しておきたいもう一つの点は、**量と質の対立**です。**数字と言葉の対立、記号と意味の対立**と言ってもよいかもしれません。自然科学系の世界は基本的に数字の世界だと考えられます。「もの／こと」の世界は、何らかの形で数値に置き換えて表示・計算することが可能な量の世界だからです。社会科学系、とくに自然科学の数理モデルを援用して作られた経済学などもきわめて自然科学的です。社会は構成員を数値化することができるので、社会科学は自然科学に近い性格を有しているように思われます。

一方、人文学の世界は基本的に言葉の世界だと考えられます。「ひと」の世界は、それぞれ固有の価値があり、数字に置き換えることが困難な質の世界だからです。言葉が「ひと」の世界を表せるのは、人間はまさに言葉を駆使して自らの思いを表現し、日々人生を歩んでいるからです。社会科学でも、法の世界は数値化が困難な世界であり、人文学に近い性格を有していると思われます。

数字で表し、量に還元できるという自然科学の特徴は、誰がやっても同じ結果を導くことができることから、主観を極力排除する必要のある科学（science）にとって優れた特徴です。しかし、数字の世界で表すことは考えなくても機械的にできるので、なぜそうなるのかという考察を行うのには不向きです。また、表現できるのは、一般化が容易な比較的単純なモデルに限られるので、複雑な事象を扱うのが得意ではありません。

一方、言葉で表し、量に還元できず、その内実を問わなければならない人文学の特徴は、人によって異なる結果を導く可能性を排除できないという意味で非科学的です。自然科学や社会科学と異なり、人文学（humanities）と称して科学（science）をあえて名乗らないのは、そうした人文学の弱点によるものです。しかし、言葉に依拠している以上、なぜそうなるのかという考察を行うのに向いていますし、複雑なモデルを扱うのにも向いています。心を持ち、言葉を使って他者とコミュニケーションするなかで変容しつづけるのが人間です。この不思議な存在を量的に扱うのは現時点では不可能でしょうし、AIがいくら発達しても不可能かもしれません。

じつは、ここに人文学の未来の可能性があるのではないかと私は考えています。**ビッグデータを搭載したAIが世界を席巻するなかで、量に還元できる研究はいずれ行き詰まる**でしょう。AIができることはどんどんAIが解決してしまい、未開拓の領域が狭くなっていくからです。しかし、言葉と意味という得体の知れないものを扱う人間という未知の領域には、AIがなかなか入ってくることができません。入りたくても、アプローチの方法がまだ見いだせていないからです。おそらく自然科学の量的なアプローチをそのまま転用するのでは難しく、量一辺倒ではない別のアプローチが必要になるでしょう。それが量的研究と質的研究を合わせた「混合研究法（Mixed Methods Research）」になるのかもしれませんし、まったく新しいアプローチかもしれません。いずれにしても、「もの／こと」を対象にした数値に還元する量的アプローチと、「ひと」を対象にした言葉に還元する質的アプローチの長所・短所を補いあうアプローチになるでしょう。

今後は、哲学、心理学、言語学、教育学、コミュニケーション学など、現在あまり人気がないように見える**「人間とは何か」を解き明かそうとする人文学の諸分野が活況を呈する時代が来る**ような気がします。「人間」に興味や関心のない人はいませんし、これだけわかったようでわからない存在もないからです。本書では人文学の暗い側面もあえて取りあげてきました。人文学にたいする社会的な負の圧力も大きく、そうした圧力に抗するのに精一杯のところがあります。しかし、学問分野としての人文学には自然科学のようなやりつくされた閉塞感はなく、まだ誰も目にしたことのない未開拓の大地が大きく広がっています。その開拓に足を踏みだす方の道案内に本書が活用されることを願いつつ、稿を閉じることにします。

おわりに

自己万能感と無謬主義

今、研究は危機を迎えています。研究の重要性は今まで以上に高まっているにもかかわらず、研究を軽視する風潮が強まっているからです。

スマホやパソコンを開いたとたん、情報が向こうから押しよせてくる時代のなかで、人は一つひとつの情報と丁寧に向きあう余裕をなくし、自分の感覚に基づいて情報を瞬時に選別し、効率よく処理することにばかり目が向きがちです。時間をかけてじっくり考えるという習慣を失っているのです。そこでは、自己の感覚にたいする過度の依存が生まれており、自分の感覚に合うものは「是」、自分の感覚に合わないものは「非」とされ、情報は消費されていきます。

そうした慌ただしい現代社会のなかで、「自分は正しい」という信念に囚われる人が増加しています。その信念は、極度に高い自己評価である自己万能感という形を取って現れがちです。それが何らかの根拠に基づくものであればよいのですが、その内実は独りよがりの思いこみや偏見のことが多いのが現実です。自己万能感に浸る人たちは、データに基づく専門家の判断よりも自己の信念を優先します。そして、そうした人たちが陥りがちな共通点が「無謬主義」です。「無謬主義」とは、自分たちの判断に誤りはなく、それに反対する人たちは誤っているとする考え方です。そうした人たちの思考は硬直し、自分の考えに潜む誤りを認めず、自己の価値観を変えることがありません。しかも、他者にたいしては、根拠のない自己判断に基づいて変わることを強要します。

今の日本社会にはこうした「無謬主義」が蔓延しています。永田町、霞が関、丸の内といったリアルな世界にも、YouTube、Twitter、ブログといったバーチャルな世界にも、自分の感覚が正しいと信じて疑わない人が増殖しています。そうした人たちが社会を混乱させ、誤った方向に導いてしまっている現実があるのですが、当の本人たちはそのことには無感覚です。この原稿を執筆しているときに起きた、日本学術会議の会員人事をめぐる6名の研究者の任命を政府が拒否した事件も、こうした文脈のなかで語ることができます。

「無謬主義」に立つ人たちは、自分が行った判断にたいする失敗を認めません。彼らは責任を取るとよく言いますが、実際に責任を取ることはありません。失敗を認めなければ、失敗したという事実は残らず、したがって責任を取る必要がないからです。つまり、自分たちのしていることは誤りがないという無謬主義を押し通せば問題は起きないというロジックです。そのため、失敗だと指摘されるようなデータが出てきそうになったら、それを隠蔽したり改ざんしたりすることもあります。

失敗は大事

しかし、失敗しないことは、そんなにすばらしいことでしょうか。答えは否です。失敗は大事です。現実の社会は、失敗を率直に認め、丁寧に修正をしていくなかでよくなっていくものだからです。失敗をしてしまったとき、失敗の原因を示すデータをめぐって開かれた議論を行い、衆知を集めて最適解を見いだすことで改善していくのが健全な市民社会のあり方です。失敗をしないという前提に立つと、失敗を認めて改善策を検討することが不可能になります。そして、現実には失敗していても成功していると抗弁を続けることになり、取り返しのつかない悲惨な事態を招いてしまうのです。その最たる結果が先の大戦であり、大本営発表であることを、私たちは歴史から学んでいます。

スポーツで強いチームはどんなチームでしょうか。失敗をしないチームではなく、失敗から学べるチームが強いチームです。失敗やミスを重ねるなかで修正を重ね、弱点を克服し、強化を図ったチームが一流のチームとなるのです。「失敗は成功のもと」です。

研究も同じです。研究で失敗しない人が優秀な研究者なのではありません。失敗から学べる人が優秀な研究者です。ノーベル賞を受賞した研究者のインタビューで異口同音に聞かれることは、優れた研究成果は無数の失敗のうえに成り立っていることです。ある失敗がきっかけで、大きな発見につながることも少なくありません。恥ずかしいことは失敗をすることではなく、失敗を恐れて挑戦をしなくなることです。失敗を恐れて発信をやめた研究者は評論家にすぎず、もはや研究者ではありません。

対話が支える可謬主義

研究の価値は、エビデンスに基づいて正しさを主張できるところにある。そう考える人はきっと多いでしょうし、それは間違いではありません。しかし、研究のほんとうの価値は、エビデンスに基づいて誤りを率直に認め、改善できるところにある。私自身はそう考えています。

研究の世界は「可謬主義」に基づいて運営されています。「可謬主義」というのは、プラグマティズムの父と称されるチャールズ・サンダース・パースによって示された「今存在する知見はどんなに確実な真理のように見えても、すべて修正される可能性がある」という考え方です。懐疑主義とは異なり、「可謬主義」は真理の存在までは否定しませんが、現時点で真理と考えられているものは「仮の真理」であり、将来的には誤りとされる可能性を否定しない立場に立つわけです。そこで、研究者は真理をめぐり、エビデンスを示しつつ自説を展開して議論を行い、そうした議論をとおしてもっとも妥当性の高い学術的知見が「定説」として定着します。その「定説」も後の新説によって覆されるかもしれませんが、このようにして社会における最新の確かな知見が共有され、継承されていくわけです。

学術的な議論の結果生き残った「定説」を打ちだせた研究者は尊敬を勝ちえますが、誤った学説を出してしまった研究者も恥じいる必要はありません。誤った学説もまた「定説」の確立に寄与しているからです。誰かの失敗が別の誰かの成功につながることもあり、誰かの失敗もまた社会の糧となるものだと思います。

本書で繰り返し述べてきたように、研究は個人的な営みであると同時に、社会的な営みです。研究の究極の目的は、優れた社会的共有知を生みだすことです。エビデンスに基づいた革新的なアイデアをみんなで知恵を出しあって作りあげ、それを後世への贈り物として残していくことです。それを支える制度は「可謬性」を前提として作られています。

そこで大事なのは研究者同士の対話であり、対話のできるオープンな環境です。大学院のゼミも、学会が開催する大会も、大学が主催するシンポジウムも、学術団体が刊行する学術雑誌もすべて、社会的共有知を生みだす対話の場です。そして、インターネットを介したデジタル時代の特性を生かし、データの共有（オープンデータ）や成果の公開（オープンアクセス）を促進するオープンサイエンスが急速に普及しているのも、対話のできるオープンな環境を保障するためのものなのです。

対話による成長

そう考えると、研究活動の中心は「可謬性」を前提とした研究者同士の対話ということになるでしょう。優秀な研究者を相手にエビデンスに基づいて何が正しいのか、自説を交わしあう対話です。自説を主張した結果、相手を論理的に説得できることは研究の醍醐味です。反対に、相手の優れた考え方に納得し、自分の認識が更新されることもまた研究の醍醐味です。いずれにも、研究者としての人間的な成長があるからです。

私にとって、研究の最大の魅力は人間的な成長です。大学院生の指導に携わることの喜びは、大学院生の成長を目の当たりにできることです。研究に行き詰まっていた大学院生が私のもとを訪れ、研究テーマをめぐる対話のなかできっかけを掴んで突破口を開き、大きく成長する姿を何度も見てきました。そのようなお手伝いができることは、教員としての至上の喜びです。

一方で、指導に当たっているはずの私自身が成長を実感することも何度もありました。私自身の研究についての思わぬヒントをもらったり、私が持っていた思いこみや偏見を修正してくれたりしたのも、やはり大学院生との対話でした。私自身は、大学院生に指導をすると同時に、大学院生から指導を受けてきたわけです。それによって、私自身も成長させてもらったと感じています。

成長とは変化であり、対話によって相手が変化することもあれば、自分自身が変化することもあります。対話をとおしてコペルニクス的転回を起こすことがあるのが人間です。「無謬主義」に支配されている人はこうした変化が起きませんが、研究者はそうであってはなりません。「可謬主義」に立ち、自分自身の世界観の変化を楽しめる姿勢が必要です。自分が努力して積みあげてきた成果が、新たなエビデンスの出現によって瓦解することもあります。しかし、そうした状況にあっても「自分が抱いてきた信念は誤りであったが、これでまた一つ賢くなれた」と思える感性が大事です。事実が信念に優先するのが研究の世界です。

課題の多い人文学

今は自然科学系の学問、とりわけデータサイエンスのような工学的アプローチが全盛で、今後ビッグデータを用いた新たな知見が次々に生みだされていくでしょう。5年先、10年先という中期的なスパンで見た場合、こうしたアプローチにはたしかに期待が持てますが、より長期的なスパンで見た場合、行き詰まるときが来そうな気がします。量的な分析によって全体的な傾向を知るというアプローチには限界があるからです。

文系の学問、とくに個人を単位とした集団を扱う社会科学以上に、個人が生みだした所産をとおして人間理解を扱う人文学は、データサイエンスにとって、かなりやっかいな対象になりそうです。なぜなら、人間は一人ひとり異なる人格を持ち、その内実は非常に複雑だからです。とくに解決しがたいのが人間関係に関わる問題です。経済問題や健康問題と並び、私たち人間の最大の悩みは人間関係です。しかし、それを解決する処方箋をデータサイエンスが与えてくれる気配はありません。他者は自己と異なる世界観を持つ存在であり、そうした相手とわかりあうことは至難の業です。しかし、わかりあえたと感じられる奇跡のような瞬間が訪れることもあり、私たちはそこにかけがえのない喜びを見いだします。

しかし、これはビッグデータによる量的分析で解決できる問題でなさそうです。たとえば、先ほど指導教員と大学院生に見られる互いの変化と成長の過程は、異なる世界観を持つ人格の出会いで起きる一度きりの化学変化であり、その場の状況や心理にも左右される個別的な問題です。同時に、日本の大学院制度という特殊な社会的文脈が背景にあります。つまり、個性と社会性というデータに現れない水面下の部分が多いものの場合、データによる論証がきわめて難しくなるわけです。そのため、人文学の学術的方法論がいまだ確立しておらず、新たなアプローチが模索されているのが現状です。

人文学研究と結婚する

研究者になるということは「可謬主義」に生きるということですが、学術的方法論の確立が待たれる人文学の現状を踏まえると、人文学の研究者はとりわけ「可謬主義」の姿勢を貫かなければならないと思います。学術的方法論が確立されていない以上、試行錯誤という名の失敗を繰り返し、「ああでもない、こうでもない」と他者と対話することの繰り返しが強く求められるということです。難しい課題だからこそ、挑戦しがいのある課題でもあります。

人間を理解するというのは、人間における究極の課題かも知れません。人間は自分自身のことさえ十分には理解できておらず、年代に応じて現れる自分という人間の姿に驚き、躓き、混乱するものです。ましてや、他者の気持ちを理解するのは困難を極めます。しかし、そんな人間という不思議な対象と向きあい、人間の所産に関わるデータを集め、人間の本質について考えつづける人文知の世界は魅力があります。そう思いませんか。

たしかに人文系の研究者として生きることは経済的な余裕や社会的な地位とは無縁であり、生活は不安定な状況が長く続き、苦労することは少なくないでしょう。その意味では、覚悟が必要な、お勧めしがたい選択肢であることはたしかです。しかし、人文系研究のなかに一生かけてお付き合いしたいすてきな対象が見つかり、「世界初の何か」を発見するために考えつづけ、真理を求めて試行錯誤を繰り返し、同じ興味を持っている人との絶え間ない対話が楽しいと感じられる人にはお勧めできる選択肢です。

本書では、職業選択を「結婚」という比喩で表現してきました。華やかな金融の世界に飛びこみ、大学時代の同期もうらやむような高給を取るのも悪くない人生でしょう。弁護士、税理士、公認会計士などの士のつく仕事に就き、高い社会的ステイタスを手に日々を歩むのも堅実な生き方でしょう。しかし、人生は出会いであり、人生の価値をどこに置くかは人によってさまざまです。経済的に恵まれた職業と結婚したい人もいれば、社会的に高い評価が得られる職業と結婚したい人もいるように、自分の好きなことを心ゆくまで突き詰められる職業と結婚したい人も、きっといるはずです。

刺激的な対話のなかで相手も変わり、自分も変わることで互いの成長を実感し、精神的な豊かさを持って生きつづける人生は充実しています。人間の思索は「ご臨終」を迎えたときに停止するものですが、その思索の道筋を論文という形にしておけば、それを後世の人たちが大切な贈り物として引き継いでくれるはずです。それは一人ひとりにとって大きな生きがいです。本書を読んでそのように感じ、この世界に入ってくださる方が一人でもいらっしゃれば、筆者にとってそれに勝る喜びはありません。

感謝を込めて

本書を書く作業は、私自身の研究史を振り返り、その学恩を確かめる作業でした。そこで、ごく一部にはなるのですが、そうした学恩をくださった方々を最後に紹介いたします。コラム９で紹介したように、論文を書くときには「謝辞」をつけるという習慣があります。共著者に入れるところまでは行かなくても、その論文の成立に貢献してくれた人はその名前を記すという習慣です。本書でもそうした習慣に従いたいと思います。いずれも肩書きは当時です。

学部時代に一橋大学で学問の手ほどきをしてくださった松岡弘先生、田中克彦先生、大学院時代に早稲田大学で研究を指導してくださった野村雅昭先生、森田良行先生、佐久間まゆみ先生、細川英雄先生、とくに指導教員としてゼミという対話の重要性を教えてくださった中村明先生（早稲田大学名誉教授）と中村研究室のＯＢ・ＯＧのみなさん、教員時代に一橋大学大学院言語社会研究科でともに研究指導に当たった秋谷治さん、イ・ヨンスクさん、糟谷啓介さん、坂内徳明さん、松原真さん（以上、言語社会研究科）、庵功雄さん、太田陽子さん、五味政信さん、鶴田庸子さん、西谷まりさん、栁田直美さん（以上、国際教育交流センター）、井上優さん、小磯花絵さん、前川喜久雄さん、山崎誠さん（以上、国立国語研究所）、国立国語研究所で共同研究の意義を教えてくださった田窪行則所長をはじめとする所員のみなさん、とくに日本語教育研究領域と研究情報発信センターのスタッフのみなさん、私と一緒に研究チームを組んで共同研究を遂行してくださっているみなさん、さらには学会・研究会等で出会い、これまで多くのご指導とご教示をたまわったみなさんに心から御礼申し上げます。

また、本書を書くきっかけとなったのは、何よりも一橋大学大学院言語社会研究科の石黒研究室のメンバーのおかげです。ここでは、私が主指導を担当させていただいた方を入学年順にご紹介させていただきます。博士課程修了者は、烏日哲さん、劉時珍さん、劉洋さん、黄明侠さん、山田裕美子さん、Azam Sepehri Badi さん、朴恵美さん、原田幸一さん、Olga Pokrovska さん、喬曉筠さん、赫楊さん、Nguyen Thi Thanh Thuy さん、胡方方さん、井上裕之さん、佐野彩子さん、霍沁宇さん、岩崎拓也さん、Dang Thai Quynh Chi さん、藤原未雪さん、董芸さんの 20 名です。2021 年度現在の博士課程在籍者は、井伊菜穂子さん、王慧雋さん、鈴木英子さん、伊藤拓人さんの 4 名です。一方、修士課程修了者は、筒井千絵さん、黄嘉韻さん、Sirirut Suntayopas さん、劉錫榮さん、耿立平さん、Océane Naegely さん、木村香菜さん、竹山一孝さん、北村愛さん、渡辺奈緒子さん、朱婉華さん、坂口ひかりさんの 12 名です。また、修士課程在籍者は、弘島愛理さん、Lai Thanh Hoa さん、黄鈺庭さん、盧彭暉さん、黒川美那子さん、呉楚琦さん、松本宏樹さんの 7 名です。これ以外にも、私のゼミに参加してくださった大学院生や外来研究員の方々は多数に上り、そうした方々の交流からたくさんの執筆のヒントをいただきました。

なかでも、胡方方さん（洛陽師範学院）には対話の重要性を教えていただきました。本書の前半の内容は胡さんとの深い対話のなかで育んだ内容をもとに執筆しています。また、赫楊さん（天津外国語大学）には興味深いオノマトペの研究紹介を許可していただきました。さらに、本書のできたての草稿を、井伊菜穂子さん（国立国語研究所）と董芸さん（深圳大学）という新進気鋭の接続詞研究者２名にご確認いただきました。記して感謝申し上げます。

また、本書執筆にさいしては、研究社の全面的なバックアップをいただきました。本書の出発点は、編集部の高野渉さんから2017年にいただいたご依頼に遡ります。しかし、私がぐずぐずしているあいだに、高野さんは2021年の３月に退社されてしまいました。４年間原稿をお待たせし、とくに後半２年間は月に１度のペースで丁寧に連絡を取っていただきながら完成にたどり着けなかったこと、申し訳のない気持ちでいっぱいです。その後、同じ編集部の松本千晶さんにバトンが渡り、辞書作成の合間を縫った松本さんの献身的なご支援のおかげで本書はようやく刊行に至りました。このお二人のご尽力がなければ、本書はけっして完成していませんでした。心から感謝申し上げます。

研究者が研究を続けるには、二人の伴走者が必要です。一人は厳しいコメントをくれる人、もう一人は温かい励ましをくれる人です。私には幸い、厳しいコメントをくださる高野さん、温かい励ましをくださる松本さんというお二人の伴走者を得ることができ、無事に完走できました。

本書の読者のみなさまも、そうした信頼できる伴走者を見つけ、本書というガイドブックを手に、文系研究者という平坦ではない道のりをゴールに向かって快走してくださることを心から願っています。

最後までお読みくださり、ありがとうございました。読者のみなさまお一人おひとりの「研究する人生」に、豊かな幸せが訪れますように。

2021年９月　SDG

石黒 圭

参考文献

阿部謹也(1988)『自分のなかに歴史をよむ』筑摩書房
石黒圭（2010）「書くときの舞台裏」『日本語学』29（2）、明治書院、pp.22-31
石黒圭（2012a）『論文・レポートの基本―この1冊できちんと書ける!―』日本実業出版社
石黒圭（2012b）「論文の書き方―査読者との対話としての投稿―」『専門日本語教育研究』14、専門日本語教育学会、pp.3-10
石黒圭（2016）『書きたいことがすらすら書ける！―「接続詞」の技術―』実務教育出版
石黒圭（2018a）『『豊かな語彙力を育てる ―「言葉の感度を高める教育」へのヒント―』ココ出版
石黒圭（2018b）「第7章 専門教員との連携を生かしたアカデミック・ライティング能力育成の試み―法学部新入生を対象にした導入ゼミナールを例に―」村岡貴子・鎌田美千子・仁科喜久子編著『大学と社会をつなぐライティング教育』くろしお出版、pp.117-135
石黒圭（2021）「達人からのひと言」『国語1』［令和3年度版 中学校］光村図書出版、p.143
石黒圭編（2020）『ビジネス文書の応用言語学的研究―クラウドソーシングを用いたビジネス日本語の多角的分析―』ひつじ書房
石黒圭、烏日哲編（2020）『どうすれば論文・レポートが書けるようになるか―学習者から学ぶピア・レスポンス授業の科学―』ココ出版
石黒圭、栁田直美（2015）「日本語教育学の研究の進め方―指導経験・投稿経験から見えてくるもの―」『一橋大学国際教育センター紀要』6、pp.151-165
井上裕之（2021）『ニュースの談話構造の総合的研究』ココ出版
入來篤史（2004）『研究者人生双六講義』岩波書店
岩波書店編集部編（2021）『アカデミアを離れてみたら―博士、道なき道をゆく―』岩波書店
レフ・セミョノヴィチ・ヴィゴツキー著、柴田義松訳（2001）『思考と言語 新訳版』新読書社
内田樹（2010）「卒論の書き方」『内田樹の研究室』
http://blog.tatsuru.com/2010/08/03_1235.html（最終閲覧日：2021年6月21日）
内田樹（2016）『困難な結婚』アルテスパブリッシング
NHK シチズンラボ（不詳）「シチズンサイエンスとは？」
https://www.nhk.or.jp/citizenlab/citizenscience.html（最終閲覧日：2021年7月20日）
小野寺典子（2017）「NHK世論調査における調査方法論研究の系譜」『NHK放送文化研究所年報』61、pp.51-112
https://www.nhk.or.jp/bunken/research/yoron/pdf/20170130_3.pdf（最終閲覧日：2021年6月21日）
楠見孝、子安増生、道田泰司編（2011）『批判的思考力を育む―学士力と社会人基礎力の基盤形成―』有斐閣
胡方方（2018）『日本語上級学習者のピア・リーディング談話の多角的分析―発話機能と司会役の役割を中心に―』一橋大学博士学位論文
https://doi.org/10.15057/29748

小風尚樹、小川潤、纓田宗紀、長野壮一、山中美潮、宮川創、大向一輝、永崎研宣編、一般財団法人人文情報学研究所監修（2021）『欧米圏デジタル・ヒューマニティーズの基礎知識』文学通信

国立歴史民俗博物館（2019）「市民参加型翻刻プロジェクト『みんなで翻刻』が7月22日リニューアル公開！」
https://www.rekihaku.ac.jp/outline/press/p190722/index.html（最終閲覧日：2021年7月20日）

小林秀雄、国民文化研究会（2014）『学生との対話』新潮社

近藤克則（2018）『研究の育て方―ゴールとプロセスの「見える化」―』医学書院

今野浩（2009）『すべて僕に任せてください―東工大モーレツ天才助教授の悲劇―』新潮社

迫田久美子、石川慎一郎、李在鎬編（2020）『日本語学習者コーパスI-JAS入門―研究・教育にどう使うか―』くろしお出版

佐藤郁哉（2008）『質的データ分析法―原理・方法・実践―』新曜社

佐藤裕、三浦美樹、青木深／一橋大学学生支援センター編（2014）『人文・社会科学系大学院生のキャリアを切り拓く―〈研究と就職〉をつなぐ実践―』大月書店

佐渡島紗織、ディエゴ・オリベイラ、嶼田大海、ニコラス・デルグレゴ（2020）『レポート・論文をさらによくする「引用」ガイド』大修館書店

サンキュータツオ（2017）『もっとヘンな論文』角川書店

鈴木哲也、高瀬桃子（2015）『学術書を書く』京都大学学術出版会

高橋伸夫（2016）「大学院生のための研究入門（3）統計的に有意って何?」『赤門マネジメント・レビュー』15(11)、グローバルビジネスリサーチセンター、pp.539-546
https://doi.org/10.14955/amr.151102

田中克彦（1981）『ことばと国家』岩波書店

読書猿（2020）『独学大全―絶対に「学ぶこと」をあきらめたくない人のための55の技法―』ダイヤモンド社

中村明（2020）『日本語の勘―作家たちの文章作法―』青土社

夏目達也、近田政博、中井俊樹、齋藤芳子（2010）『大学教員準備講座』玉川大学出版部

日本学術会議 社会学委員会 Web調査の課題に関する検討分科会（2020a）「提言 Web調査の有効な学術的活用を目指して」
http://www.scj.go.jp/ja/info/kohyo/pdf/kohyo-24-t292-3.pdf（最終閲覧日：2021年6月21日）

日本学術会議 若手アカデミー（2020b）「提言 シチズンサイエンスを推進する社会システムの構築を目指して」
http://www.scj.go.jp/ja/info/kohyo/pdf/kohyo-24-t297-2.pdf（最終閲覧日：2021年7月20日）

公益財団法人 日本心理学会（2009）「倫理規程」

https://psych.or.jp/wp-content/uploads/2017/09/rinri_kitei.pdf（最終閲覧日：2021年8月19日）
日本の研究者出版（2020）『研究者の結婚生活』日本の研究者出版
黄均鈞（2016）「大学のアカデミック場面の言語活動への参加に関する考察―授業内のコメント活動の新参者に着目して―」一橋大学博士学位論文
https://doi.org/10.15057/27818
文化庁（2019更新）「著作物が自由に使える場合」
https://www.bunka.go.jp/seisaku/chosakuken/seidokaisetsu/gaiyo/chosakubutsu_jiyu.html（最終閲覧日：2021年6月21日）
細川英雄（2008）『論文作成デザイン―テーマの発見から研究の構築へ―』東京図書
増田真也、坂上貴之（2014）「調査の回答における中間選択―原因、影響とその対策―」『心理学評論』57(4)、心理学評論刊行会、pp.472-494
https://doi.org/10.24602/sjpr.57.4_472
水月昭道（2007）『高学歴ワーキングプア―「フリーター生産工場」としての大学院―』光文社
南了太（2021）「事例研究 人文・社会系産官学連携の一考察」『産学連携学』17(1)、産学連携学会、pp.85-92
https://doi.org/10.11305/jjsip.17.1_1_85
森村進（1993）「法律学への案内――法哲学者の観点から―」『一橋論叢』109(4)、一橋大学一橋学会、pp.502-521
https://doi.org/10.15057/10962
吉見俊哉（2016）『「文系学部廃止」の衝撃』集英社
ジーン・レイヴ、エティエンヌ・ウェンガー著、佐伯胖訳（1993）『状況に埋め込まれた学習―正統的周辺参加―』産業図書、Lave, J., & Wenger, E.(1991). *Situated learning: Legitimate peripheral participation*. New York: Cambridge University Press.
Ikeda, J., & Morimoto, Y. (2015). Research metrics for the rest of us. *Inter Faculty*, *6*, pp. 95-98.
https://doi.org/10.15068/00143241
The Google re:Work team(2015). "Guide: Understand team effectiveness".
https://rework.withgoogle.com/print/guides/5721312655835136/（最終閲覧日：2021年8月19日）

索引

あ行

アーカイブ　118
アーキビスト　118, 292
アカデミック・ハラスメント（アカハラ）　280
アノテーション　83
アリストテレス・プロジェクト（Project Aristotle）　142
アンケート調査　98
イェーツの補正　107
異常値　102
イベント　266,308
因子分析　108
院生指導　316
インタビュー調査　86,87
インパクト・ファクター（影響因子、IF）　196,324
インフォーマント → 調査対象者
引用　68, 73, 180, 202
引用索引 → サイテーション・インデックス
引用文献　75
ウィルコクソンの順位和検定　104
問巻星（Wen Juan Xing）　98
運営費交付金（大学の）　78
影響因子 → インパクト・ファクター
エスノグラフィー　96
エビデンス　320
横断検索　122
応用研究　38
オープンアクセス　225,262,265
オープンサイエンス　262
オープンデータ　262
オノマトペ　54
オリジナリティ　54,69,71,161
オンデマンド出版　314

か行

概説書　60
カイ二乗（χ^2）検定　104,106
外部編入者　17
カウンターバランス　113
科学技術イノベーション創出に向けた大学フェローシップ創設事業　286
科学技術振興機構（JST）　64,264
科学研究費助成事業（科研費）　63,84,227,297,300,302
学位論文　219
学外業務　294
学術会議 →日本学術会議
学術機関リポジトリデータベース（IRDB）　64
学術雑誌　65,152,189,190,324
学術雑誌論文　19,62,193
学術情報　64
学術図書　265,311
学振PD → 日本学術振興会特別研究員
学内業務　293
学歴ロンダリング　10
科研費 → 科学研究費助成事業
過去問　14
仮説　48, 50, 81
学会　153, 242, 294, 307
学会誌　194, 196, 211, 218, 243
学会誌編集委員　244, 245
学会誌論文　62, 209, 291
学会発表　153, 242
学校基本調査　6, 29
課程博士　223
可謬主義　333, 335
間隔尺度　105
官公庁　249, 252
感情分析（センチメント分析）　109
間接引用　202
間接経費　300
機関調査（Institutional Research）　266
機関リポジトリ　62, 64, 162, 265
基礎研究　38
帰無仮説　107
脚注　203
逆ハラスメント　281
紀要　62, 190, 210, 265
共起分析　109
業績評価指標（文系論文の）　324
共著論文　226
共同研究　134,226,268,295,304
共同利用　268
極性辞書　109
均衡性　103
クラスカル・ウォリス検定　104
クラスター分析　108

クリーニング 83
クリエイティブ・コモンズ・ライセンス → CC ライセンス
グループ・インタビュー 89
クレジット（著作権者の） 271
研究エッセイ 60
研究会 238, 247, 306
研究課題（リサーチ・クエスチョン） 23, 25, 43, 44, 48, 150, 163, 172, 179
研究業績評価指標 323, 327
研究計画書（修士課程入試の） 14
研究計画書（博士課程入試の） 18, 177
研究計量にかんするライデン声明（The Leiden Manifesto for Research Metrics） 325
研究史 70, 72, 163, 182
研究支援者 285
研究書 59, 311, 315
研究成果公開促進費 226, 312, 313
研究設計（リサーチ・デザイン） 148, 212
研究チーム 304
研究テーマ 25, 32, 40, 44, 171
研究動向 66
研究ノート（投稿カテゴリー） 196
研究評価にかんするサンフランシスコ宣言（San Francisco Declaration on Research Assessment） 325
研究倫理 74, 90, 204, 301
研究倫理審査 90, 174
検索ワード 66, 202
現代日本語書き言葉均衡コーパス（BCCWJ） 58
講演 158
公開審査 164, 224
公開年 76
効果量 107
講座もの（研究書） 61
更新年 76
構造化インタビュー 89
後注（文末脚注） 203
口頭試問 224
口頭発表 153
効率化係数 78
コーディング（データの） 185
国際連携 249, 259
国立国会図書館サーチ（NDL Search） 64
国立情報学研究所（NII） 64
個人情報 270, 301
個人情報保護（調査協力者の） 90
コメント（ゼミでの） 127, 129, 130, 135, 136, 145
コレスポンデンス分析（対応分析） 108
懇親会（学会の） 245
コンソーシアム（学術団体の） 248

さ行

再現可能性 204
最終閲覧日 76
最終試験（博士論文の） 223, 224
最終著者 227
採択（科研費の） 297
採択率（学会誌の） 194, 218
サイテーション・インデックス（引用索引） 324
査読 62, 190, 193, 201, 211, 246, 291
査読コメント 212, 214
査読者 128, 209, 214, 216, 227
サバティカル 13
サムネイルデータ 123
産学官民 248
産学官連携・産学連携 251
参考文献 75
残差分析 104
サンフランシスコ宣言 → 研究評価にかんするサンフランシスコ宣言
サンプリング 100
サンプルサイズ 101, 105, 107
参与観察法 95
自己決定（調査協力者の） 90
自己万能感 331
事前審査論文 222
シチズンサイエンス 257
質疑応答 154, 156
質的調査（定性的研究） 85, 86
失敗 332
執筆要項 195
指導教員 13, 16, 21, 39, 227, 228, 235, 317
事務局（学会の） 243, 246
締切（論文提出の） 20, 22, 277
社会連携 249
謝辞 227
ジャパンサーチ 122

就職先（大学以外の） 189, 292
就職面接（アカデミアへの） 165, 288
修士論文 14, 18, 63, 160, 168
修正再査読 209, 212, 217
修了面接（修士課程） 160
修了面接（博士課程） 162
授業料の減免 284
主査・副査 224
主成分分析 108
出典 75, 184, 203
出版助成 311
准教授 288
順序効果 112
順序尺度 106
奨学金 283
条件採用（論文の） 209, 217
助教 288
助手 288
書評論文 196
シリーズもの（研究書） 61
人権尊重（調査協力者の） 90
審査委員（科研費の） 298, 301
審査員（博士論文の） 162
人文学 85, 253, 322, 327, 334, 335
シンポジウム 309
信頼区間 102
心理的安全性（psychological safety） 142
スミルノフ・グラブス検定 103
スライド 155
説明責任（調査協力者への） 90
説明文書（調査協力者への） 91
ゼミ 52, 113, 124, 173, 230, 235, 318
ゼミ運営 132, 143
セミナー 309
ゼミ発表 125
先行研究 19, 68, 70, 180, 202
全数調査 100
選択と集中 41
センチメント分析 → 感情分析
専任教員 290
専任研究者 293
専門語 61, 129, 200, 207
専門事典 61
専門書 34
専門職大学院 7, 10
専門書論文 62
相関係数 108
創造的思考（creative thinking） 53

た行

第一著者 226
対応分析 → コレスポンデンス分析
大会運営委員 246
大学教育・大学院教育 321
大学図書館 265
代表性 103
対話 125, 131, 144, 213, 333, 334
多変量解析 108
地域コミュニティへの貢献 294
注・註（論文の） 203
中央値 103
中心極限定理 102
長期履修制度 286
調査対象者（インフォーマント） 90
直接引用 202
直接経費 300
著作権 270
ティーチング・アシスタント（TA） 285, 291
提出条件（博士論文の） 222
定性的研究 → 質的調査
定説 73, 333
ディフェンス（thesis defense） 164
定量的研究 → 量的調査
データ収集 81
データセット 268, 270
テーマもの（研究書） 60
テキストマイニング 108
デジタル・アーカイブ 117, 119, 269
デジタル・ヒューマニティーズ（デジタル人文学） 117
テニュア 288
テニュア・トラック助教 288
電子ジャーナル 243
電子書籍 314
統計 98
投稿 189, 196, 243
投稿規定 195, 198, 203, 208
投稿論文 197
盗用 74, 77
特任助教 289

特別研究員奨励費（研究費） 287, 289
匿名性 201
特許 250

な行

内部進学者 18
ナラティブ・アプローチ 96
南大（南京大学）核心雑誌 196
二重投稿 191
日本学術会議 98, 247, 331
日本学術会議協力学術研究団体 248
日本学術振興会 297
日本学術振興会特別研究員（PD） 286, 288
日本学生支援機構（JASSO） 283
日本語研究・日本語教育文献データベース 66
日本語表現 206
日本留学奨学金 283
入試説明会（大学院の） 13
入門書 60
任期付助教 288
人間関係 166, 237, 239, 335
人間文化研究機構 66
認証評価 249
ネイティブ・チェック 207
ノンパラメトリック検定 104

は行

パーマネント・リンク 76
パイロット調査 109, 150, 170, 172
博士が100人いる村 28
博士研究員 289, 291
博士論文 63, 67, 162, 219
箱ひげ図 103, 187
外れ値 102
バックアップ（論文の） 176
発表資料（ゼミでの） 140, 149
パネルディスカッション 309
ハラスメント 280
パラメトリック検定 104
パワーポイント 154
半構造化インタビュー 89
ピア・レビュー 216, 246, 248
被引用率 324
非構造化インタビュー 89
非常勤講師 190, 287, 289, 290
筆頭著者 226
批判的思考（critical thinking） 51
標準偏差 102
剽窃 73, 74, 77
剽窃チェックツール 78
評定要素（科研費の） 298
標本の偏り 100
比例尺度 105
フィールドワーク 95
フィッシャーの正確確率検定 107
フェイスシート 115
フォーカス・グループ・インタビュー 89
フォーラム 309
フォローアップ・インタビュー 116
フォント 208
不採用（論文の） 209
不採用コメント（査読の） 214
プレゼンテーションソフト 154
プロポーザル 222
文化庁 252
文献サイト 68
分散（データの） 102
分散分析 104
文末脚注 → 後注
併用（調査の） 116
北大（北京大学）核心雑誌 196
ベルカーブ 105
ヘルシンキ宣言 90
報告（投稿カテゴリー） 196
法人評価 249
ポータルサイト 122, 264
ポスター発表 156
ポストドクター（ポスドク） 289, 291
本調査 109, 173
本務 → 学内業務

ま行

孫引き 181
マスメディア 255
マニュアル（調査手順の） 110, 114
○合（まるごう） 319
無断引用 77
無謬主義 331
名義尺度 105
メーリングリスト 267

メタデータ　65, 122
文部科学省　29, 252, 283, 290, 297

や・ら・わ行

夜間大学院　286
有意水準　102, 107
有効回答数　102
要旨（論文の）　177
予稿集　63, 154
予備調査 → パイロット調査
予備論文　222
ライデン声明 → 研究計量にかんするライデン声明
ライフストーリー研究　96
ランダム・サンプリング　101, 103
リカレント教育　8
リサーチ・クエスチョン → 研究課題
リサーチ・デザイン → 研究設計
リハーサル　109, 113
量的調査（定量的研究）　85, 98
倫理審査 → 研究倫理審査
レビュー論文　66, 197, 316
論証　50, 188
論文修正報告書　213
論文集論文　62
論文賞　218
論文審査会　164
論文投稿　189
論文博士　223
論文まとめサイト　68
ワークショップ　310

アルファベット

APAスタイル　75
BCCWJ → 現代日本語書き言葉均衡コーパス
C刊　323
CCライセンス（クリエイティブ・コモンズ・ライセンス）　271
CiNii（サイニィ）　64, 122
CSSCI（Chinese Social Sciences Citation Index）　196, 323
DO合　319
DF（Diversity Factor）　327
DH（Digital Humanities） → デジタル・ヒューマニティーズ
DOI（Digital Object Identifier）　76, 266
Elsevier 社　324
Google フォーム　98
Google Scholar　64
IF（Impact Factor） → インパクト・ファクター
iMD（index for Measuring Diversity）　327
IMRaD（Introduction, Materials and methods, Results, and Discussion）　184
IR（Institutional Repository） → 機関リポジトリ
IR（Institutional Research） → 機関調査
IRDB → 学術機関リポジトリデータベース
iThenticate　78
JASSO → 日本学生支援機構
JREC-IN Portal　31, 287
JST → 科学技術振興機構
J-STAGE　64, 243, 265
KJ法　96
MO合　319
M-GTA　96
NDL Search → 国立国会図書館サーチ
NGワード（専門語の）　207
NII → 国立情報学研究所
ORCID（Open Research and Contributor Identifier）　264
PAC分析　96
PowerPoint → パワーポイント
Python　100
R言語　100
Research Gate　65
researchmap　12, 264, 294
SCAT　96
Scopus　324
SNS　264, 266
SPSS　99
t検定　104
TA → ティーチング・アシスタント
TEA　97
TSUKUBA index　327
Web調査　98
Web of Science　324
Wen Juan Xing → 問卷星
Wikipedia　61

〈著者紹介〉

石 黒　 圭（いしぐろ・けい）

国立国語研究所教授・研究情報発信センター長。一橋大学大学院言語社会研究科連携教授。博士（文学）。専門は日本語学・日本語教育学。
1969 年大阪府生まれ。一橋大学社会学部卒業。早稲田大学大学院文学研究科博士後期課程修了。1999 年に一橋大学留学生センター専任講師、2004 年に同助教授、2013 年に一橋大学国際教育センター・言語社会研究科教授を経て現職。
主な著書に『ビジネス文書の応用言語学的研究―クラウドソーシングを用いたビジネス日本語の多角的分析―』（ひつじ書房）、『段落論―日本語の「わかりやすさ」の決め手―』（光文社）、『日本語教師のための実践・読解指導』（くろしお出版）、『ていねいな文章大全』（ダイヤモンド社）、『この 1 冊できちんと書ける！【新版】論文・レポートの基本』（日本実業出版社）など多数。

文系研究者《ぶんけいけんきゅうしゃ》になる
―「研究《けんきゅう》する人生《じんせい》」を歩《あゆ》むためのガイドブック―

2021 年 10 月 29 日　初版発行
2024 年 3 月 29 日　5 刷発行

著　　者　石《いし》黒《ぐろ》　圭《けい》

発 行 者　吉　田　尚　志

印 刷 所　図書印刷株式会社

KENKYUSHA
〈検印省略〉

発 行 所　株式会社　研　究　社
https://www.kenkyusha.co.jp/

〒102–8152
東京都千代田区富士見 2–11–3
電話（編集）03（3288）7711（代）
　　（営業）03（3288）7777（代）
振　替　00150–9–26710

装丁：　宮崎萌美（Malpu Design）

本文レイアウト・イラスト：　佐野佳子（Maplu Design）

ISBN 978–4–327–37907–0　C 0037　　Printed in Japan